Dwi isio bod yn...

yn...

HUW JONES

I Sian

Dwi isio bod yn...

HUW JONES

y Lolfa

Argraffiad cyntaf: 2020

Dymuna'r cyhoeddwyr gydnabod cymorth ariannol
Cyngor Llyfrau Cymru

Llun y clawr: Raymond Daniel (lens.cymru)
Cynllun y clawr: Y Lolfa

Rhif Llyfr Rhyngwladol: 978 1 78461 945 9

Cyhoeddwyd, rhwymwyd ac argraffwyd yng Nghymru gan
Y Lolfa Cyf., Talybont, Ceredigion SY24 5HE
gwefan www.ylolfa.com
e-bost ylolfa@ylolfa.com
ffôn 01970 832 304
ffacs 832 782

Diolchiadau

Fyddai'r gyfrol hon ddim wedi gweld golau dydd heb amynedd a chefnogaeth gyson Bethan Williams, wnaeth wirfoddoli i wrando ar fy llais ar dâp a throi'r myfyrdodau yn eiriau ar bapur – fel y gwnaeth hi dros y blynyddoedd yng nghyd-destun gwaith. Diolch iddi am yr anogaeth bwysig i fwrw 'mlaen, ar y sail ei bod hi'n meddwl eu bod nhw'n 'ddifyr', ac am awgrymiadau gwerthfawr.

I Elinor Wyn Reynolds y mae'r diolch am ofyn i mi feddwl am y fath lyfr yn y lle cyntaf, er bod hynny dros ddegawd yn ôl, ond ganddi hi hefyd y ces i'r ymateb cyntaf a chefnogol i'r llith, ynghyd â nifer o gynghorion doeth.

Diolch i Wil Aaron, John Gwynedd Jones a Dafydd Rhys am gywiro neu gadarnhau elfennau pwysig o sawl atgof ac i Gwion Hallam am ei sylwadau defnyddiol yntau.

Diolch i Tegwyn Roberts, Rhian Eleri, Gwenan Gibbard, Arwyn Herald, Iolo Penri, Gerallt Llewelyn, Stuart Oliver, Gwyn Williams, Owain Meredith, Iwan ap Dafydd a Betsan Evans am help i ddod o hyd i luniau defnyddiol a diolch i Dafydd Iwan, Aled Hughes a phawb yn Sain am y cydweithio hwylus a'r caniatâd i gynnwys ambell i hen gân o'r archifau, wrth gydlynu cyhoeddi'r gyfrol hon fel llyfr llafar.

Mae cyd-weithio â Gwasg y Lolfa wedi bod yn bleser digymysg, o ymateb brwdfrydig a chyflym Lefi Gruffudd i ofal a chydymdeimlad Marged Tudur wrth olygu. Diolch i'r holl dîm yn Nhalybont a mannau gwasgaredig eraill sydd wedi dod â'r cyfan ynghyd mor drefnus mewn amser byr.

Rhagair

PRYD YDI'R AMSER gorau i edrych yn ôl ar fywyd a cheisio cloriannu eich hanes personol? Os gadewch hi'n rhy hwyr, fydd gan rhywun mo'r egni a bydd y cof yn fwy anwadal. Ewch ati'n rhy fuan ac efallai y byddwch chi'n colli rhan orau'r stori.

Ar ôl i 'nghyfnod fel Cadeirydd S4C ddod i ben ym mis Medi 2019, roeddwn i'n teimlo mai dyma'r amser iawn i grwydro'n ôl dros y degawdau a sylwi ar y cerrig milltir ar hyd y daith. Roeddwn i wedi cychwyn rhoi'r stori at ei gilydd bob yn dipyn pan ddaeth y cyfnod clo a sicrhau na fyddai prinder amser yn esgus rhag gorffen y gwaith.

Dyma gyfnod sydd wedi tanlinellu mai'r pethau pwysicaf mewn bywyd yw'r pethau sy'n para – priodas, perthynas, teulu, cymuned, ffrindiau. Mae gen i ofn nad hynny gewch chi yn y llyfr hwn, yn rhannol oherwydd mod i dan orchymyn llym gan Sian, fy ngwraig – 'Dydw i ddim isio bod yn y llyfr yma!' Ond roeddwn i hefyd yn gallu gweld y byddai stori felly yn golygu llyfr gwahanol iawn, ac yn gofyn am ddoniau gwahanol i'w sgwennu.

Yn gam neu'n gymwys, roedd dyn a gafodd ei eni yn 1948 yn cael ei fagu yn y gred bod yr hyn roeddech chi'n ei wneud neu yn ei gyflawni mewn gyrfa a gwaith yn diffinio be oeddech chi. Yr hyn rydw i wedi ceisio ei wneud felly ydi disgrifio llwybr bywyd unigolyn mewn cyfnod lliwgar yn hanes gwlad benodol gan ganolbwyntio ar y pethau hynny.

Nid diolch i bawb sydd wedi cydweithio â mi ar hyd y daith ydi'r bwriad chwaith, er mod i'n ymwybodol o lu o ddyledion. I'r darllenydd y mae 'nghyfrifoldeb pennaf yn y cyd-destun hwn ac nid i 'nghyfeillion. Dweud stori yw'r nod, fel rydw i'n ei chofio, gan adael i'r atgofion sy'n llosgi'n fwyaf llachar gael y lle blaenaf.

Huw Jones
Medi 2020

1

Gwreiddiau

'IF A CAT has kittens in an oven, you don't call them cakes, do you?'

Dyna'r llinell y bu'n rhaid i mi ei defnyddio droeon ar ôl i 'nghyfoedion yn y Cardiff High School for Boys ddarganfod rywsut mod i, yr unig siaradwr Cymraeg yn fy nosbarth, wedi cael fy ngeni ym Manceinion. Yr un peth nad oeddwn i isio bod, wrth gwrs, oedd Sais. Roedden nhw'n gwybod hynny'n iawn, ac yn fwy na pharod i dynnu 'nghoes yn reit galed ar y mater, yn enwedig gyda chenedlaetholdeb gwleidyddol a ieithyddol yn dechrau tyfu – a minnau'n un o'r lleisiau unig o'u plaid yn yr ysgol uchel-ael honno yng nghanol y 60au.

Ond Manceinion – sut a pham mai yn y fan honno y treuliais i ddwy flynedd a hanner cyntaf fy mywyd?

Er na fues i erioed yn byw yno, un o sir Drefaldwyn ydw i, neu o leiaf, dyna dwi wastad wedi ei deimlo. Athro oedd fy nhad, Idris Jones, mab ieuengaf fferm y Ceunant, Llanfihangel-yng-Ngwynfa, ryw ddwy filltir o Lyn Efyrnwy, lle mae'r tir amaethyddol yn dod i ben ar gyrion deheuol llethrau'r Berwyn. Roedd fy nhaid, Hugh Jones, yn un o deulu Caepenfras, Pontllogel, a fy nain, Catherine Roberts, o'r Foel. Roedd yna aelodau eraill o'r teulu yn hanu o wahanol gonglau o ddyffryn Banw, o Lanfair Caereinion ac i fyny i Ddinas Mawddwy. Roedd Ithel Davies, y twrne, gwrthwynebydd cydwybodol a gweriniaethwr, yn gefnder i 'nhaid. Mae'r artist, Eleri Mills, o Langadfan, yn gyfyrder i mi ac mae teulu Gwyn Erfyl yn perthyn yn weddol agos.

Mam wedyn yn dod o Lanfyllin, y dref agosaf at Lanfihangel, ac yn perthyn i deulu o siopwyr a masnachwyr. Fy nhaid a nain, David a Claudia Edwards, yn cadw siop Paris House yn gwerthu baco, da-da a llestri – dyna gyfuniad! Roedd tad fy nhaid Llanfyllin yn berchen ar fusnes dosbarthu glo oedd â changhennau ar hyd dyffryn Tanat, a'r hen daid arall, Thomas Buckley Jones, hefyd yn siopwr ac yn ffigwr amlwg ym mywyd y dref. Yn ôl y sôn, o Lanfihangel roedd ei deulu yntau'n hanu, felly mae hi'n anodd iawn i mi ddod o hyd i unrhyw un o 'nghyndeidiau a neiniau *nad* oedd yn dod o'r gornel fach yma o Sir Drefaldwyn. Peth da o ran geneteg, mae'n debyg felly, fu i mi briodi merch i ddyn o wlad Pwyl.

Er mor agos y mae Llanfyllin a Llanfihangel i'w gilydd, roedd yna gryn wahaniaeth rhwng y ddau le. Roedd Llanfihangel yn y 30au yn bentref uniaith Gymraeg i bob pwrpas, fel y mae Alwyn D. Rees yn tystio yn ei lyfr arbennig, *Life in a Welsh Countryside*, gan mai yno y dewisodd ganolbwyntio ei archwiliad dwys o natur ardal wledig Gymraeg draddodiadol. Bu 'nhad yn gymorth iddo yn hynny o beth drwy fod yn dipyn o dywysydd iddo yn ystod ei wyliau coleg.

Yng nghyfrifiad 1911, fe nododd fy nhaid, oedd bryd hynny'n byw yn y Cuddig, Pontllogel, ei fod ef a'i wraig yn Gymry uniaith – nid fel datganiad gwleidyddol, dwi'n tybio, ond fel disgrifiad o'r hyn oedd agosaf at y gwirionedd. Mae gen i atgof clir o'r tro cyntaf i mi glywed fy nain, oedd yn ddynes gadarn a deallus, yn siarad Saesneg, rywbryd yng nghanol y 50au. Roedden nhw wedi ymddeol erbyn hynny i fferm fechan Pantyno, ger Cemaes, y pen arall i Sir Drefaldwyn, a minnau'n aros hefo nhw am ran o fy ngwyliau haf. Daeth fan groser o Fachynlleth i'r buarth – a honno'n cael ei gyrru gan Sais ag acen ddiarth iawn (Birmingham mae'n debyg). Nain yn mynd ati i drafod ei harcheb, a minnau, y bachgen bach dwyieithog o'r dref, yn sylweddoli gyda chryn syndod bod Saesneg Nain yn wirioneddol glapiog. Teimlo tipyn bach o gywilydd drosti oedd yr ymateb cyntaf, ac wedyn, yn raddol, fe drodd yn gwestiwn sylfaenol – pam, yn enw popeth, o gofio lle roedden ni, y dylai fod yna ddisgwyl i Nain drafod ei harcheb yn Saesneg yn hytrach na bod y sawl oedd yn gwerthu yn defnyddio'r Gymraeg? Am wn i mai'r digwyddiad hwnnw oedd achos fy mhrotest ieithyddol gyntaf, er na ddwedes i air wrth Nain na neb ar y pryd.

Bu 'nhad yn diodde'n ddrwg iawn o asthma pan oedd yn blentyn, ac oherwydd fe dybid y byddai awyr y môr yn llesol iddo, fe'i hanfonwyd i Ysgol Tywyn fel disgybl preswyl. Mae'n rhaid bod hynny wedi bod yn dolc ariannol drom i Taid a Nain, ond roedd fy nhad yn dipyn o sgolor, ac mi wnaeth yn fawr o'r cyfleoedd academaidd roedd yr ysgol honno'n eu cynnig. Buan y gwelwyd bod ganddo ddawn gynhenid tuag at ddysgu ieithoedd ac roedd yn amlwg ei fod yn disgleirio mewn Almaeneg. Yn y cyfnod hwn, cychwyn y 30au, Almaeneg oedd yr iaith dramor fwyaf ei bri ym Mhrydain. Doedd y Rhyfel Byd Cyntaf ddim wedi diffodd yr edmygedd eang ymysg y dosbarthiadau canol ac uwch o ddiwylliant cyfoethog gwlad Schiller, Goethe a Beethoven ac roedd yr iaith yn un yr oedd llawer yn anelu at fedru ei siarad – llawn cymaint, os nad mwy, na Ffrangeg.

Ar wahanol adegau, fe fu gan fy nhad fwy nag un *penfriend* yn yr Almaen, y bu'n gohebu â nhw'n gyson rhwng 1933 ac 1939. Diddorol yw darllen eu llythyrau heddiw. Mae un ohonynt yn 1936 yn uchel ei ganmoliaeth o'r Gemau Olympaidd yn Berlin y flwyddyn honno, ac yn gobeithio y byddai'r byd yn edmygu'r Almaen o'u herwydd. Ar ddau achlysur gwahanol, fe wnaeth fy nhad gyfnewid lle gyda'i ohebydd, gan dreulio wythnosau yn Bafaria, a'r bachgen Almaenig yn dod i bellafoedd Maldwyn i roi graen ar ei Saesneg! Mae'n amlwg o'r llythyrau fod yna berthynas gynnes rhwng fy nhad ac un o'r bechgyn, sef Hellmut. Wrth sgwennu at fy nain i ddiolch am arhosiad ei mab yn y Ceunant, roedd Frau Wilbrandt yn uchel ei broliant o ruglder fy nhad mewn Almaeneg.

Roedd fy nhad yn Yr Almaen yn 1938 ac mi welais luniau

roedd wedi'u tynnu ar wahanol adegau yn ystod ei ymweliad. Roedd hi'n amlwg bod presenoldeb yr awdurdodau natsïaidd ym mhobman ac yn cael dylanwad pellgyrhaeddol ar fywyd ym mhob ardal. Yn un o'r lluniau, gwelir y *gauleiter* lleol (y Nazi oedd yn ben awdurdod ar yr holl ardal) yn annerch rhyw dorf; mewn un arall, mae 'nhad a'i gyfaill wedi croesi'r ffin i Awstria yn fuan wedi'r *Anschluss*, i weld be oedd yn digwydd wrth i'r Almaen orfodi uniad gwleidyddol ar y wlad honno.

Does yna ddim byd yn y llythyrau na'r lluniau i ddangos be oedd ymateb fy nhad i'r holl beth, ond dwi'n tybio ei fod yn cael ei dynnu'n arw rhwng ei hoffter o'r Almaen fel gwlad ac o'i phobl a'i hiaith, ac ar y llaw arall yr atgasedd a'r hiliaeth oedd yn cael eu mynegi'n ddyddiol. Er hynny, mor ddiweddar â mis Mehefin 1939, roedd yn gohebu gydag un arall o'i gyfeillion i geisio cael hawl i fynd draw eto yn hydref y flwyddyn honno. Mae'n amlwg o'r atebion fod yna rwystrau bellach yn cael eu codi yn erbyn y fath ymweliad a gellir darllen rhwng y llinellau nad oedd rhieni'r Almaenwr ifanc yn meddwl ei bod yn beth doeth i'w mab fod yn estyn croeso i Brydeiniwr yn y cyfnod hwn.

Pan ddaeth y rhyfel, ac ar ôl iddo dderbyn ei radd dosbarth cyntaf mewn Almaeneg yn Aberystwyth, roedd hi'n amlwg fod fy nhad yn wynebu cryn argyfwng cydwybod. Gyda'r fath gymhwyster disglair, byddai wedi gallu disgwyl comisiwn i fod yn swyddog yn y fyddin neu ryw gangen o'r gwasanaeth clustfeinio fel nifer o'i gyfoedion coleg. Roedd hi'n amlwg ei fod yn ymwybodol iawn o'r dadleuon ynglŷn â heddychiaeth ac roedd yn debygol o fod yn cymysgu yn Aberystwyth gyda nifer o rai a fu wedyn yn wrthwynebwyr cydwybodol. Ond nid dyna fu dewis fy nhad chwaith.

Yr hyn a wnaeth oedd gwneud cais i gael ei esgusodi rhag gwasanaeth milwrol uniongyrchol ac yn hytrach, i gael gwasanaethu yn y gwasanaeth ambiwlans. Wrth glirio tŷ fy rhieni, deuthum ar draws drafft anorffenedig o araith roedd wedi'i pharatoi ar gyfer ymddangos o flaen y tribiwnlys oedd i wrando ar ei gais. Yn yr araith, mae'n nodi mor ymwybodol y mae, fel un a fu'n treulio amser yno, o ddrygioni'r wladwriaeth natsïaidd. Mae hefyd yn mynegi edmygedd o ddewrder y rhai sydd yn fodlon ymladd i ddisodli'r drygioni hwnnw, ac mae'n cydnabod yr angen i wneud hynny. Ond mae'n pledio ei anallu ei hun i godi gwn er mwyn lladd unigolyn arall, tra hefyd yn nodi ei sicrwydd y byddai'n gwbl aneffeithiol fel milwr.

Ar ddiwedd y dydd, rwy'n tybio na chafodd ei gais ei dderbyn, neu o leiaf dim ond yn rhannol, oherwydd gorfodwyd iddo ymuno â'r lluoedd, nid yn y gwasanaeth ambiwlans, ond fel *signalman*, hynny yw un o'r rheini oedd yn cario negeseuon ar gefn moto-beic.

Ni welodd fy nhad wasanaeth milwrol yn yr Almaen, fodd bynnag. Yn 1943, wedi cyfnod hir yn hyfforddi, roedd ar fwrdd llong oedd yn cludo milwyr i'r Dwyrain Pell i amddiffyn yr Ymerodraeth yn erbyn ymosodiadau'r Siapaneaid. Ond pan stopiodd y llong yn Ne Affrica, ailgydiodd yr asthma ynddo yn affwysol a bu'n rhaid iddo fynd i'r ysbyty yn Durban, ac yno yr oedd o pan hwyliodd ei long am yr India a Singapore. Lwc iddo ef – ac i minnau, mae'n debyg – iddo beidio cyrraedd y gyflafan honno.

Pan ddaeth y rhyfel i ben, bu'n rhaid iddo dreulio misoedd lawer mewn barics ym mhellafoedd Lloegr yn disgwyl ei bapurau *discharge*. Mae'n amlwg o'r llythyrau roedd yn eu cyfnewid gyda chyfaill o'r coleg oedd wedi penderfynu aros yn yr India, fod y sefyll o gwmpas, gan wneud dim byd o werth, a dim ond y disgwyl, disgwyl di-ben-draw am ddiwrnod ei ryddid, yn dweud arno ac ar y mwyafrif llethol o'r bechgyn ifanc eraill. Mae'n rhaid eu bod yn teimlo – er iddynt fod ymhlith y rhai na chafodd eu lladd na'u clwyfo – bod bywyd yn llithro trwy eu dwylo wrth i'r misoedd fynd heibio. Roedd cynlluniau bore oes i wneud doethuriaeth academaidd wedi'u chwalu. Roedd yn 31 mlwydd oed ac roedd angen dechrau ar yrfa go iawn. Ond doedd dim modd gwneud hynny nes gwybod pryd y byddai'n cael diosg ei iwnifform a chychwyn arni.

Yn y cyfamser, yn ystod un o'i gyfnodau o *leave*, roedd wedi cyfarfod â Mam. Wrth gwrs, nid Mam oedd hi y pryd hynny, ond Olwen – Olwen Mair Lloyd Edwards i roi iddi ei henw llawn. Unig blentyn David a Claudia Edwards a fagwyd uwchben y siop yn Llanfyllin.

Mae Llanfyllin yn dref fach ddiddorol iawn yn ddiwylliannol. Mae'n wynebu tua'r dwyrain, gyda Chroesoswallt yn teimlo'n nes na'r Trallwng, ac i'r gogledd-orllewin mae'r lonydd yn dringo yn eithaf serth i gyrraedd ardal Ann Griffiths ar y chwith a Llanrhaeadr-ym-mochnant, cartref yr Esgob William Morgan, ar y dde – ac mae mynyddoedd y Berwyn y tu hwnt i hynny yn arwain draw i'r Bala. Dyma'r dref farchnad lle mae ffermwyr y bryniau a rhai'r gwastatir yn cyfarfod. Fan hyn hefyd mae'r ysgol uwchradd – eto'n fan cyfarfod ar gyfer plant ardal wledig eang sy'n cynnwys Llansanffraid a Llanfechain seisnigedig, yn ogystal â Llanfihangel a Llanwddyn Gymraeg (y pryd hynny, o leiaf). Mae'r ddau ddiwylliant a'r ddwy iaith yn cyfarfod yn Llanfyllin gyda chanlyniadau diddorol.

Saesneg yw prif iaith y dref heb os, ond mae dylanwad y Gymraeg yn treiddio i'r mannau rhyfeddaf. Roedd Taid a Nain Llanfyllin yn medru'r Gymraeg, ond Saesneg roedden nhw'n siarad hefo'i gilydd a hynny er bod Taid yn ysgrifennydd Capel Bedyddwyr Seion ac yn golofn yr Achos ar hyd ei oes. Roedd o'n Rhyddfrydwr penboeth. Clement Davies, Aelod Seneddol y sir, ac arweinydd y Rhyddfrydwyr am gyfnod hir, oedd ei arwr mawr, ac mi fyddai'n brolio cymaint o hwyl oedden nhw arfer ei gael adeg etholiadau 'slawer dydd yn taflu tân gwyllt trwy ddrysau'r Torïaid lleol!

Oherwydd ei fod yn arwain pethau yn y capel, mi wn fod Taid yn medru'r Gymraeg yn iawn, ond does gen i ddim atgof clir o fy nain yn siarad Cymraeg, oni bai bod hynny yng ngŵydd cymdogion neu ymwelwyr penodol.

Saesneg felly oedd iaith aelwyd Mam ac yn ôl ei chyfaddefiad ei hun, clapiog iawn oedd ei Chymraeg nes iddi ddod yn ffrindiau hefo merch o'r un oed o'r enw Bethan Louis Jones a dechrau treulio tipyn o amser yn ei thŷ yn y dref. Roedd mam Bethan yn gryf iawn dros y Gymraeg ac yn mynnu bod fy mam yn ei siarad yn ei gŵydd. Iddi hi mae'r diolch fod Mam wedi dod yn rhugl yn Gymraeg, er y byddai'n wir i ddweud mai Saesneg oedd ei hiaith gyntaf a'i hiaith fwyaf naturiol ar hyd ei hoes, a hynny er gwaetha'r blynyddoedd o fynychu capeli Cymraeg, Cymdeithasau Cymrodorion, Merched y Wawr, Galw i Mewn ac ati.

Roedd hi'n amlwg er yn blentyn fod Mam yn ferch siarp iawn, a Ffrangeg oedd ei phwnc yn y County School yn Llanfyllin. Cafodd gyfweliad yng Ngholeg Girton, Caergrawnt, ac er na chafodd ei derbyn yn syth, awgrymwyd ei bod yn ymgeisio eto'r flwyddyn ganlynol. Peth digon prin fyddai i blant o ysgolion fel Llanfyllin gael eu gyrru i ymgeisio am lefydd yn Rhydychen neu Gaergrawnt y dyddiau hynny, felly mae'n rhaid bod ei phrifathro yn gweld rhywbeth arbennig ynddi. P'un bynnag, penderfynu peidio disgwyl a wnaeth. Roedd hi erbyn hyn yn gyfnod rhyfel a phenderfynodd Mam ei throi hi am Fangor lle treuliodd yr hyn dwi'n meddwl iddi ystyried yn flynyddoedd gorau ei hoes. Roedd yna griw bywiog yno, gan gynnwys Merêd a Thriawd y Coleg ac fe wnaeth Mam nifer o ffrindiau agos y bu'n cadw cysylltiad â nhw ar hyd ei hoes. Diddorol hefyd oedd bod y rhan fwyaf ohonynt yn Gymry Cymraeg iaith gyntaf megis Margaret Pritchard, yr awdur o Benrhyndeudraeth ac Eluned Evans o'r Foel. Bu'r criw yma'n beicio cryn dipyn o gwmpas y fro, a bu llawer o sôn mewn blynyddoedd wedyn am un daith arbennig o Fangor i Aberdaron ac yn ôl. O gofio am elltydd Llanaelhaearn a Mynydd y Rhiw, a phwysau beics y cyfnod hwnnw, rhaid codi cap i'r genod am eu camp.

Er bod Dad bedair blynedd yn hŷn na Mam, doedd hi ddim yn annisgwyl i lwybrau'r ddau groesi ond mae'n debyg na ddigwyddodd hynny go iawn tan rywbryd tua diwedd y rhyfel pan oedd Dad adref am gyfnod o *leave* ac i'r ddau ddigwydd cyfarfod wrth ddisgwyl am drên yng ngorsaf Llanfyllin. Yr hyn sy'n ddiddorol ydi mai Saesneg oedd cyfrwng y sgwrs, beth bynnag oedd ei chynnwys, gan ei bod yn amlwg i mi wrth dyfu i fyny mai i'r iaith honno y byddai'r ddau yn troi bob tro y bydden nhw'n tybio fod fy mrawd a minnau allan o'u clyw, neu bod y tymheredd yn codi am ryw reswm. Mae'n fwy na thebyg bod y ferch o'r dref rywsut yn cyfleu mai yn Saesneg roedd hi fwyaf cartrefol, a bod y bachgen o'r wlad, er mor gadarn ei ymlyniad wrth y Gymraeg, yn gyndyn o herio'r ddamcaniaeth honno, ar y cychwyn o leiaf.

Yn ystod ein magwraeth ni, fodd bynnag, bu 'nhad yn gwbwl unplyg ynglŷn â mynnu y dylid siarad hefo ni ac y dylen ni siarad hefo'n gilydd, yn Gymraeg, i'r graddau bod yr ebychiad – 'Cymraeg!' – yn aml i'w glywed yn dod o'r stafell agosaf os byddai fy mrawd a minnau wedi troi i'r Saesneg, fel mae'n siŵr y bydden ni'n gwneud yn aml, wrth dyfu i fyny ar ystâd fawr Llanrhymni ar gyrion Caerdydd.

Ond yn ôl yn stesion Llanfyllin, mae'n debyg bod cychwyn y berthynas yn reit amlwg – y bachgen gyda'i radd mewn Almaeneg o Aberystwyth â digon i'w ddweud mae'n siŵr wrth y ferch oedd newydd gael M.A. mewn Ffrangeg ym Mangor. Roedd teithio tramor yn ddiddordeb cyffredin a llenyddiaeth a llyfrau o bob math hefyd, wrth gwrs. Ond roedd 'na dipyn o wahaniaeth yn eu personoliaethau a'u greddfau, ar sawl ystyr. Roedd Dad yn un hael iawn, ac yn gallu bod yn fyrbwyll ar brydiau. Rhyw duedd i wneud ambell i benderfyniad mawr, megis prynu tŷ, heb ymgynghori'n llawn, neu roi anrheg go fawr, mewn arian neu amser, i rywun neu'i gilydd, tra roedd Mam, oedd wedi ei magu uwchben y siop, yn un reit ofalus hefo'i phres, i'r graddau y byddai'n bargeinio hefo'r dyn glanhau ffenestri ynglŷn â'i bris ymhell i mewn i'w 90au.

Does dim modd gorbwysleisio effaith dirwasgiad y 30au ar yr holl genhedlaeth wnaeth dyfu i fyny yn y cyfnod hwnnw, a'r arferion a ddysgwyd ar gyfer goroesi, wnaeth aros hefo nhw ar hyd eu hoes. Wrth glirio'r tŷ ar ôl marwolaeth Mam, deuthum ar draws llwyth o bethau oedd wedi'u cadw ers dyddiau ei rhieni hithau oedd yn rhoi darlun llachar o'r gofal a'r sgrimpio oedd ei angen yn ystod y cyfnod – tun yn llawn o weddillion bariau sebon oedd wedi mynd yn rhy fach i'w defnyddio, neu dun arall yn llawn o fotymau amryliw a 'allai ddod yn ddefnyddiol rhywbryd'. Rhan o'r meddylfryd hwnnw o gynilo, gofalu a darparu ar gyfer y dyfodol a wnaeth sicrhau, wrth gwrs, bod fy nain a 'nhaid wedi dod drwy'r cyfnod ac â'r modd i ganiatáu i'w merch fynd i'r *county school* ac wedyn i'r coleg, gan gynnwys tymor yn Dijon yn Ffrainc yn 1939. Diddorol a thrist yw'r llythyr o Dijon tua diwedd 1939, ar ôl cychwyn y rhyfel ond cyn ymosodiad yr Almaen ar Ffrainc, pan mae'r *landlady* o Dijon yn rhannu ei phryderon ynglŷn â'r dyfodol.

Wrth sôn am y 30au, un o'r ychydig hanesion drosglwyddwyd o ochr fy nhad oedd bod amaethu yng nghefn gwlad Cymru yn y cyfnod hwnnw mor galed nes y bu i Nain a Taid Llanfihangel ddod yn agos iawn at benderfynu symud i Seland Newydd i gychwyn o'r newydd. Mae gan bawb ei stori 'beth petai?' a dyna fy un i.

Pan ddaeth diwedd y rhyfel, roedd Mam, wedi cyfnod yn Llanymddyfri, wedi cael swydd yn Ysgol Uwchradd Bethesda fel athrawes Ffrangeg, lle bu, yn ôl pob sôn, yn hapus dros ben. Roedd fy nhad yn 1946 yn dal mewn gwersyll yn rhywle yn Lloegr yn disgwyl ei *discharge papers*, ac, ar ôl penderfynu mai athro oedd am fod, bu wrthi'n ddiwyd yn anfon ceisiadau mewn ymateb i swyddi fyddai'n cael eu hysbysebu yn y *Times Educational Supplement* – beibl y diwydiant addysg am flynyddoedd. Dyma gael cynnig swydd yn Stockton on Tees a'i derbyn, ychydig ddyddiau'n unig cyn cael cynnig arall, y tro hwn o Gaerdydd, a fyddai wedi bod yn llawer gwell ganddo. Ond roedd wedi derbyn cynnig Stockton ac fel gŵr anrhydeddus, nid oedd am dynnu'n ôl. Felly ffwrdd â fo i bellafoedd gogledd-ddwyrain Lloegr, ardal gwbl ddiarth, ac un bell iawn i ffwrdd o Lanfyllin, Bethesda a phobman arall pwysig. Cynllunio ar y cyd wedyn sut oedd cael sefyllfa fyddai'n caniatáu i'r ddau gael gwaith yn yr un lle, a rhoi eu sylw ar y ddinas fawr oedd o fewn rhyw fath o gyrraedd i ogledd Maldwyn, sef Manceinion.

Ac yn wir, ar ôl dau dymor yn Stockton, dyma'r ddau yn cael bachiad mewn ysgolion gwahanol ym Manceinion, wnaeth ganiatáu iddyn nhw briodi ym Mhasg 1947 – dim ond ychydig wythnosau ar ôl y gaeaf anhygoel o galed hwnnw, lle bu fy nhaid a nain Llanfihangel yn gaeedig ar eu fferm am nifer o wythnosau. Tebyg felly fod hwnnw'n achlysur digon llawen, gyda'r haul yn gwenu o'r diwedd, a'r ffordd ymlaen yn glir.

Flwyddyn ar ôl y briodas, dyma finnau'n cyrraedd. Fedra' i ddim dweud fod gen i unrhyw gof o Fanceinion, ond yn fy arddegau cynnar, mi fûm i'n teimlo bod gen i fwy o hawl na llawer un i alw fy hun yn gefnogwr Manchester United yn nyddiau George Best, er na pharodd yr ymlyniad hwnnw.

Yn 1950, fe ddaeth 'na symud eto. Dwi'n tybio fod fy nhad wastad wedi dymuno cael gwaith yng Nghymru a bod genedigaeth plentyn wedi gorfodi canolbwyntio'r meddwl ar sut y byddai hynny'n digwydd. Hynny, ac wrth gwrs y ffaith bod Deddf Addysg 1944, wnaeth greu'r ysgolion gramadeg, wedi agor y drws i gynnydd sylweddol yn y swyddi oedd ar gael wrth i'r ysgolion hynny gael eu sefydlu a thyfu. Dod i Gaerdydd i fod yn athro Almaeneg yn Ysgol Ramadeg Howard Gardens, a ddaeth wedyn yn Ysgol Ramadeg Howardian, wnaeth o.

Pe bai'r symudiad yna wedi digwydd cyn y rhyfel, does wybod be fyddai fy hanes addysgiadol i wedi bod. Ond yng Nghaerdydd ar ddechrau'r 50au, roedd yna ddatblygiadau pellgyrhaeddol ar y gweill wrth i griw bach o bobl weithgar ac ymroddedig, dan arweiniad Gwyn Daniel, fynnu cael addysg Gymraeg i'w plant. Fe ges i fynd i'r ysgol feithrin Gymraeg yn festri Capel Heol y Crwys – mae gen i rywfaint o gof o chwarae yno gyda Gwenno Thomas, Eluned Rhys a Dafydd Michael – ac wedyn i'r ysgol gynradd oedd newydd gael ei sefydlu ger Parc Ninian. Doeddwn i ddim yn un o'r rhai cyntaf un yn yr ysgol honno, ond ymhlith y drydedd ffrwd, dwi'n meddwl, i gael y cyfle i fynd yno.

Erbyn hynny, roeddem wedi ymgartrefu yn Fairwater Grove East, ardal gyfleus iawn hanner ffordd rhwng Llandaf a'r Tyllgoed ac roedd Mam hefyd wedi dechrau dysgu yn Ysgol Ramadeg y Merched, Cathays. Canlyniad hynny oedd un o'r atgofion cynharaf sydd gen i, sef fy niwrnod cyntaf yn yr ysgol.

Rhyw ychydig dros bedair oed oeddwn i. Dwi'n cymryd fod yr ysgol yn awyddus i ddenu cynifer â phosib o ddisgyblion, a bod yna ryddid, dan amgylchiadau arbennig yr ysgol newydd, i dderbyn plant cyn eu pumed pen-blwydd. Ond mae'n debyg hefyd ei bod yn ddiwrnod cyntaf i fy mam yn ei hysgol newydd hi, a bod yna benderfyniad wedi'i wneud y byddai'r cyfrifoldeb am fynd â fi i'r ysgol yn cael ei gymryd gan fy nhad.

Wn i ddim sut yr aethon ni yno – yn ei gar cyntaf clogyrnog, mae'n siŵr, er i mi hefyd am gyfnod fod yn cael reidio ar sêt oedd ganddo ar *crossbar* hen feic, ond dwi ddim yn meddwl ein bod yn mynd yn bell iawn ar hwnnw. P'un bynnag, cyfrifoldeb fy nhad oedd mynd â fi'r ddwy filltir i Barc Ninian a 'ngadael i yno cyn mynd yn ei flaen i Howard Gardens. Mae'n debyg ein bod ni'n hwyr a bod yna ryw gamddealltwriaeth, ond y canlyniad fu i mi rywsut gael fy ngadael y tu allan i ddrws mawr yn yr ysgol newydd, â 'nhad wedi mynd, a minnau yn sgrechian fy ngwae o fod wedi cael fy ngadael yn y lle tywyll diarth yma, heb na thad na mam yn ymyl. Mae'n rhaid bod rhywun wedi fy hel i'r gorlan yn fuan iawn, ond mae hunllef yr eiliadau neu'r munudau yna wedi aros hefo fi tan y dydd heddiw. Rhywbeth i'w gofio os bydd un o fy wyresau y dyddiau hyn yn strancio'n ddireswm.

2

Bryntaf

MAE COFIANNAU A hunangofiannau Cymraeg yn aml iawn yn sôn am Seisnigrwydd yr addysg a dderbyniwyd, yn ieithyddol ac hefyd o safbwynt hanes a diwylliant. Roedd fy addysg gynradd i'n gwbl groes i hynny. Yn Bryntaf, o dan arweiniad penderfynol Enid Jones-Davies, cawsom ein dysgu o'r dechrau cyntaf mai Cymry oedden ni ac roedd bron bob agwedd o'r addysg honno yn adlewyrchu hynny. Roedd yna fap mawr o Gymru ar wal pob dosbarth ac roedd disgwyl i ni fedru enwi pob afon Gymreig o'r Ddyfrdwy i'r Ddyfi ac o'r Ystwyth i'r Wysg. Roedd y prif fynyddoedd hefyd a phrif drefi pob un o'r tair sir ar ddeg angen eu rhoi ar ein cof. Roeddem yn dysgu emynau a barddoniaeth, yn adrodd adnod bob wythnos, ac yn cael ein harwain i edmygu arwyr Cymru o Garadog y Brython i Hywel Dda ac o Lywelyn ein Llyw Olaf i Syr O. M. Edwards. Byddem yn cystadlu mewn eisteddfodau, yn cael ein gyrru i Langrannog, ac yn derbyn *Cymru'r Plant* a *Blodau'r Ffair* yn rheolaidd.

Rhyw 40 o blant oedd yn yr ysgol pan gychwynnais i, a dim ond 100 oedd yna pan oeddwn i'n gadael Bryntaf yn 1959. Cymerais ran yn yr orymdaith yn 2019 i ddathlu 70 mlynedd o addysg Gymraeg yng Nghaerdydd gan lawenhau fel pawb arall yn y ffaith fod yna bellach dros 8,000 o ddisgyblion yn derbyn eu haddysg drwy'r Gymraeg mewn ugain o ysgolion ar hyd a lled y brifddinas.

Un o'r prif resymau am y cynnydd araf drwy'r 50au o'i gymharu â'r ymchwydd a gafwyd wedi hynny oedd y ffaith fod mynediad i Bryntaf yn y dyddiau cynnar wedi'i gyfyngu i blant oedd ag o leiaf un rhiant yn medru siarad Cymraeg. Y syniad mae'n debyg oedd bod angen y cefnogaeth yna yn y cartref er mwyn sicrhau llwyddiant yr addysg cyfrwng Cymraeg oedd yn cael ei gynnig. Dwi'n amau hefyd nad oedd yr awdurdodau dinesig yn or-awyddus i weld addysg Gymraeg yn cynyddu'n ormodol, ond yn derbyn y ddadl 'hawliau dynol' o ran darparu addysg i blentyn yn ei famiaith.

Ond roedd angen i'r ysgol brofi ei hun yng ngolwg yr awdurdodau. Roedden ni'n aml yn cael y neges fod angen i ni fod ar ein gorau er mwyn gwneud argraff ar ryw ymwelydd pwysig neu'i gilydd. Byddai arolygwyr ysgol megis Cassie Davies a'r arloeswraig addysg Gymraeg Norah Isaac yn ymweld â ni. Roedden nhw wrth gwrs yn gefnogol iawn. Daethom i adnabod y Cynghorydd Emyr Currie Jones, oedd yn llais cefnogol go unig o fewn Cyngor Caerdydd. Felly hefyd yr Is-gyfarwyddwr Addysg, T. O. Phillips. Roedd rhain i gyd yn arweinwyr neu'n gefnogwyr yr achos dros addysg Gymraeg mewn gwahanol gylchoedd dylanwadol yn ystod y cyfnod hwnnw. Ni oedd y deunydd crai yn yr arbrawf addysgiadol beiddgar yma wrth i Gaerdydd yn raddol ac yn araf ddod ati ei hun ar ôl dinistr sylweddol y rhyfel. Siawns hefyd bod sefydlu cornel fach o addysg Gymraeg yn y ddinas wedi bod yn rhan o'r ddadl pam ei bod yn briodol i roi'r teitl swyddogol o Brifddinas Cymru iddi fel a wnaed yn 1955.

Gan mai bach oedd yr ysgol, bach hefyd oedd y dosbarthiadau, ac fe gawsom y fantais aruthrol oedd yn deillio o hynny. 13 oedd yn ein dosbarth ni, heb ormod o newidiadau o'r diwrnod derbyn tan y diwrnod gadael. Wyth o ferched a phump o fechgyn, ac mi wn fod bron pob un ohonom wedi gwerthfawrogi'r hyn a gawsom yn Bryntaf, gan fod yna aduniadau achlysurol yn dal i gael eu cynnal y dyddiau hyn. Gellid dweud mewn gwirionedd ein bod wedi cael yr un math o sylw unigol gan athrawon ymroddedig a galluog, mewn dosbarthiadau bychain ond cydradd, ag y mae rhieni dosbarth canol Lloegr yn talu miloedd y flwyddyn i ysgolion preifat ei ddarparu, gyda'r gwahaniaeth wrth gwrs fod eu bwriad, o ran yr hyn maen nhw'n disgwyl i'w plant ei gael, yn bur wahanol.

Yn y cyfnod hwnnw, pobl alltud oedd Cymry Caerdydd. Dinas Seisnig, Brydeinig oedd hi oedd wedi colli ei Chymreictod naturiol ers sawl cenhedlaeth. Os byddech chi'n clywed Cymraeg ar y stryd, byddech chi'n troi'ch pen mewn syndod gan mor anghyffredin oedd y profiad. Rhan o genhadaeth Enid Jones-Davies a'i thîm oedd sicrhau ein bod ni'n ymwybodol ac yn ymfalchïo yn y darn o Gymru roedden ni fel unigolion yn hanu ohono. Bob hyn a hyn fe fyddai yna drafodaeth yn y dosbarth am eiriau gwahanol am bethau penodol. Mi fyddai Gwenno Thomas a minnau, fel unig gynrychiolwyr Sir Drefaldwyn, yn medru cadarnhau, yn wyneb anghrediniaeth gweddill y dosbarth, bod y fath eiriau â 'sietin' a 'rwtra' yn hollol gyffredin yn ôl ein profiad ni. Siroedd Caerfyrddin a Morgannwg oedd â'r gynrychiolaeth gryfaf yn naws gyffredinol yr ysgol. Yn y llefydd hynny roedd y boblogaeth, ac yn y ddwy sir honno yr oedd y niferoedd mwyaf o siaradwyr Cymraeg. Roedd dylanwad y Gwendraeth a'r Aman yn eithaf cryf, o'r merched oedd yn gweini cinio (a oedd hefyd yn gorfod bod yn siaradwyr Cymraeg) i aelodau staff, megis Islwyn Jenkins, fu'n gyfrifol amdanom yn y blynyddoedd olaf. Byddem yn cystadlu yn Eisteddfod yr Urdd ond, yn wahanol i heddiw, heb unrhyw ddisgwyliadau. Pan fyddai un o'r merched yn cael llwyfan am ganu, byddai hynny'n ddigwyddiad mawr. Uchafbwynt fy ngyrfa eisteddfodol gynradd i oedd cymryd rhan mewn cân actol, wedi'n gwisgo fel sipsiwn. *Underdogs* go iawn oedd Bryntaf – pa ddisgwyl i ni fedru cystadlu yn erbyn y cewri cydnabyddedig o Lanllyfni a aeth â hi y flwyddyn honno?

Ar ddiwedd fy mlwyddyn gyntaf, fe symudodd yr ysgol o Barc Ninian i Highfields yn Llandaf – lleoliad presennol Ysgol Pencae, a'i hail-enwi'n Bryntaf. Un o fanteision mawr y symudiad hwn i ni fel teulu oedd ei fod yn golygu fod yr ysgol o fewn taith gerdded go dda i'r tŷ. Go brin mod i wedi cerdded yno pan oeddwn yn bump oed, ond yn weddol fuan – o chwech oed ymlaen efallai – mi fyddwn yn cerdded ar hyd llwybr troed cyfleus iawn ond eithaf hir – rhyw filltir i gyd mae'n siŵr – o'r tŷ i'r ysgol, gan groesi ffordd brysur Llantrisant Road, i lawr Gillian Road ac i'r ysgol.

Roedd mwyafrif plant Bryntaf yn teithio nôl a mlaen i'r ysgol mewn faniau gyda dwy fainc bren oedd yn disgyn i lawr ar hyd dwy ochr y fan (dim ffenestri) ac yn cael eu cludo o gwmpas maestrefi Caerdydd nes cyrraedd lle bynnag roedden nhw'n byw. Wedi cyrchu'r plant yn y bore, byddai'r meinciau pren yn cael eu codi a'r faniau'n dychwelyd i rywle yng nghanol y dref lle bydden nhw'n codi tuniau mawr hirsgwar oedd yn cynnwys cinio ysgolion Caerdydd am y diwrnod. O ganlyniad, erbyn 4 o'r gloch y prynhawn, pan fyddai'n amser mynd adref, roedd y faniau'n aml yn dal i gario oglau cinio ysgol, fyddai'n gwneud y daith anwastad yn fwy annifyr fyth.

Roedd gan bob gyrrwr ei fan a'i bartner a phob fan ei thaith benodol, felly roedd yna deimlad tîm cryf, a hwnnw'n un hwyliog, yn perthyn i gymdeithas y faniau a, rhaid dweud, roedd naws diwylliant y faniau – hynny yw, dosbarth gweithiol Caerdydd, a phawb yn siarad Saesneg – yn eithaf deniadol ar ôl awyrgylch tŷ gwydr yr ysgol.

Roeddwn i'n un o'r ychydig ddisgyblion oedd ddim yn perthyn i fan arbennig ac ar brydiau yn teimlo allan ohoni oherwydd hyn. Cerdded nôl a mlaen i'r tŷ ar fy mhen fy hun neu gyda fy ffrind Richard Hicks y byddwn i fwyaf am ryw bedair blynedd nes i ni symud yn ddiweddarach o Landaf i Lanrhymni. O ganlyniad, un o'r pethau sy'n aros yn y cof fwyaf o'r cyfnod yma yn Llandaf ydi'r teimlad o ryddid mawr i grwydro heb ormod o gyfyngiadau, a dod i adnabod y byd o 'nghwmpas.

Ar nosweithiau braf o wanwyn a haf y byddai hyn i'w deimlo fwyaf amlwg. Roedd yna barc yng Nghwrt Insole; roedd Thompson's Park a Victoria Park o fewn rhyw dri chwarter milltir; roedd Caeau Llandaf, gyda'i faes chwarae a'i bwll nofio ychydig ymhellach, a lein fawr y trên o Gaerdydd i Abertawe hefyd o fewn cyrraedd. I'r fan honno y byddwn i'n mynd – yn aml ar fy mhen fy hun, ond yn cwrdd â rhyw fechgyn diarth yno – i sefyll ar y bont a nodi rhifau'r trenau stêm mawr fyddai'n pasio heibio. Roedd gen i'r llyfr angenrheidiol ac yn ddiwyd yn ceisio nodi pob injan oedd ynddo, gan roi sylw arbennig i'r injeni hynny oedd ag enwau - y *Kings*, y *Castles*, yr *Halls* a'r *Manors* ac yn fwy arbennig na'r un, y *Britannia Class* – y rhai mwyaf nerthol o'r cyfan. Pan fyddai 'na *Brit* yn ymddangos o gyfeiriad Canton, fe fyddai yna gynnwrf mawr gan yr hogiau ar y bont. Fyddai hon yn un newydd nad oeddem wedi'i gweld o'r blaen? Dyna oedden ni'n chwilio amdano – y cyfle i dynnu llinell daclus, gyda phren mesur, o dan enw a rhif newydd yn y llyfr bach. Diwrnod trist iawn oedd hi pan glywsom gydag anghrediniaeth, fod yr injeni stêm i gyd yn mynd i gael eu riteirio. Wnes i 'rioed ddeall pa hwyl oedd i'w gael mewn nodi rhifau'r cerbydau a'r injeni diesel a ddaeth i fewn yn weddol gyflym yn eu lle.

Tua 1956 aeth fy nhad am dymor i'r Almaen fel athro cyfnewid, oedd yn golygu fod yna athro o'r Almaen yn dod yn ôl i Gaerdydd hefo fo i dreulio tymor yng Nghymru fel *assistent*. Roedd yna gryn edrych ymlaen ar ddyddiad dychweliad fy nhad at ymddangosiad y ddau. O'r diwedd dyma dacsi'n cyrraedd ac yng nghanol y bagiau a'r llyfrau, beth ymddangosodd ond clamp o sgwter mawr – llawer mwy nag unrhyw beth oedd i'w weld ar strydoedd Caerdydd, gydag olwynion mawr oedd angen eu chwythu i fyny, rhyw fath o stand ar y cefn i gario pethau, lle roedd hi hefyd yn bosib eistedd i lawr yn achlysurol, a brêc go iawn. Roedd o'n beiriant arallfydol yr olwg. Ond beth oedd ei hanes ac i bwy roedd o'n perthyn? Roedd fy mam yn siŵr mai teclyn oedd yn eiddo i'r athro Almaeneg newydd oedd o, ond gellir dychmygu fy ngorfoledd pan gefais ar ddeall mai anrheg i mi oedd o.

Fe fûm i'n byw ar y sgwter yma am ryw dair blynedd gan ehangu fy nghylch teithio yn gyson. Roedd picio i Sain Ffagan erbyn hyn yn rhywbeth oedd o fewn fy nghyrraedd. Roedd 'na gaffi bach ar Cowbridge Road ochr draw i Victoria Park oedd â *juke box*. Mi fyddwn i'n sleifio i mewn i'r fan honno ac yn llechu'n ddistaw i wrando ar y gerddoriaeth ac i syllu ar y teitlau yn y bocs mawr lliwgar, gan obeithio y byddai rhywun yn rhoi tair ceiniog i fewn er mwyn cael dewis cân. Bob hyn a hyn mi fyddai rhyw greadur trugarog yn gofyn i mi os oeddwn i eisiau rhyw gân arbennig. Rhywbeth tebyg i 'My Old Man's a Dustman' gan Lonnie Donegan fyddwn i'n debyg o'i ddewis pan ddôi cyfle.

Bu'n rhaid i mi ddisgwyl nes i'r teulu symud o Landaf i Lanrhymni pan oeddwn yn naw oed er mwyn cyflawni fy nhaith fwyaf epig ar gefn y sgwter. O fewn ychydig wythnosau i'r symud, penderfynais ymweld â fy hen gyfaill Richard Hicks oedd yn byw ychydig strydoedd i ffwrdd o Fairwater Grove. Roedd dwyrain Caerdydd yn bur ddieithr i mi wrth gwrs ond o ben pellaf Llanrhymni lle roeddem yn byw gwyddwn sut i gyrraedd ardal Rhymni. O'r fan honno gwyddwn fod Newport Road yn mynd i ganol Caerdydd ac o ganol Caerdydd roeddwn i'n adnabod y ffordd i Landaf gan fy mod i wedi gwneud y daith honno ar y bws droeon. Dyma gychwyn arni heb sôn dim wrth Mam ac roedd popeth yn mynd yn iawn nes i mi gyrraedd y groesfan lle mae Albany Road a Newport Road yn cyfarfod – lle mae'r Tŷ Hebrwng (cyfieithiad Meredydd Evans o *Funeral Home*).

Gan fod Albany Road yn ffordd sylweddol, os rhywbeth yn lôn letach na'r llall yn y fan honno, doedd hi ddim yn amlwg pa un o'r ddwy lôn y dylwn ei chymryd. Ar ôl pendroni ychydig, dyma ofyn i ryw ddyn, 'Pa un oedd y ffordd i Landaf?' Hwnnw'n edrych yn syn arna' i ond yn y diwedd yn rhyw amneidio yn gyffredinol mai'r ffordd ar y chwith fyddai'r dewis gorau mae'n debyg. Ymlaen â minnau – ar y palmant yr holl ffordd wrth gwrs – ac i ganol prysurdeb Heol y Frenhines, oedd ar y pryd yn agored i draffig y ddwy ffordd. Ar y palmant digwydd taro ar Carol (un o'r merched yn yr un dosbarth â mi yn yr ysgol) a'i mam, ond doedd gen i ddim amser i siarad a gan godi llaw ymlaen â mi. Beth oedden nhw'u dwy yn ei feddwl, wn i ddim. Gweddol rwydd oedd gweddill y daith i fyny Cathedral Road, croesi Western Avenue yn rhywle a chnocio drws tŷ fy ffrind a gofyn, fel y byddai rhywun yn gwneud – 'Ydi Richard yn dod allan i chwarae?'

Dydw i ddim yn siŵr i ddechrau os oedd mam Richard yn gwbl ymwybodol ein bod ni wedi symud tŷ, ac o bosib i ni gael ychydig o amser chwarae arferol fel petai, cyn i'r geiniog ddisgyn ac iddi hi sylweddoli bod yr hogyn naw oed 'ma wedi croesi o un pen o Gaerdydd i'r llall ar gefn sgwter. Buan wedyn yr aeth ati i holi beth oedd ein rhif ffôn ac i mi gael ar ddeall yn weddol gyflym y byddai angen i mi fynd adref ar fyrder. Taro'r sgwter ym mŵt ei char a nôl â ni yn dipyn cyflymach y tro hwn i bellafion Llanrhymni. Doedd y croeso ges i gan Mam ddim yn un cynnes. Ces fy nghyfyngu i'm llofft am weddill y dydd nes byddai fy nhad yn dod adref. Does gen i ddim cof o unrhyw gosb lymach na hynny, ond mae'n debyg i'm rhyddid gael ei gyfyngu ychydig yn fwy ar ôl hynny.

3

Llanrhymni

TRA ROEDD LLANDAF yn faestref o Gaerdydd ers peth amser, gyda strydoedd fel Fairwater Grove yn rhesi Fictorianaidd, o fewn cyrraedd i'r Eglwys Gadeiriol osgeiddig a'r hen bentref moethus, roedd Llanrhymni yn teimlo'n fwy fel y *wild west*. Dyma'r fan a ddewiswyd i adeiladu siâr Caerdydd o'r miloedd ar filoedd o gartrefi newydd a addawyd gan wahanol lywodraethau ar ôl y rhyfel. Ar yr un pryd dymchwelwyd rhai o hen gymunedau'r dociau a Grangetown oedd wedi dioddef difrod yn ystod y rhyfel. Codwyd dwy ystâd enfawr ar gaeau gwyrddion Rhymni a Llanrhymni i'r dwyrain o'r ddinas, ar y ffordd allan am Gasnewydd.

Y rheswm pam i ni symud oedd i 'nhad gael swydd fel Pennaeth Ieithoedd Modern yn Ysgol Ramadeg newydd Croesyceiliog yng Nghwmbrân, un o'r Trefi Newydd a adeiladwyd gan y llywodraeth ar draws Prydain yn y cyfnod hwn. Denwyd miloedd o bobl i fyw yno o bob rhan o Brydain, gan greu adnoddau trefol newydd sbon o bob math ar eu cyfer, gan gynnwys ysgolion. Roedd fy mrawd, Alun, wedi cael ei eni bedair blynedd ynghynt ac roedd fy rhieni yn awyddus i'r ddau ohonom fedru parhau i dderbyn addysg Gymraeg. I hynny fod yn ymarferol, roedd yn rhaid parhau i fyw o fewn terfynau'r ddinas er mwyn cael ein cludo i'r ysgol yn y faniau. Ystâd anferth o dai cyngor oedd Llanrhymni ond yn ei phen draw roedd yna ddwy neu dair stryd o dai preifat newydd, pob un wedi ei henwi ar ôl cerddor Seisnig, ac i Elgar Crescent yr aethon ni. Am yr ugain mlynedd nesaf bu 'nhad yn mynd â'i gar bob bore ar hyd lonydd cefn Sir Fynwy i Groesyceiliog, er mwyn osgoi'r tagfeydd traffig parhaol yng nghanol Casnewydd.

Fe symudon ni i mewn i'n tŷ newydd yn ystod gwyliau haf 1957 tra roedd tai cyfagos a llawer iawn o weddill y stad yn dal i gael eu codi. Ar yr un pryd, roedd yna deuluoedd eraill yn symud i mewn i'w cartrefi newydd hwythau ac ardal newydd (wna' i ddim dweud cymuned – roedd y lle'n rhy wasgaredig i'w alw'n hynny ar y pryd) yn cael ei chreu. Un fantais o'm rhan i oedd bod yna duedd i lawer o'r bobl oedd yn symud i mewn i'r tai newydd yma fod o'r un genhedlaeth â'n teulu ni ac felly fod yna dipyn go lew o blant o gwmpas y lle; neb o'r rheini yn adnabod ei gilydd o'r blaen ac felly pawb yn rhydd i ymffurfio yn grwpiau bach a mawr heb ormod o'r cymhlethdodau sy'n wynebu plentyn sy'n symud i mewn i ardal newydd sefydledig.

Fy ffrind gorau i yn Elgar Crescent oedd bachgen o'r enw Paul Gentile. Fel mae'r enw'n awgrymu, roedd ei dad o dras Eidalaidd ond mae'n rhaid bod hynny sawl cenhedlaeth yn ôl gan fod Mr Gentile yn siarad Saesneg gydag acen Grangetown gref, gan mai o'r fan honno roedd y teulu wedi symud.

Roedd yna ddau damaid o dir gwyrdd yn ymyl, lle buom yn chwarae tipyn o bêl-droed a chriced achlysurol ac er bod yna adnoddau newydd yn cael eu codi yn nes at ganol y stad – canolfan siopa, llyfrgell, neuadd gymunedol ac ati, roedden ni reit ar y cyrion ac yn gorgyffwrdd â hen bentref Llaneirwg (St Mellons). Ein ffens gefn ni oedd y ffin rhwng Caerdydd a Sir Fynwy. Tu ôl i'n gardd gefn roedd Ysgol Llaneirwg a thu ôl i'r ysgol roedd yr eglwys, lle byddai Mr. Addis y groser yn arwain ymarferion canu clychau ddwywaith yr wythnos – oedd yn dipyn o boendod pan fûm i'n ddiweddarach yn adolygu ar gyfer fy Lefel O. Roedd yna lwybr yn torri trwodd o'n stryd ni i Ffordd Casnewydd brysur gerllaw. Mewn tamed o gae yn y fan honno, roedd yna hen sied lle oedd clwb ieuenctid St Mellons yn cyfarfod a rhyw fath o lein gylch ar gyfer trenau stêm bychain oedd yn cael ei defnyddio'n achlysurol gan griw o hen ddynion.

Ar waelod y llwybr, roedd yr hyn ddaeth maes o law i gael ei
alw'n 'Old St Mellons' ac yn y fan honno yr oedd Mr Meazey,
fu'n trio fy nysgu i chwarae'r piano am flynyddoedd lawer, yn
byw. Roedd St Mellons y pryd hynny yn bentref hollol wahanol
i'r St Mellons newydd gafodd ei adeiladu fel stad dai anferth
arall flynyddoedd wedi i ni adael. Bryd hynny roedd yn gwbl
wledig. Nifer o dai reit fawr ar y ffordd allan am Michaelstone
y Fedw i'r naill gyfeiriad a Marshfield i'r cyfeiriad arall, a phan
ddaeth yr amser, wedi hir ymbilio, i mi gael fy meic cyntaf yn
11 oed, roedd yma baradwys newydd i'w darganfod.

Yn dilyn, mae'n siŵr, taith y sgwter i Landaf, gosodwyd
amod llym arnaf nad oeddwn i fynd â'r beic ar y briffordd
am flwyddyn gyfan. Ond o fod yn y fath leoliad, doedd hynny
wir ddim yn broblem gan fod milltiroedd o lonydd bychain
yn arwain o Laneirwg tua Môr Hafren, traethau mwdlyd
Gwynllŵg, Marshfield a St Brides i un cyfeiriad, ac wedyn
i fyny drwy'r wlad i Michaelstone, Rhydri a drosodd yn wir
drwy Lanedern i Lanisien i'r cyfeiriad arall. Flynyddoedd yn
ddiweddarach mi es nôl i Elgar Crescent am dro ac wrth stopio'r
car ym mhen ucha'r stryd, mi synnais weld mor dlws oedd yr
olygfa i'r gogledd-ddwyrain dros fryniau cyfagos Sir Fynwy.
Does gen i ddim cof o nodi'r harddwch hwn pan oeddwn yn 11,
dim ond cofrestru pob allt yn ôl fy ngallu, neu beidio, i ddringo
i'w chopa ar gefn y beic.

Y chwarae yn yr awyr agored yma dwi'n ei gofio fwyaf o'r
cyfnod yn Llanrhymni. Roedden ni'n lwcus o fod yn byw ar
ffordd oedd yn gilgant. Hynny yw, doedd hi ddim yn mynd i
unman ond i'w phen arall ei hun, ac roedd yna glôs gyferbyn
â ni lle roedd 'na ryw ddwsin o dai. Felly doedd yna fawr
ddim traffig ar y ffordd; roedd y clôs gyferbyn yn dawel; y cae
gwyrdd ddim yn rhy bell ac roedden ninnau yn griw o blant
o oed amrywiol yn tyfu i fyny ar ddiwedd y pumdegau ac i
fewn i ddechrau'r chwedegau mewn cyfnod o gynnydd graddol
yng nghyflwr materol y byd o'n cwmpas. Roedd hyn yn cael ei
nodweddu gan y ffaith fod llawer iawn o dai'r stad hon oedd

wedi dechrau mor sychlyd ac mor noeth, yn raddol lasu wrth i bobl blannu gerddi ac i'r coed a blannwyd ar hyd y strydoedd ddechrau deilio. Roedd y teuluoedd ifanc o'n cwmpas hefyd yn blodeuo – babis newydd yn cyrraedd yn eithaf rheolaidd a'r ceir yn y *drives* yn raddol godi yn eu safon a'u swanc. Aeth fy nhad drwy gyfres o geir du y pumdegau – MG, Riley ac wedyn Citroen mawr, run fath â Maigret, i geir bach lliwgar megis A35 a Riley 1.5 glas cyn setlo ar ei hoff gar – Volvo two-tone coch a hufen yr aeth yr holl ffordd i Rydychen i'w brynu gan ryw ddyn o Gaint.

Un anfantais i mi o ran teimlo'n gwbl gartrefol yn yr ardal, fodd bynnag, oedd y ffaith mod i'n teithio allan o'r gymuned bob dydd i ben draw'r ddinas i fynd i'r ysgol. Roedd y plant lleol i gyd yn mynd i Ysgol Gynradd Penybryn oedd rownd y gornel i ni, ond ysgol uniaith Saesneg oedd honno – er i mi gael fy synnu flynyddoedd yn ddiweddarach i ddeall mai Cymro Cymraeg oedd y prifathro. Roedd gan yr ysgol honno gae chwarae oedd yn cefnu ar ein patshyn gwyrdd cyhoeddus 'ni' ac yn y cae chwarae yn yr haf mi fyddai 'na wastad gemau pêl-fas yn cael eu chwarae. Mae pêl-fas (*baseball*) yng Nghaerdydd yn gêm sydd hanner ffordd rhwng *baseball* Americanaidd go iawn a rownders, a hyd y gwn i dim ond yng Nghaerdydd a Lerpwl roedd yn cael ei chwarae. Ai'r dylanwad Gwyddelig yn y ddwy ddinas sy'n gyfrifol am hynny, yntau'r ffaith fod y ddwy ddinas yn borthladdoedd ac felly'n agored i ddylanwadau diddorol? P'un bynnag, gêm Grangetown oedd *baseball* a dwi'n cymryd mai oherwydd cysylltiad Grangetown â Llanrhymni y bydden nhw'n chwarae *baseball* ym Mhenybryn. Ond roedd hi'n gêm oedd yn cael ei chwarae o ddifri ac yn dda a sawl gwaith y bûm i'n sbecian drwy ffens y cefn ac yn cenfigennu at yr hwyl a'r cynnwrf oedd i'w weld ar y cae chwarae yma.

Pêl-droed oedd fy ngêm i ond yn anffodus doedd chwaraeon ddim yn un o gryfderau Bryntaf ar y pryd. Dim ond yn hwyr iawn yn y cyfnod hwnnw y crëwyd unrhyw fath o dîm yn Bryntaf. Y cof sydd gen i ydi i ni chwarae rhyw bedair gêm ac er bod gennym un neu ddau o chwaraewyr go dda, i ni golli'r rhan fwyaf ac i'r athro golli diddordeb. Yn y diwedd (a dwi'n beio Hywel Evans, Menter a Busnes fan hyn), aeth rhai o'r bechgyn ati i fynnu ein bod ni'n cael chwarae rygbi yn hytrach na phêl-droed a chafwyd bod y mwyafrif o blaid hynny, er mawr siom i mi'n bersonol.

Un o fanteision byw yng Nghaerdydd oedd bod gennym dîm pêl-droed go dda i'w gefnogi, neu felly roeddwn i'n tybio pan ddois i'n ymwybodol o'r ffaith ei bod yn bosibl mynd i Barc Ninian a chael mynediad am bris oedd o fewn cyrraedd. Roedd y cae yn fawr a'r torfeydd yn sylweddol ond yn yr oes anniogel honno, doedd fawr o gyfyngiad ar y niferoedd gâi fynd i mewn. Roedd fy nhaid Llanfyllin yn dipyn o ddilynwr pêl-droed a bob tro y byddai o'n dod i lawr i aros hefo ni, roedd yna siawns go dda y byddai'n ffeindio'i ffordd i Barc Ninian, a minnau i'w ganlyn.

Yn fy arddegau cynnar wedyn bûm yn mynd yno bob yn ail ddydd Sadwrn am gyfnod a phan fydd pobl yn gofyn i mi a fûm i'n smocio erioed, fy ateb bob tro ydi 'do, yng nghefn y stand ym Mharc Ninian yn 14 oed', gan fod hynny'n rhan hanfodol o'r ddefod. Wrth lwc, wnaeth y rhan honno erioed afael ynof go iawn, er i mi fynd trwy'r gwahanol gymalau o'u prynu fesul un a thri, o arbrofi gyda *menthol* a *tips*, nes yn y diwedd ddod i'r casgliad nad oeddwn i'n ei fwynhau, mwy na thebyg cyn i mi gyrraedd yr oed lle'r oedd gen i hawl gyfreithiol i wneud hynny.

Dadrithiad oedd yn fy wynebu hefyd yn achos fy hoffter o Cardiff City FC. Disgyn wnaethant o'r Adran Gyntaf – dwi'n cofio'r dagrau – a minnau'n penderfynu ffeindio clwb amgenach i'w gefnogi, na fyddai'n achos y fath siom i mi eto. Cardiff Corinthians dynnodd fy sylw am ychydig, cyn i mi ddeall fod yna gryn wahaniaeth rhwng lefel chwarae'r clwb amatur anrhydeddus hwnnw a lefel y 'City' israddedig. Mae fy nghefnogaeth o glwb Gaerdydd wedi bod yn gyson, os yn weddol bell yn ddaearyddol, ar hyd y blynyddoedd. Mi fyddaf yn disgwyl yn eiddgar am eu canlyniad bob pnawn dydd Sadwrn a phan fydd yna ambell i fuddugoliaeth, mae 'nghalon i'n codi a minnau'n mynd o gwmpas fy mhethe yn ysgafnach fy nhroed. Mwy cyson, mae'n debyg, yw'r siomedigaethau, ond erbyn hyn dydi fy nisgwyliadau i ddim yn uchel a'r siom o'r herwydd yn haws ei derbyn.

4

Trenau

PAN OEDDWN I'N 8 mlwydd oed, doedd gen i ddim amheuaeth. Yr hyn roeddwn i eisiau bod pan dyfwn i fyny oedd gyrrwr trên. Nid gyrrwr trên yn ystyr heddiw, wrth gwrs, er bod yna fantais amlwg i'r rheiny sy'n gwneud y gwaith hwnnw y dyddiau yma o fod yn eistedd mewn cerbyd cynnes glân gyda'r olygfa dros y cledrau o'u blaenau yn un agored a di-fwg.

Na, yr hyn oedd gen i dan sylw oedd bod yn yrrwr injan stêm. Roedd fy ngwyliau mynych yn Llanfyllin wedi helpu i danio'r uchelgais yma gan fod Llanfyllin yn ben draw i lein gangen oedd yn rhedeg o Groesoswallt, gyda chyffordd yn Llanymynech ar gyfer y trên i'r Trallwng, ac yna ymlaen ar lein unigol drwy Lansanffraid, Llanfechain a'r Bryngwyn i Lanfyllin. Un o'r gorsafoedd eraill ar y lein yma oedd Carreghofa Halt – platffform bychan yng nghanol y wlad na welais i neb erioed yn ei ddefnyddio.

Roedd yna bum trên y dydd yn mynd ac yn dod o Groesoswallt i Lanfyllin. Fe fyddai 'na ambell i drên nwyddau yn dod bob hyn a hyn, ond doedd gan rheini 'run amserlen benodol. Byddai'r trên pobl yn dod â'i ddau gerbyd, ac wedi i'r teithwyr adael y trên, gorchwyl cyntaf y taniwr fyddai datgysylltu'r injan er mwyn mynd â hi yn gyntaf i ben draw'r lein, ac wedyn, ar ôl troi'r pwyntiau, ei gyrru'n ara' deg ar lein arall, heibio'r cerbydau ac i'r pen arall lle byddai'n codi dŵr o'r tanc mawr ger y bocs signals, cyn bacio'n ara' deg i ail-gysylltu â'r cerbydau yn y pen blaen. Rhyw ddeg munud o saib ac yna mi fyddai'n barod i'w throi hi'n ôl am Groesoswallt.

Mi roedd yr holl *operation* yma'n fodd i fyw i hogyn bach oedd wedi mopio â threnau. Bob bore a phrynhawn, byddwn yn ddieithriad, tra byddwn ar fy ngwyliau yn Llanfyllin, yn mynd i gyfarfod y trên 10 a'r trên 4, gan osod fy hun yn yr union le fyddai'n caniatáu i mi astudio'r hyn oedd yn mynd ymlaen yng nghaban y gyrrwr tra roedd yr injan yn llonydd. Er mai injeni cymharol fach fyddai yna ar y lein wledig yma, roedden nhw'n dal i fod yn beiriannau byw a dramatig gyda'u stêm a'u sŵn chwythu a'u chwibanau treiddgar a rhamantus.

Roedd fy nhaid, David Edwards, yn dipyn o ddyn trêns ers ei ddyddiau ym musnes glo ei dad ac roedd o wedi rhoi ar ddeall i mi beth yn union oedd y brentisiaeth oedd ei hangen er mwyn i chi gael mynd yn yrrwr. Yn gyntaf, roedd angen i chi fod yn lanhäwr. Roedd hyn yn golygu dwy flynedd o fod yn gyfrifol am lanhau'r injan pan roedd hi'n ôl yn y depo. Yn amlwg, roedd hyn yn waith budr a chaled ond dyna oedd y drefn. Wedyn, mi gaech fynd yn daniwr. Gwaith y cyfaill hwn oedd rhofio'r glo o'r tender i'r lle tân yn yr injan. Y lle tân wrth gwrs oedd yn twymo'r dŵr yn y boiler oedd yn creu'r stêm oedd yn rhoi bywyd i'r peiriannau ac yn gyfrifol yn y pen draw am droi'r olwynion.

Mae'r holl beth yn rhyfeddod ac ystyried mai dyma'r drefn o gludo pobl a nwyddau ar draws siroedd a gwledydd a chyfandiroedd am dros ganrif, gan newid canfyddiad pobl o'u lle yn y byd ac mewn cymdeithas, mewn ffordd gwbl chwyldroadol.

Ond er mwyn i'r symudoledd yma ddigwydd, roedd angen i'r taniwr druan fod wrthi'n rhofio heb fawr o seibiant trwy gydol y daith, yn enwedig pan oedd angen i'r trên ddechrau dringo, gan fod y stêm oedd angen ei gynhyrchu a'i gynnal yn gofyn am borthi tân mawr am funudau lawer. Dim ond ar ddiwedd y brentisiaeth yma, allai barhau hyd at saith mlynedd yn ôl fy nhaid, y byddai'r taniwr yn barod i fod yn yrrwr go iawn. Ond cymaint oedd apêl cael bod y dyn hwnnw, oedd yn eistedd ar ryw sedd fach bren pan nad oedd yn sefyll, a chael rheoli'r anghenfil yma wrth iddo ddilyn y cledrau, fel nad oeddwn yn ystyried yr amodau a'r brentisiaeth anodd yma yn rhwystr o gwbl i fy uchelgais.

O sefyll a syllu yn ddigon hir ac yn ddigon aml ar yr injan yng ngorsaf Llanfyllin, deuthum i adnabod wynebau'r gyrrwr a'r taniwr gan mai'r un rhai fyddai'n gyrru'r trên am gyfnodau hir. Ymhen hir a hwyr, mi fyddai un ohonyn nhw yn sylwi nad oeddwn i ar frys i symud o 'na, ac efallai yn holi beth oedd fy enw neu gofyn oeddwn i'n licio trêns. Finnau wedyn yn ateb ac efallai'n gofyn rhyw gwestiwn gweddol gall am y peiriant ac, o ryfeddod, yn cael gwahoddiad i gamu ar y *footplate*. Cawn weld y tân yr oedd angen ei gadw ynghyn ar hyd yr amser; y tender bach lle'r oedd y glo yn cael ei gadw; y gwahanol *levers* a falfiau oedd angen eu hagor a'u cau er mwyn i'r trên symud. Lawr â fi wedyn nôl i'r platfform pan oedd y gwaith datgysylltu wedi'i wneud a'r injan yn barod i fynd.

A gydag amser, ryw ddiwrnod pan nad oedd 'na unrhyw swyddog rheilffyrdd arall ar gyfyl y lle, dyma'r gwahoddiad yn dod i aros yn y cab tra roedd yr injan yn cael ei gyrru o un pen o'r trên i'r llall. A hyd yn oed gwell na hynny, dyma gael y gwahoddiad i godi'r *lever* oedd yn cynyddu'r cyflymder – i yrru'r trên! Roedd angen tipyn o fôn braich i wneud hynny gan ei bod hi'n hen *lever* fawr drom yn gwrthod symud mewn ymateb i 'ngwthiad ysgafn i. 'Gwthia'n galetach' meddai'r gyrrwr, a dyma wneud hynny. Dyma'r injan yn rhoi cyfres o ebychiadau a phwffiannau sydyn a hercio yn ei blaen yn reit gyflym, gan fy nychryn braidd a gorfodi'r gyrrwr i'w thynnu nôl lawr dipyn bach. Ond roeddwn wedi gyrru'r trên!

Un tro, es ar y trên bach, yn y ffordd arferol, sef yn y cerbyd, i Groesoswallt am y diwrnod gyda Mam a Nain a Taid. Mi fyddai hi'n ddefod fel arfer i fynd ar ddydd Mercher pan fydden ni'n aros yn Llanfyllin. Cael cinio yn y *Coach & Dogs* a phaned yn y *Black Gate*, gyda 'nhaid wastad yn gadael pishyn chwech fel cildwrn, o dan ei soser, ar ôl talu'r bil. Amser te, fe fyddai yna wastad lond plât o gacennau'n cael eu cynnig, a dwi'n cofio methu deall sut roedden nhw'n codi am y cacennau yma – oedden ni'n talu am y platiad cyfan neu oedden nhw'n cyfri'r cacennau ac wedyn yn codi yn ôl faint roedden ni wedi'u bwyta, neu be? Ac wedyn yn ail-gynnig y rhai oedd ar ôl i'r cwsmer nesaf?! Dirgelwch sydd wedi aros efo fi hyd heddiw.

Un diwrnod, ar y ffordd nôl o Groesoswallt, dyma fynd i inspectio'r injan yng Nghroesoswallt cyn gadael a gweld mai un o'r gyrwyr roeddwn i'n ei nabod orau oedd wrth y llyw. Dyma fo'n dweud wrtha' i cyn i mi fynd yn ôl at Mam a Taid a Nain ar y trên y cawn i ddod i'r injan yn Llansanffraid os oeddwn i'n dymuno a theithio ynddi yr holl ffordd o'r fan honno i Lanfyllin. Hyn mae'n debyg oherwydd nad oedd yna *station master* ar unrhyw orsaf ar ôl Llanymynech. Wrth i'r trên ymlwybro trwy Llynclys a'r Pant a Charreghofa i Lanymynech, mi fyddwn yn gwthio fy mhen allan i syllu'n hiraethus ar yr injan oedd yn ein tynnu. Roedd hi'n gallu bod yn beth peryglus i wneud hynny wrth i'r trên redeg gan y byddai'n hawdd iawn i chi gael gwreichionyn yn eich llygad yng nghanol y mwg fyddai'n tasgu o'r simne. Roedd cael gwared â'r gwreichionyn gyda hances wedyn, fel y bu'n rhaid i mi wneud fwy nag unwaith, yn dipyn o helbul.

O'r diwedd dyma gyrraedd Llansanffraid a minnau'n gwthio 'mhen allan unwaith eto drwy'r drws ac yn wir dyna lle 'roedd y gyrrwr yn amneidio arna' i i ddod yn fy mlaen. Minnau'n troi at fy mam i ddweud be roeddwn i am wneud. Ond roedd hi'n gwrthod yn lân â chredu y byddai'r fath beth yn cael ei ganiatáu na'i fod yn beth diogel chwaith. Bu'n rhaid i'r injan fynd yn ei blaen heb brentis gyrrwr newydd ac mi gollais innau fy unig gyfle i fod yn yrrwr trên go iawn.

Yn 1964, er gwaethaf hyder pobl Llanfyllin nad oedd hi'n bosibl eu gadael nhw heb eu trên, fe gaewyd y lein gan fwyell Dr Beeching gan gynnwys hyd yn oed yr orsaf 'fawr' yng Nghroesoswallt. Tua'r un pryd, dechreuwyd hebrwng yr injeni stêm fesul un i'r fynwent drenau yn iard sgrap Y Barri ac mi ddechreuais innau ymddiddori mewn ceir.

5

Cardiff High

Un o nodweddion mwyaf Deddf Addysg 1944, ac egwyddor sy'n destun trafod hyd heddiw, oedd bod llwybr addysg plentyn yn un ar ddeg oed yn cael ei gyfeirio naill ai i ysgol ramadeg neu i ysgol eilradd fodern, sef y *sec mod*. Roedd yna hefyd ambell i ysgol dechnegol i'w chael. Roedd yr ysgol ramadeg yn creu llwybr drwy arholiadau Lefel O a Lefel A i brifysgol, tra roedd disgwyl i blant adael y *sec mod* yn bymtheg oed i fynd i fyd gwaith neu brentisiaeth. Arholiad yr 11+ oedd y modd o ddidoli plant – cyfres o brofion mewn iaith, mathemateg a gwybodaeth gyffredinol.

Un o brif amcanion Enid Jones-Davies, er mwyn sicrhau canfyddiad o lwyddiant addysg Gymraeg ym Mryntaf, oedd lefel uchel o lwyddiant yn yr 11+. Gyda'r dosbarthiadau bach, yr athrawon ymroddedig a'r rhieni dosbarth canol cefnogol, doedd dim rhyfedd ei bod yn llwyddo yn hyn o beth. Dim ond un plentyn yn ein dosbarth ni a fethodd yr arholiad. Roedd yn system greulon ac er bod iddi nifer o rinweddau o ran yr addysg oedd yn cael ei chyflwyno yn yr ysgolion gramadeg, cyfyngu ar ddisgwyliadau a gobeithion y rhai fyddai'n methu'r arholiad oedd y canlyniad arferol.

Yn 1959, dim ond ysgolion uwchradd Saesneg oedd yng Nghaerdydd. Llwyddodd tri o'r pump o fechgyn oedd yn ein dosbarth ni yn Bryntaf i gael lle yn Ysgol Uwchradd y Bechgyn, Caerdydd – Cardiff High School for Boys. Bryd hynny roedd rhieni yng Nghaerdydd yn cael nodi i ba ysgol roedden nhw'n dymuno anfon eu plant, a gosod yr ysgolion mewn trefn benodol. Gorau yn y byd oedd perfformiad y plentyn yn yr arholiad, mwyaf tebygol yr oedd o gael mynd i'r ysgol dewis cyntaf. Cardiff High oedd yr hynaf o ysgolion gramadeg Caerdydd ac roedd ganddi awydd i gael ei gweld ychydig yn wahanol, ychydig uwchlaw y lleill i gyd, gan fabwysiadu arferion gwahanol i bawb arall, megis cynnal gwersi ar fore Sadwrn, chwaraeon ar un prynhawn Mawrth neu Iau, prynhawn i ffwrdd ar y llall, ac iwnifform ddu a gwyn grand iawn yr olwg, o leiaf yn y flwyddyn gyntaf pan oedd y *braid* gwyn yn lân a'r cap yn dal i gael ei barchu.

Roedd John Friend, Huw Jenkins a minnau, y triawd o Fryntaf felly yn fechgyn bach eithaf balch, yn ein trowsus cwta a'n siacedi du a gwyn yn cyfarfod ar fuarth yr ysgol y bore cyntaf hwnnw ym mis Medi 1959. Er bod Huw Jenkins (mab Emlyn Jenkins, Gweinidog Capel Ebeneser) yn gwadu hyn, mae gen i fy hun gof clir iawn fod ein sgwrs y bore hwnnw wedi cychwyn yn Gymraeg a mod i wedi troi at y ddau arall a dweud '*we don't have to speak Welsh now.*' Ac yn Saesneg y buon ni'n siarad â'n gilydd am y tair neu bedair blynedd nesaf, heblaw falle pan fydden ni yng ngŵydd oedolion.

Rwyf wedi ceisio sawl gwaith gofio be yn union oedd ein patrymau cyfathrebu ieithyddol ni fel plant yn ystod y blynyddoedd rhwng 5 a 15. Mae'n gallu bod yn beth anodd iawn i rieni Cymraeg Caerdydd a threfi eraill heddiw, sydd yn magu eu plant yn Gymry Cymraeg ac yn eu hanfon i ysgolion a chapeli Cymraeg, eu clywed yn troi i'r Saesneg gyda'u ffrindiau a gyda'i gilydd. Mae 'mhrofiad personol yn dweud wrtha' i nad peth newydd yw hyn ac mai peth dros dro ydi o yn aml iawn hefyd.

Mae'n arwain hefyd at ystyried faint o orfodaeth sy'n briodol ei wthio ar blant i fynnu eu bod yn glynu at y Gymraeg. Yn Bryntaf, doedden ni ddim yn cael cosb benodol pe baem yn siarad Saesneg, ond mi roedd yna un achlysur o leiaf pan y gorfodwyd rhes ohonom oedd tua 10 oed i leinio i fyny â'n cefnau at y wal i dderbyn pregeth gan un o'r athrawon ar ôl i ni gael ein dal yn siarad Saesneg wrth chwarae ar y buarth. Dwi'n cofio'r geiriau'n iawn, sef ein bod 'yn rhoi cyllell yng nghefn Cymru'. Ond dwi'n cofio hefyd, er bod yna rywfaint o deimlad o gywilydd, fod yna elfen o atgasedd tuag at yr athro am ein trin ni yn y fath fodd a bod yr awydd i gael rhyddid o'r pwysau yna wedi arwain at y teimlad o ollyngdod ar y diwrnod cyntaf yn Cardiff High.

Mae plant, wrth droi'n bobl ifanc, yn mynd i fynnu eu rhyddid yn hwyr neu'n hwyrach. Maen nhw'n mynd i orfod gwneud eu dewis eu hunain. Dros y blynyddoedd, rwyf wedi cael y cyfle i sylwi ar sawl patrwm ieithyddol gwahanol mewn ysgolion Cymraeg, ac ysgolion cefn gwlad, ar hyd a lled y wlad. Yn gyffredinol, mae'n anodd cynnal y Gymraeg fel iaith chwarae oni bai bod yna fwyafrif sylweddol o'r plant yn dod o gartrefi Cymraeg. Un o'r eithriadau mwyaf clodwiw welais i o'r gwrthwyneb oedd pan wnes i ymweld ag Ysgol Gwynllyw ym Mhont-y-pŵl yn 1994, yn sgil fy mhenodiad yn Brif Weithredwr S4C, a sylweddoli wrth gyrraedd y drws fod y plant yn yr iard yn siarad Cymraeg gyda'i gilydd. Rywsut, rywfodd, drwy rym esiampl, argyhoeddiad a chysylltiad personol, roedd y brifathrawes a'r athrawon wedi creu hinsawdd lle'r oedd hyn yn digwydd yn naturiol. Ysgol fechan falle, ac un gymharol newydd, yn medru glynu at amcanion sylfaenol am ryw hyd? Pwy a ŵyr? Bid a fo, fy nheimlad i yw bod gorfodaeth yn rhy aml yn arwain at adwaith ac mai trwy arweiniad a gweithgareddau deniadol y mae ennill y dydd yn hyn o beth.

I raddau helaeth, sgwrs ddibwys oedd honno ar iard Cardiff High gan i ni'n fuan iawn gael ein rhannu i ddosbarthiadau a thai gwahanol a'n cyflwyno i gyfoedion newydd sbon a oedd, llawer ohonynt, yn mynd i fod yn gyd-ddisgyblion am yr wyth mlynedd nesaf. A dyna i chi newid o glydwch Cymraeg cynhesol Bryntaf!

Roedd bechgyn yn dod i Cardiff High o bob cwr o'r ddinas, ac o'r herwydd, o nifer dda o ysgolion cynradd. Er hynny, dydw i ddim yn cofio fod yno neb o Ysgol Penybryn, Llanrhymni, neu mi faswn i wedi dod i'w hadnabod wrth deithio nôl a blaen ar y bws. Bws cyffredin oedd hwn, nid bws ysgol ac roeddwn yn talu ceiniog a dime am fy nhocyn bob tro (£0.006). Gan mod i'n byw ym mhen dwyreiniol pellaf Caerdydd, roedd gen i ddewis o fysus. Roeddwn i'n gallu cerdded ryw hanner milltir tua chanol stad Llanrhymni neu mi allwn bicio lawr i bentref Llaneirwg a dal y bws oedd yn dod o'r Coed Duon yn Sir Fynwy. Dyma fyddai'r dewis os byddwn yn hwyr yn gadael y tŷ am ryw reswm ond roedd yna berygl i hwn hefyd gan nad oedd yn gadael tan chwarter i naw, gan anelu at stopio tu allan i'r ysgol am naw o'r gloch union, sef yr amser y byddai'r gloch yn canu.

Roedd gan yr ysgol bolisi llym o gosbi plant oedd yn hwyr trwy eu gorfodi i baredio o flaen yr holl ysgol yn y gwasanaeth boreol. Rhyw *walk of shame* nad oedd hi'n ddymunol o gwbl bod yn rhan ohoni.

Felly'r rhif 49 o ganol Llanrhymni am 8.25 fyddai'r dewis arferol a hwnnw'n cymryd ei amser i fynd drwy'r ystâd, yn ara' deg i lawr Allt Rhymni ac i mewn i'r traffig trwm ar hyd Newport Road, lle'r oedd yr ysgol y dyddiau hynny, ar y cyrion rhwng y Rhath ar y naill law, a Sblot ar y llaw arall. Dyma'r ysgol y bu'r newyddiadurwr John Humphrys, oedd yn byw yn Sblot, yn ddigon milain yn ei chylch yn ei hunangofiant ac mae gen innau atgofion pur gymysg amdani.

Y diwrnod cyntaf, fe gawsom ni'r bechgyn newydd, union 100 ohonom, ein gosod mewn rhesi yn yr 'Hen Neuadd' a dyma ffigwr pryd tywyll ysblennydd iawn, mewn gŵn ddu, gyda barf wen drwsiadus a llais bas anferth, yn ein cyfarch fel rhyw dduw Groegaidd oedd yn rhyfeddu at y corachod yma oedd wedi mentro i'w deml. Theo Bellott oedd hwn, yr athro Clasuron, ac roedd yn un o ffigyrau chwedlonol yr ysgol. Iddo ef y rhoddwyd gofal am fechgyn y ddwy flynedd gyntaf, oedd yn trigo yn yr 'Hen Adeilad'. Cafodd fy nghyfaill Dic James a minnau ein dal ganddo unwaith yn y dosbarth yn chwarae o gwmpas pan oeddem i fod allan. Fel hyn aeth y croesholi (gyda *chrescendo* mawr tua'r diwedd):

'*What are your names boys?*'

'*James, sir.*'

'*Jones, sir.*'

'*James and Jones – James and John – Boanerges, sons of Thunder, and, by thunder, if you don't clear off this minute, I'll box your ears.*'

Y bore cyntaf hwnnw, y peth cyntaf oedd sefydlu pwy oedd â brawd hŷn eisoes yn yr ysgol. Erbyn deall, pwrpas hyn oedd er mwyn i chi gael eich gosod yn yr un tŷ â'ch brawd neu frodyr. I'r gweddill ohonom, roedd ein ffawd yn cael ei benderfynu wrth i Ivor Jones, yr athro Ymarfer Corff egnïol a chas, ein taro ar ein pennau un ar ôl y llall gyda llyfr, gan weiddi allan beth oedd enw'r tŷ roedden ni i berthyn iddo. Roedd y gnoc i fod i wneud yn siŵr nad oeddech chi'n anghofio'r enw. Fe'm gosodwyd i yn nhŷ Tredegar a choch oedd ein lliw. Roedd hynny'n fy mhlesio'n iawn, gan mai dyna fy hoff liw, ond dyma ddarganfod mai nid ar ôl y dref lofaol yn Sir Fynwy y cafodd y tŷ ei enwi, ond yn hytrach ar ôl Arglwydd Tredegar, un o garedigion cynnar yr ysgol.

Dyma hefyd ein dosbarthu i un o dri dosbarth – naill ai 1A, 1B neu 1C. Doedd yna ddim eglurhad ynglŷn â sut roedd y dosbarthiad yma'n cael ei wneud ond daeth yn amlwg yn fuan mai marciau'r 11+ oedd yn penderfynu ym mha ddosbarth roeddech chi'n cael eich gosod ac nad oedd dim byd yn gynnil yn y dosbarthiad A, B ac C. Cefais ar ddeall gryn dipyn yn ddiweddarach ei bod yn arferiad gan yr ysgol i beidio â gosod unrhyw un o'r Ysgol Gymraeg yn ffrwd A ar y rhagdybiaeth y byddai ganddyn nhw waith dal i fyny, waeth beth fyddai eu marciau yn yr arholiad. Yn 1B y glanies i, p'un bynnag – ychydig is na'r angylion.

Ar ddiwedd y flwyddyn gyntaf, a phob blwyddyn wedi hynny, fe fyddai eich tynged am y flwyddyn ganlynol yn cael ei phenderfynu gan eich perfformiad yn yr arholiadau ddiwedd y flwyddyn. Roedd y rhain yn cael eu cymryd yn gyfan gwbl o ddifri. Byddai eich marciau ym mhob pwnc yn cael eu cyfuno, a'ch cyfanswm ar draws y cyfan yn cael ei osod mewn rhestr ragoriaeth ynghyd â phawb arall yn yr un flwyddyn. Roedd y 33 uchaf, o ba ddosbarth bynnag roedden nhw'n dod, yn cael eu gosod ar gyfer y flwyddyn ganlynol yn nosbarth 2A, y 33 nesaf yn 2B a'r 33 canlynol yn 2C. Dim esgusodion, dim maddeuant, felly mi roedd 'na ddyrchafu a disgyn, yn union yr un fath â chynghrair bêl-droed.

Roeddwn i wrth gwrs yn ddigon rhugl fy Saesneg erbyn y diwrnod cyntaf hwnnw ond mi roedd yna ambell i fwlch yn fy addysg hefyd. Y bore cyntaf, ar ôl y broses ddidoli, cynhaliwyd gwasanaeth ac ar ddiwedd y gwasanaeth roedd gofyn i bawb gyd-adrodd Gweddi'r Arglwydd. Mi sylweddolais yn gyflym iawn nad oeddwn yn gwybod y geiriau yn Saesneg, felly dyma fi'n gwneud John Redwood ohoni o dan fy ngwynt, gan obeithio nad oedd neb yn sylwi. Roedd yr un peth yn wir am yr emynau. Roedden nhw i gyd yn ddiarth i mi er bod ambell i dôn gyfarwydd fel 'Cwm Rhondda' a 'Crimond' yn cael eu chwarae bob hyn a hyn.

Oherwydd nad oedd gormod o'r bechgyn yn dod o'r un ysgol gynradd, doedd yna ddim cliciau amlwg y gallwn i eu gweld a buan y dechreuais i ddod i adnabod rhai o'r bechgyn eraill yn eithaf da. Un o'r tasgau cyntaf oedd clustnodi desg bersonol i ni a rhoi cyfle i ni gyfarfod â'r athro dosbarth. Nid ein bod yn cael gwersi ganddo yn angenrheidiol ond ei gyfrifoldeb o fyddai cofnodi'r gofrestr presenoldeb bob bore gan alw pob enw allan yn ei dro a disgwyl yr ateb 'Here sir'. O ganlyniad i'r ddefod foreol hon, mae yna rai o 'nghyfoedion sy'n dal i fedru cofio'r rhestr enwau ar gyfer ambell i flwyddyn. Mae hynny y tu hwnt i mi, mae gen i ofn.

Un o arferion yr ysgol oedd clustnodi *prefect* a *monitor* i fod yn gyfrifol am bob dosbarth. Y *prefects* oedd yr *elite corps* o ddisgyblion hŷn a oedd â'u hystafell eu hunain a bathodyn arbennig ar eu siacedi. Un ohonyn nhw fyddai'n darllen y wers yn y gwasanaeth bob bore a byddent yn cyflawni gwahanol orchwylion a mân gyfrifoldebau ym mywyd yr ysgol ar hyd y flwyddyn. Roedd y *monitors* yn is-haen o swyddogion – bechgyn o flwyddyn gyntaf y chweched yn aml, neu rai o'r ail flwyddyn nad oedd eto wedi cyrraedd yr uchelfannau.

Wrth ddisgwyl i'r athro gyrraedd y dosbarth ar gyfer y wers nesaf, yr arferiad oedd bod naill ai'r *prefect* neu'r *monitor* ar gyfer y dosbarth yn sefyll o'i flaen er mwyn sicrhau trefn briodol. Wn i ddim pa mor gyffredin oedd yr arferiad hwn ond mae gen i syniad ei fod yn deillio'n bennaf o awydd y prifathro, Clifford Diamond, i adlewyrchu hierarchaeth yr ysgolion preswyl yr oedd o'n ceisio'u hefelychu, trwy roi awdurdod cynnar i fechgyn hŷn dros wehilion y gymdeithas, megis ninnau yn 1B – a mwy fyth felly y rheini yn 1C a 2C.

Rhyw bum munud o saib oedd i fod ond os oedd yr athrawon yn mwynhau sgwrs yn y *staff room* gallai'r amser ymestyn cryn dipyn ac roedd yn brawf eithaf da ar allu'r swyddogion ifanc yma i benderfynu faint o raff i'w roi i'r dosbarth o ran y sŵn a ganiatëid, faint o symud o gwmpas oedd i fod, ac ati. Gormod o ryddid ac yn fuan fe fyddai'n llanast a'r peth olaf fyddai'r swyddog ei eisiau fyddai i'r athro gyrraedd i ganol dosbarth afreolus. Fyddai hynny ddim yn adlewyrchu'n dda arno fo fel darpar arweinydd y byd. Ymhen hir a hwyr, mi ges innau fod yn *fonitor* ac wedyn yn *brefect* a dwi'n dal i gofio'r frwydr ewyllys ddyddiol gyda rhai o eneidiau mwyaf drygionus 2C.

Er cystal enw da'r ysgol yn academaidd, ac er cymaint ei llwyddiant i ennill llefydd yn Rhydychen a Chaergrawnt, cymysg oedd safon yr addysg. Roedd llawer o'r athrawon yn perthyn i'r un genhedlaeth â 'nhad ac wedi bod drwy brofiad tebyg o ddewis dysgu, efallai ar ôl gyrfa ddisglair mewn prifysgol, yn absenoldeb unrhyw ddewis amlwg arall. Roedd gan rai ddawn naturiol ac amynedd digonol, tra roedd eraill yn amlwg wedi dod i'r casgliad mai goroesi o ddydd i ddydd oedd y nod. Roedd yr ysgol yn gyffredinol yn disgleirio mewn mathemateg a ffiseg. Ychydig flynyddoedd ynghynt, roedd Brian Josephson wedi bod yn ddisgybl yno. Roedd ei enw eisoes yn wybyddus yn y ddinas am ei lwyddiannau academaidd, ac aeth ymlaen i ennill gwobr Nobel. Fe'm gwthiwyd innau ymhellach mewn mathemateg nag oedd yn dod yn naturiol i mi ac roedd hynny'n glod i'r athro cydwybodol a thawel y bûm i'n lwcus o'i gael yn y pwnc hwnnw hyd at lefel O. Roedd yna athrawon da mewn Lladin, ambell un da iawn yn Saesneg, ond eraill yn ddifrifol. Siomedig oedd yr addysg a gaem mewn Hanes yn y ddwy flynedd gyntaf yn enwedig. Arferai'r athro ddod i mewn i'r dosbarth heb ein cyfarch a dechrau ysgrifennu mewn sialc ar y bwrdd du a'n tasg ni oedd copïo yr hyn oedd o'n ei sgwennu. Fel yna y'n dysgwyd am Oes y Cerrig a'r Rhufeiniaid – dim trafodaeth, dim ond atgynhyrchu – ac roedd hwn yn ddyn oedd â gradd o Rydychen.

Er na chawsom ddysgu ieithoedd tramor yn Bryntaf, roedd Mam a 'Nhad eisoes wedi ceisio fy ngwneud yn ymwybodol o'r ddwy iaith roedden nhw'n arbenigo ynddynt ac roedd gen i deimlad felly fod Ffrangeg yn mynd i fod yn un o 'mhynciau gorau (doedd Almaeneg ddim yn cael ei gyflwyno tan ddosbarth 4). Yn anffodus, am fy nhair blynedd gyntaf, roedd yna dipyn o gawl o ran pwy oedd yn dysgu Ffrangeg i ni'r dosbarthiadau iau, rhwng bod athrawon yn sâl neu'n gadael, neu yno dros dro yn unig. O ganlyniad, nid tan i mi gyrraedd dosbarth 4 y ces i'r cyfle i gael fy nysgu gan Wynford Davies, pennaeth Ffrangeg yr ysgol, ac athro da iawn. Wynford oedd tad Andrew Davies, yr awdur a'r addaswr dramâu teledu mwyaf enwog ym Mhrydain erbyn hyn (*Pride and Prejudice* ac ati), ac mae gen i gof clir o Wynford Davies ar ddiwedd rhyw wers, yn y chweched dosbarth mae'n debyg, yn dweud, gyda gwyleidd-dra ond balchder mawr, fod gan ei fab ddrama ar y radio y noson honno, pe bai unrhyw un yn rhydd i wrando – ei ddrama gyntaf erioed, mae'n debyg.

Os oedd Hanes yn CHS yn wael, roedd yn addysg aruchel o'i chymharu â'r hyn oedd yn cael ei chynnig ar gyfer y Gymraeg. Yn y flwyddyn gyntaf, roedd pawb yn gorfod cymryd Cymraeg am un neu ddwy wers yr wythnos. Er gwaethaf holl ymdrechion Bryntaf, roeddwn i'n cael yr un wers yn union â'r 32 o fechgyn eraill uniaith, a'r wers honno yn seiliedig ar ddysgu Cymraeg yn y modd mwyaf dienaid ac aneffeithiol; *'Repeat after me: rhedaf, rhedi, rhed, rhedwn, rhedwch, rhedant'* ac felly yn y blaen. Roedd gwell siawns gan Ladin i gael ei hystyried yn iaith fyw.

Y canlyniad wrth gwrs oedd bod bron pob disgybl yn gollwng y Gymraeg cyn gynted ag y caent hawl i wneud hynny, fel mai eithriad prin oedd y rhai, a rheini fel arfer â rhyw gysylltiad y tu allan i'r ysgol, oedd yn mynd ymlaen i wneud Cymraeg ar gyfer Lefel O. Yn fy achos i, bu'n rhaid dewis rhwng Cymraeg a Ffrangeg yn y trydydd ddosbarth, a'r canlyniad oedd dewis gwneud Cymraeg fel pwnc y tu allan i'r ysgol, gyda chymorth tiwtoriaid allanol megis D. Hywel Roberts a T. Gwynn Jones, Cyncoed.

Mi wnaeth 'na ddigwyddiad mewn perthynas â'r Gymraeg mewn gwers arall adael ei ôl hefyd. Mewn dosbarth Saesneg yn Form 4 aeth yn drafodaeth am darddiad rhyw ymadrodd neu'i gilydd, ac mi fentrais innau gynnig cymhariaeth gyda rhywbeth yn Gymraeg.

'Hah,' oedd ymateb dirmygus ac amherthnasol yr athro, *'the Welsh language will be dead within 50 years.'* Cau ngheg wnes i, ond cyn diwedd y wers, roeddwn wedi dod i'r casgliad tawel ond pendant ei fod yn anghywir – oherwydd roeddwn yn gwybod fod fy mhlant i'n mynd i siarad Cymraeg!

Rai blynyddoedd yn ddiweddarach, mi gymerais yn erbyn yr athro Almaeneg hefyd a phenderfynu, er gwaethaf holl gefndir fy nhad, na fedrwn ddioddef ddwy flynedd gyda Mr Wanger, dyn tebyg iawn i Donald Trump, ar gyfer gwneud Lefel A.

Y tu allan i'r gwersi, roedd 'na dri pheth y ces i bleser o fod yn ymwneud â nhw trwy gyfrwng yr ysgol yn ystod fy nghyfnod yno – gwyddbwyll, y côr a hoci.

Wnes i erioed ddisgleirio yn yr un o'r rhain – ym mhob un, roedd yna unigolion eraill oedd â doniau naturiol llawer uwch na mi ond roedd yr oruchwyliaeth gan athrawon unigol oedd yn cymryd diddordeb yn y meysydd hyn yn golygu cyfleoedd da i wneud rhywbeth difyr a'i wneud o'n iawn hyd eithaf eich gallu.

Roedd gan yr ysgol dîm gwyddbwyll – chwech yn y tîm iau, a chwech yn y tîm hŷn ac mi ddechreuais ddarllen llyfrau oedd yn dysgu elfennau sylfaenol strategaeth. Erbyn blwyddyn 3 roeddwn wedi cael fy nerbyn fel bwrdd 5, sef y pumed allan o chwech o ran eu safon, yn y tîm iau. Byddem yn mynd i chwarae yn erbyn ysgolion eraill ar ddiwedd dydd, neu mi fydden nhw'n dod aton ni. Byddai'r chwarae yn para rhyw ddwy awr ac mi fyddai yna de yn cael ei gynnig cyn cychwyn. Fe fyddai Bwrdd 1 ein hysgol ni yn chwarae yn erbyn chwaraewr gorau, sef Bwrdd 1, yr ysgol arall, Bwrdd 2 yn erbyn Bwrdd 2 ac felly yn y blaen. Os oeddech chi'n ennill roeddech chi'n cael 1 pwynt a'ch gwrthwynebydd yn cael dim. Os oedd hi'n gêm gyfartal roeddech chi'n cael hanner pwynt yr un. Ac ar ddiwedd y dydd roedd yna sgôr cyfansawdd i'r tîm. Curo'r tîm arall oedd y nod. Roedd ganddon ni dîm eithaf llwyddiannus yn nhermau Caerdydd ond y cynnwrf mawr fyddai pan fyddai gornest flynyddol y *Sunday Times* yn cychwyn. Gornest ar draws Prydain oedd hon ond gyda'r rowndiau cyntaf yn digwydd ar raddfa ranbarthol a Chymreig. Byddai'r gystadleuaeth yma yn mynd â ni i lefydd fel Merthyr, Pontypŵl a Chasnewydd, a hyd yn oed cyn belled â Llanelli, lle gwnes i gyfarfod fy nghyfaill Vivian Davies am y tro cyntaf.

Yn fy mlynyddoedd cynnar, roeddwn yn dal fy nhir yn reit dda ar Fwrdd 5 nes i mi gael fy nyrchafu ar un adeg i Fwrdd 4, ond wrth i'r blynyddoedd fynd yn eu blaenau roeddwn yn sylweddoli nad oedd gen i'r dyfalbarhad i drwytho fy hun mewn gemau a thactegau – yr 'openings' yn arbennig, fel roedd ei angen – er mwyn bod yn barod ar gyfer pob ystryw fyddai gwrthwynebydd mwy cydwybodol yn ei daflu atoch. Rhyw lithro i lawr y byrddau fu'r hanes wedyn wrth i eraill oedd fwy o ddifri na fi gymryd eu lle yn y rhengoedd. Un o'r rheini oedd Leszek Borysiewicz, aeth ymlaen i fod yn Is-Ganghellor

Prifysgol Caergrawnt ac i gael ei urddo'n farchog. 'Boris' oedd o i ni.[1]

Atyniad mwyaf bod yn aelod o gôr yr ysgol ar y cychwyn oedd eich bod chi'n cael mynd i'r cynulliad boreol ar gyfer yr ysgol hŷn oedd yn cael ei gynnal yn yr 'Adeilad Newydd' cyfagos, ac eistedd ar gadeiriau, yn hytrach na sefyll fel y byddai'n rhaid gwneud yng nghynulliad yr ysgol iau.

Rhaid cyfaddef fod safon canu'r emyn boreol yn affwysol. Doedd y rhan fwyaf o'r bechgyn ddim yn gwneud unrhyw ymdrech a rhyw riddfan eu ffordd drwy'r cyfan fydden nhw. Y dôn 'Hyfrydol' i eiriau Charles Wesley 'Love Divine All Loves Excelling' oedd yn cael ei cham-drin un bore pan, er mawr syndod i bawb, torrodd Dr Williams, yr is-Brifathro, ar ei thraws gyda'r floedd:

'Stop. You're murdering this beautiful old Welsh hymn. Start again and sing it properly.'

Mae'n rhaid bod y canu'n ofnadwy o wael, gan mai dyn tawel, yn dod i ddiwedd ei yrfa, oedd y dirprwy brifathro, a'r digwyddiad yma wnaeth i mi ystyried y posibilrwydd ei fod, efallai, yn Gymro Cymraeg. Y gwir oedd fod mwy nag un o'r staff yn medru'r Gymraeg, ond gan nad oedd yna gydnabyddiaeth o unrhyw berthynas rhwng yr ysgol a'r Gymraeg – ar wahân efallai i'w arwyddair, *Tua'r Goleuni* – chefais i ddim cyfle i ddarganfod pwy oedden nhw trwy gydol fy nghyfnod yno.

P'un bynnag, mae'n debyg mai ymgais i gael rhywfaint o siâp ar y canu yn y cynulliad boreol oedd creu côr a'i osod yn y rhesi blaen. Rhyw fymryn o wrandawiad lleisiol i brofi nad oeddwn i'n hollol ddi-diwn a dyna gychwyn ar berthynas ddigon dymunol gyda'r athro cerdd Dr Jack Green. Tipyn o werinwr o ben draw cymoedd Gwent oedd hwn, heb fod mewn prifysgol. Doedd o ddim 'run fath â'r athrawon eraill. Roedd ganddo acen y cymoedd eithaf cryf ac roedd yna rywbeth yn ei

---

[1]   Un arall a fagwyd yn Llanrhymni. Priododd ferch o Geredigion ac mae wedi dysgu Cymraeg.

gylch oedd yn golygu nad oedd yn cael ei weld fel aelod llawn o frawdoliaeth y *staff room*. Er hynny, flwyddyn neu ddwy ynghynt, trwy ei ymdrechion ei hun, roedd o wedi ennill gradd D Mus o Brifysgol Cymru. Tros y blynyddoedd cawsom gyfleoedd da i gymryd rhan mewn perfformiadau cerddorol amrywiol, gan gynnwys er enghraifft *Noye's Flood* gan Benjamin Britten a oedd yn gynhyrchiad ar y cyd gydag Ysgol y Merched. Roedd y gwasanaeth carolau yn ddigwyddiad blynyddol pwysig, gyda'r côr yn chwarae rhan amlwg.

Yn Bryntaf, doeddwn i erioed wedi cael fy ystyried yn un oedd yn berchen ar lais canu. Roedd gan yr ysgol ei sêr, y rhai oedd yn cystadlu ac yn ennill yn gyson yn eisteddfodau cylch a sir yr Urdd, ac roedd fy nghyfaill Huw Jenkins yn eu plith. Ond does gen i ddim cof i mi erioed gystadlu mewn unrhyw fath o gystadleuaeth ganu unigol na rhoi perfformiad cerddorol o unrhyw fath tra roeddwn yn yr ysgol gynradd. Yn Cardiff High, chwaith, doeddwn i ddim yn cynnig fy hun fel unawdydd. O bosib bod yna rywbeth corfforol yn ymwneud â hyn, gan mai bachgen bach digon gwantan oeddwn i drwy'r ysgol gynradd a blynyddoedd cynnar yr uwchradd. Bûm innau, fel fy nhad, yn dioddef o asthma yn reit ddrwg ac os byddwn yn cael annwyd, byddai'n aml iawn yn mynd i'r frest a 'ngadael yn fyr fy ngwynt am ddyddiau. Bu'n rhaid i mi gael fy esgusodi o gymryd rhan yn y rhedeg traws gwlad oedd yn cael ei orfodi ar bawb yn Cardiff High gan i mi orffen fy ras gyntaf yn olaf ond un, yn tagu a gwichian a methu cael fy ngwynt.

Wrth i mi gyrraedd fy arddegau cynnar, fodd bynnag, fe ddiflannodd yr asthma ac mi ddechreuais fwynhau cyfnod o iechyd mwy normal. Mae'n bosib felly fod fy llais hefyd wedi cryfhau yr un pryd. Rhoddwyd i mi ran gymharol fach, ond allweddol, mewn perfformiad gan gôr yr ysgol o *HMS Pinafore*, gan Gilbert and Sullivan. Y rhan honno oedd 'Little Buttercup', dynes oedd yn fam maeth ac y bu'n rhaid iddi gyfaddef cyfnewid dau fabi – a'r datgeliad hwnnw oedd allwedd y plot. Doedd cael y cyfle i bortreadu 'Little Buttercup' ddim yn ofnadwy o ddeniadol i fachgen 13 oed ond roedd yn rhaid mynd drwyddi orau medrwn i. Dau berfformiad oedd i fod, ac yn y perfformiad cyntaf, fe ges i fy synnu wrth i mi dderbyn cymeradwyaeth bur wresog gan y gynulleidfa, i'r graddau fod Dr Green yn daer i mi wneud encôr yn y fan a'r lle. Wnes i ddim deall yn iawn beth oedd ei fwriad felly eistedd yn ôl yn fy lle a disgwyl i'r perfformiad fynd yn ei flaen wnes i. Erbyn yr ail noson roedd Dr Green wedi fy siarsio, pe bai'r un peth yn digwydd eto, mai fy ngwaith i oedd derbyn y genadwri ac ail-berfformio'r gân. A dyna fu. Fedra' i ddim dweud mai dyna wnaeth fy ysgogi i feddwl y gallwn i fod yn ganwr, ond mi roedd yn brofiad eithaf dymunol a thrwy lwc, mi ges i osgoi'r hunllef o gael fy llysenwi'n 'Little Buttercup' am weddill fy ngyrfa yn yr ysgol, fel roeddwn wedi ofni.

Rygbi oedd gêm Cardiff High. Y *first fifteen* oedd duwiau'r ysgol a byddai canlyniadau eu gemau – y rhan fwyaf yn erbyn ysgolion gramadeg a bonedd megis Christ College, Aberhonddu, West Mon, Ysgol Lewis, Pengam, ac ati, yn cael eu cyhoeddi yn y cynulliad fore Llun. Roedd nifer o gyn-chwaraewyr rhyngwladol wedi bod drwy'r ysgol, ac un, y Capten Jack Tarr, yn dal ar y staff. Ar ddechrau'r flwyddyn gyntaf, roedd disgwyl i bob un ohonom brynu dillad rygbi yn lliwiau'r tŷ roeddem yn perthyn iddo ac roedd pob prynhawn Iau yn brynhawn *Games* ar ein cae chwarae preifat ryw filltir o'r ysgol. Byddai'n rheitiach yn y flwyddyn gyntaf fod wedi dweud rygbi yn hytrach na *games*, gan nad oedd unrhyw ddewis yn cael ei gynnig i ni.

Dyma fy mhrofiad cyntaf o rygbi go iawn. Y prif gof ohono sydd gen i ydi i'r athro chwaraeon wneud hwyl am fy mhen yng ngŵydd pawb am ymuno â'r chwarae pan oeddwn i'n camsefyll o rai llathenni. Be wyddwn i, oedd wedi canolbwyntio'n llwyr ar bêl-droed hyd hynny, am reolau gwyrdroëdig gêm y bêl hirgron? Trwy gydol fy nghyfnod yn yr ysgol, bu sôn, rhyw ddydd, rhyw bryd, am gychwyn tîm pêl-droed, ond ddigwyddodd o ddim tra roeddwn i yno. Rygbi yn y gaeaf, criced yn yr haf, dyna oedd y drefn, nes i chi gyrraedd y pedwerydd dosbarth.

Gydag un eithriad, sef bod gennych yr hawl i ofyn i gael nofio pe baech yn dymuno, yn lle chwarae rygbi. A dyna wnes i, cyn gynted ag y ces i gyfle. Ond yr hyn roeddwn yn disgwyl amdano go iawn oedd y cyfle yn nosbarth pedwar i chwarae hoci. I mi, gêm debyg iawn i bêl-droed oedd hoci, dim ond eich bod yn ei chwarae efo ffon. Fel gyda'r gwyddbwyll, doedd gen i fawr o ddawn naturiol. Roeddwn i'n eithaf prin o'r *hand-eye co-ordination* sy'n nodweddu *sportsmen* naturiol. Ond os nad oedd gen i ddawn, mi oedd gen i benderfyniad ac awydd.

Am ddwy neu dair blynedd mi ges ddysgu'r rheolau ac ymarfer y sgiliau sylfaenol ar brynhawn Mawrth ar gaeau'r ysgol, nes yn y diwedd ddod yn ddigon da i fod ar gyrion tîm yr ysgol i gystadlu yn erbyn ysgolion a chlybiau yn yr ardal. Roeddwn wedi ffeindio fy hun yn chwarae gan amlaf yn safle'r *centre forward*, eto nid am fod gen i ddawn arbennig fel blaenwr, ond mi roedd gen i'r awydd hwnnw sy'n naturiol i bob streicar i gael fy hun yn y lle gorau i sniffio cyfle pan fyddai'n dod a'r penderfyniad i fod yn y safle hwnnw cyn neb arall os byddai modd. Roeddwn i hefyd rywsut wedi dysgu'r grefft o ennill y *bully-off* bron bob tro. Dyma'r ffordd y byddai gêm hoci yn cael ei hailgychwyn trwy i'r ddau *centre forward* daro eu ffyn yn erbyn ei gilydd dair gwaith ac wedyn mynd am y bêl. Roeddwn wastad yn ennill y blaen ar fy ngwrthwynebydd wrth fynd ati yn ddiawledig o gyflym ac fel arfer roedd y bêl wedi mynd cyn iddo fo sylweddoli be oedd wedi digwydd. Fy mhroblem oedd fod yna flaenwr dipyn gwell na fi yn nhîm yr ysgol, bachgen o'r flwyddyn uwch, o'r enw Dewi Rhys. Bu'n rhaid i mi ddisgwyl tan i Dewi adael yr ysgol nes i mi gael lle parhaol yn nhîm yr ysgol. Ond mi gefais flas mawr ar chwarae i'r tîm hwnnw trwy gydol fy ail a 'nhrydedd flwyddyn yn y chweched dosbarth.

Byddem yn teithio yn eithaf pell ar brydiau – i'r Bontfaen a Phen-y-bont, i Fryste a Chasgwent, ac fe fyddem yn chwarae yn erbyn timau dynion yn rheolaidd, yn ogystal ag yn erbyn timau ysgolion. A dweud y gwir, roedden ni'n dîm reit dda. Roeddwn i'n cadw cofnod manwl o'n canlyniadau ac er nad oedd yna gynghrair na chwpan o unrhyw fath, roedden ni'n ymfalchïo yng nghyflymder y bechgyn ifanc, eiddil yr olwg oedd ar yr esgyll, oedd wastad yn llwyddo i synnu'r cefnwyr profiadol cydnerth fyddai'n trio ac yn methu eu dal nhw.

Yn y drydedd flwyddyn yn y Chweched, sef blwyddyn sefyll arholiad mynediad ar gyfer Rhydychen, symudodd yr athro oedd yn gyfrifol am y tîm i ysgol arall a doedd yna'r un athro arall ar gael i gymryd drosodd. Fe gawsom ganiatâd gan y prifathro i redeg y tîm ein hunain, fel rhyw fath o bwyllgor hŷn, a dyna wnaethon ni, gan drefnu ein gemau a'n trafnidiaeth ein hunain, a dyfeisio ein tactegau ein hunain. A dweud y gwir, roedden ni'n cael cymaint o flas ar y chwarae, fel i mi aros ymlaen yn yr ysgol yn ystod y tymor ar ôl yr arholiadau, pan nad oedd gen i unrhyw waith ysgol i'w wneud mwyach, dim ond er mwyn parhau i chwarae hoci.

Bûm hefyd yn chwarae i dîm y coleg yn ystod fy nghyfnod yno ac am beth amser i un o dimau clwb yr Eglwys Newydd. Tristwch i mi fodd bynnag ar ôl symud i'r gogledd oedd, er darganfod fod yna glwb ym Mangor, i mi fethu â chael llawer o gyfle i chwarae oherwydd gwaith teledu ar y penwythnos. A dyna ddiwedd rhywbeth fu'n bwysig iawn i mi am gyfnod.

Roedd gan yr ysgol nifer o glybiau neu gymdeithasau ar gyfer gwahanol ddiddordebau. Un o'r rhain oedd â thipyn o fri arno oedd y *Debating Society*. Roedd yna gryn ddisgwyl i gael cyfle i fod yn rhan o'r gymdeithas yma. Roedd ei statws yn cael ei amlygu gan y ffaith fod y cyfarfodydd yn aml yn cael eu llywyddu gan y prifathro ei hun. Yn fy nhymor cyntaf yn y pumed, cynhaliwyd sesiwn lle'r oedd cyfle i bawb gamu i'r llawr a thraethu'n ddifyfyr ar bwnc fyddai'n cael ei dynnu allan o het. Gyda 'ngwynt yn fy nwrn, dyma benderfynu camu 'mlaen. Y pwnc a gefais i oedd '*If I ruled the world...*' A dyma amlygu'r gwahaniaeth rhyngof i a rhywun fel Boris Johnson. Tra byddai hwnnw yn yr un oed wedi traethu'n huawdl ac yn fyrfyfyr am ei gynlluniau, geirwir ai peidio, fe'm trawyd innau'n fud. Gyda'r prifathro yn disgwyl yn amyneddgar, fe rewais yn llwyr, baglu ar draws ychydig eiriau, ac eistedd i lawr. Wel, meddai'r prifathro, mewn modd nid angharedig: '*Omnipotence doesn't seem to have given rise to eloquence.*' Roedd angen i rai misoedd fynd heibio cyn i mi fentro codi o fy sedd ar gyfer unrhyw beth o'r fath eto.

Er gwaethaf y cam gwag yma, ymhen hir a hwyr, mae'n amlwg mod i wedi magu rhyw gymaint o hyder, ac unwaith yr oedd rhywun ymhlith y disgyblion hynaf oll, roedd yna nifer o gyfleoedd yn codi. Mewn cystadleuaeth areithio rhwng y tai, fe'm gorfodwyd i draethu yn erbyn hawliau merched. Fe wnes hynny drwy briodoli pob trychineb yn ystod yr ugeinfed ganrif, o ddau Ryfel Byd a'r dirwasgiad i fethiannau Cardiff City a difodiant yr Ymerodraeth Brydeinig, i'r ffaith fod merched wedi ennill y bleidlais. Ein tŷ ni enillodd! Tua'r un cyfnod cefais fy newis i fod yn gynrychiolydd Plaid Cymru yn y ffug etholiad oedd yn cael ei chynnal yn yr ysgol adeg Etholiad Cyffredinol 1966. Er i mi feddwl ar un adeg fod gennym siawns reit dda o ennill, gan i ni lwyddo i greu llawer mwy o hwyl a lliw nag unrhyw blaid arall, ar ddiwedd y dydd y Ceidwadwyr aeth â hi o fwyafrif sylweddol – peth rhyfeddol, fyddai llawer un yn ei ddweud, o ran agweddau bechgyn ifanc yn Ne Cymru, ond yn dweud llawer am natur yr ysgol a chefndir cymdeithasol mwyafrif y disgyblion.

Fel sydd wedi cael ei grybwyll eisoes, o dan Clifford Diamond doedd yna ddim cariad yn yr ysgol tuag at y Gymraeg. Doedd Dydd Gŵyl Dewi ddim yn cael ei ddathlu mewn unrhyw ffordd – dim eisteddfod na chyngerdd na chyfeiriad yn y gwasanaeth boreol na dim. Ar y llaw arall, roedd yna gryn sbloet yn cael ei wneud o *Empire Day*. Roedd gan yr ysgol ei *Army Cadets* ac roeddem oll i fod i lawenhau pan gafodd y prifathro ei enwebu i fod yn aelod o'r *Headmasters' Conference*, sef y gymdeithas fyddai'n dod â'r holl ysgolion bonedd ynghyd. Iddo fo ac i'r hyn roedd o am i'r ysgol ei gynrychioli, roedd hyn yn bluen enfawr yn ei gap.

Fodd bynnag, ar ddiwedd fy mlwyddyn Lefel A, ymddeolodd

Clifford Diamond ac yn ei le, fe ddaeth Mr David Malland, Sais oedd wedi bod yn athro yn y Manchester Grammar School enwog. Fe benderfynodd gymryd rhai o fechgyn y chweched mewn dosbarth wythnosol lle byddai'n ein cyflwyno i bynciau athronyddol safonol trwy gyfrwng awduron fel Hobbes, Locke ac ati. Gofynnwyd i ni ysgrifennu traethawd gyda'r teitl 'What is Politics?' ac fe agorodd hynny'r drws i mi draethu'n huawdl ar genedlaetholdeb. Yn sgil hynny, sbardunwyd trafodaeth yn y dosbarth ar Gymreictod a chenedligrwydd. Roedd yr holl syniad yn newydd i Mr Malland, ond fe wrandawodd gyda meddwl eithaf agored. O ganlyniad i hynny, nodwyd nad oedd unrhyw sylw yn cael ei roi i Ddydd Gŵyl Dewi a phenderfynodd y prifathro newydd y dylid cynnal dadl Ddydd Gŵyl Dewi ar yr iaith Gymraeg. Rhoddwyd cyfrifoldeb arna' i i ddod o hyd i rywun i siarad o blaid yr iaith, ac i un o'r bechgyn eraill, oedd â chysylltiadau Ceidwadol cryf, i ddod o hyd i rywun i roi'r safbwynt arall.

Troi wnes i'n syth at Gwilym Roberts yn yr Aelwyd a'r awgrym roddodd o i mi oedd cysylltu â Gwyneth Morgan, Prifathrawes Ysgol Glyndŵr a gwraig Trefor Morgan, sefydlydd cwmni yswiriant Undeb. Doeddwn i ddim yn ei hadnabod, ond fe ymatebodd yn gwrtais i fy llythyr a derbyn y cais.

Fore'r ddadl, cawsom ar ddeall bod y gwrthwynebydd wedi tynnu'n ôl. Ni chafwyd rheswm. Efallai fod y person hwnnw wedi clywed rhywbeth am Gwyneth Morgan ac wedi sylweddoli na fyddai rhyw ystrydebau di-liw yn mynd â fo ymhell. Felly dyma Mrs Morgan yn troi i fyny yn ystafell y prifathro i gael ar ddeall nad dadl oedd hi i fod bellach ond darlith. Fe wnaeth ddygymod â'r newyddion yn raslon.

Ar gyfer y digwyddiad, roedd blynyddoedd hŷn yr ysgol i gyd – rhyw 300 o fechgyn – wedi casglu ynghyd yn y brif neuadd. Y prifathro ar y llwyfan, a Gwyneth Morgan wrth ei ymyl. Cyflwyniad byr gan y prifathro ac yna Gwyneth Morgan yn sefyll ac yn dechrau annerch.

Am bron i bum munud, neu felly roedd hi'n teimlo, fe

anerchodd Gwyneth Morgan y gynulleidfa – yn Gymraeg! Heb air o eglurhad nac ymddiheuriad, fe gyflwynodd sylwadau grymus am ddyfodol yr iaith ac am gyfrifoldeb pob unigolyn oedd yn ei medru ac a oedd yn ei charu – i gymryd y cyfrifoldeb hwnnw fel un personol a difrifol. Roedd hi i bob pwrpas yn siarad yn uniongyrchol gyda'r ddau neu dri ohonom oedd yn medru ei deall. Wrth iddi siarad, dechreuodd y gynulleidfa aflonyddu. Yn araf i ddechrau, ond wrth i'r araith fynd yn ei blaen roedd y grwgnach distaw yn gynyddol droi'n siarad a'r sŵn yn cynyddu wrth i bawb ymwroli. Doedd y fath beth erioed wedi digwydd o'r blaen o fewn cynteddau'r ysgol – y fath anghwrteisi – y fath sarhad.

Ond roedd Gwyneth yn gwybod yn iawn beth oedd hi'n ei wneud. Wrth i'r sŵn fygwth mynd allan o reolaeth, fe drodd i'r Saesneg, a gyda'i hawdurdod naturiol, fe dawelodd y dyrfa, ac aeth ymlaen i gyflwyno ei phwyntiau yn glir a rhesymegol. Gofynnwyd nifer o gwestiynau ar y diwedd ac fe wnaeth ymdrin â phob un yn gwrtais a chyflwyno drwy'r cyfan wybodaeth a phersbectif oedd yn gwbl newydd i'r mwyafrif helaeth o'r rhai oedd yn bresennol. Pe bai yna bleidlais wedi bod ar y diwedd, wna' i ddim honni y byddai hi wedi ennill, ond yn sicr fe wnaeth y digwyddiad argraff – arna' i yn fwy na neb. Roedd y wers ynglŷn â pheidio ag ymddiheuro am siarad Cymraeg a pheidio â phlygu i'r dorf wedi cael ei chyflwyno mewn modd cwbl gofiadwy.

6

Capel ac Aelwyd

WRTH LWC, I gydbwyso Seisnigrwydd rhonc yr ysgol uwchradd yma y bûm ynddi am bron i wyth mlynedd, roedd yna sefydliadau eraill oedd yn cyflwyno gwerthoedd pur wahanol.

Rhyw grefydda digon rhyfedd sydd wedi bod yn ein teulu ni ar hyd y blynyddoedd. Annibynwyr oedd Taid a Nain pan oedden nhw'n ffermio yn Llanfihangel ond pan symudon nhw i Gemaes, mynd i'r Capel Methodist fydden nhw, gan mai hwnnw oedd capel y pentref. Felly er bod Nain, yn enwedig, yn reit selog yn y capel, doedd enwadaeth ddim yn flaenoriaeth uchel ganddi chwaith.

Gan na fu fy nhad yn byw yng Nghemaes o gwbl, Annibynnwr oedd o o ran ei gerdyn aelodaeth ac mi ymaelododd yng Nghapel Ebeneser, Caerdydd. Roedd Mam ar y llaw arall yn Fedyddwraig selog, gydag ymwybyddiaeth gref o draddodiad ei theulu yn hyn o beth. Roedd hi'n mynychu'r capel yn rheolaidd ac yn credu fod y bedydd trwy ddŵr fel oedolyn, yn bwysig. Pan symudodd hi i Gaerdydd, fe ymaelododd â Chapel y Tabernacl.

Byddai awgrymu fod yna rwyg teuluol yn ddweud llawer rhy gryf, ond mae'n ffaith hefyd na wnaeth yr un o'r ddau newid er mwyn ymuno â chapel y llall. Roedd dyfodiad plant yn mynnu rhyw fath o benderfyniad, a'r hyn a ddigwyddodd oedd iddyn nhw ddechrau mynd â mi i wasanaethau boreol Ebeneser (Annibynwyr) ac wedyn i'r ysgol Sul yn y fan honno, ond pan gyrhaeddodd fy mrawd Alun bum mlynedd yn ddiweddarach, penderfynwyd cadw'r ddysgl yn wastad trwy ei wneud o'n Fedyddiwr. Fel y trodd hi allan, byddai gan Alun ei hun rywbeth i'w ddweud am hynny maes o law.

Roedd Ebeneser yn gapel cryf a chyfoethog, o'i gymharu â chapeli cefn gwlad. Roedd nifer fawr o bwysigion y ddinas a'r fro yn aelodau, gan gynnwys o leiaf un Aelod Seneddol. Roedd y sêt fawr yn cynnwys Elfed – awdur yr emyn 'Cofia'n Gwlad Benllywydd Tirion' – ac un a oedd yn enw adnabyddus iawn trwy Gymru. Ac roedden nhw'n ffodus iawn o gael eu gwasanaethu gan Emlyn Jenkins, un o bregethwyr mwyaf huawdl Cymru. Lleolwyd y capel reit yng nghanol y ddinas, yn lle mae Marks & Spencer heddiw. Fel adeilad, doedd o'n ddim byd i edrych arno fo o'r tu allan – rhyw focs sgwâr oedd ddim yn debyg i gapel Cymraeg arferol. Ond y tu mewn, roedd yn adeilad hardd, golau, gydag oriel ysblennydd ac organ fawr fyddai'n cael ei chwarae gydag arddeliad. Mewn gwirionedd, roedd yn adeilad tri llawr, gan fod y festri o dan y capel ei hun, a hwnnw yn sylweddol ei faint hefyd.

O Landaf, byddai Mam yn mynd â mi ac Alun ar y bws bob pnawn dydd Sul. Cerdded o'r orsaf fysiau drwy'r Royal Arcade ac ym mhen draw honno byddai Mam ac Alun yn troi i'r dde i fynd i'r Tabernacl a minnau'n cerdded yn fy mlaen drwy'r strydoedd cefn i Ebeneser. Byddai ysgol Sul Ebeneser yn gorffen yn gynharach nag un y Tabernacl. Naill ai hynny neu roedd Mam yn dymuno aros ymlaen i sgwrsio ar ôl yr ysgol Sul. Ond o tua'r 8 oed ymlaen, mi fyddwn i'n cael dal y bws fy hunan am adref. Mae'r rhyddid roedden ni'n ei gael i grwydro ar hyd a lled y ddinas fawr yma yn dipyn o ryfeddod o edrych ar y peth trwy lygaid heddiw.

Er bod yna elfen o gynulleidfa Ebeneser, fel mewn nifer o drefi, yn arfer tipyn o Saesneg wrth sgwrsio cyn ac ar ôl y gwasanaeth, roedd yna gnewyllyn o Gymreictod cadarn iawn yno hefyd ac roedd yr ystod o weithgareddau oedd yn digwydd yn enw'r capel a'r ysgol Sul yn barhad naturiol o Gymreictod Bryntaf. Roedd yr ysgol Sul yn un sylweddol gyda nifer o ddosbarthiadau ar gyfer oedolion yn ogystal â rhai ar gyfer y plant. Byddai'r dosbarthiadau ar gyfer yr oedolion yn cael eu gwasgaru ar hyd a lled y capel a'r festri – rhyw chwech neu saith ohonyn nhw dwi'n siŵr – a ninnau'r plant mewn rhyw bedwar neu bump o ddosbarthiadau gwahanol, yn ôl ein hoed, yn y festri.

Roedd teulu Mr a Mrs Gwyn Daniel yn amlwg iawn eu presenoldeb yn y capel a'r ysgol Sul. Gwyn Daniel oedd prif arloesydd addysg Gymraeg Caerdydd ond roedd Mrs Daniel yn ddynes go arbennig hefyd. Roedd hi'n gyfrifol am blant 10-11 oed a phan oedd hi'n amser gwneud rhyw gyflwyniad neu berfformiad, fe fyddai hi'n ein trwytho ni yn y gwaith fel pe baen ni'n mynd i berfformio ar lwyfan y Genedlaethol. Roedd ganddon ni i gyd dipyn o'i hofn hi a dweud y gwir oherwydd fyddai hi ddim yn beth anghyffredin i blant o'r dosbarthiadau eraill glywed gweiddi mawr gan Mrs Daniel o ben pella'r festri wrth i ryw druan gael ei lambastio am fethu cofio'i ran.

Mae'n rhyfeddol fod y capel wedi bod mor llwyddiannus wrth gynnal cynifer o weithgareddau atodol – cyfarfodydd gweddi ganol wythnos, ambell i gyfarfod cystadleuol, *penny readings* ac ati – o ystyried bod yn rhaid i bawb oedd yn mynd yno deithio, a hynny gan amlaf ar drafnidiaeth gyhoeddus. Roedd yna ambell i gar reit sylweddol yn cael ei barcio y tu allan, Jowett Javelin Abel Thomas y codwr canu yn un ohonyn nhw, roedd hwnnw'n un ddaliodd fy llygad, ond roedd angen tipyn o drefn a dealltwriaeth o amserlen y bysus er mwyn i bawb fod yn gapelwr cyson – fel y bûm i trwy gydol fy arddegau.

Un o'r rhesymau am hyn oedd bod yna ddefod ar ôl yr ysgol Sul o'r enw 'Amser Te'. Oherwydd yr anawsterau teithio roedd y capel yn darparu te i lenwi'r bwlch rhwng diwedd yr ysgol Sul am bedwar a dechrau'r gwasanaeth nos am chwech, ar gyfer y rhai oedd yn mynychu'r ddau. Sgwariau o gaws *cheddar* coch gyda brechdan a jam, teisen gri a phaned. Dyna oedd y te ac roedd o'n un blasus iawn hefyd. Ond mi fyddai hwnnw drosodd erbyn tua chwarter i bump a'r atyniad mawr wedyn oedd nad oedd yna unrhyw beth arall wedi'i drefnu. Wrth i ni gyrraedd yr arddegau canol, roedd yna griw bach ohonon ni, yn fechgyn ac yn ferched, yn cael y rhyddid i fynd allan a gwneud fel y mynnen ni – crwydro canol y ddinas i fyny ac i lawr Heol y Frenhines yn bennaf, yn sgwrsio am hyn a'r llall ac yn tyfu i fyny, mewn ffordd ddigon diniwed, wrth wneud hynny. Tua'r un adeg, ac yn rhan o'r un ddefod, fe ddechreuais i fynychu'r gwasanaeth gyda'r nos.

Roedd hwnnw'n drawiadol o wahanol i'r gwasanaeth boreol roeddwn i wedi bod yn ei fynychu bob hyn a hyn gyda'm rhieni. Roedd yna lawer mwy o bobl yn mynychu'r gwasanaeth gyda'r nos. Roedd y capel yn eithaf llawn ac roedd yna ganu arbennig o dda. Roedd yna gôr – er nad oedd yn cael ei ymarfer yn ffurfiol – ond byddai'n eistedd yn y galeri fesul llais ac roedd disgwyl iddyn nhw ganu'i hochor hi. Mi es innau i ddechrau eistedd yn y galeri gyda'r côr, gyda fy nghyfaill Huw (mab Emlyn Jenkins) a oedd yn ganwr da iawn, ac o ganlyniad i hynny, mi ddysgais yn fuan iawn, o gael y llyfr emynau gyda'r tonau mewn hennodiant yn fy llaw, lawer iawn o emynau gorau'r Caniedydd. Dwi'n dal i fwynhau'r canu traddodiadol pedwar llais ar ei orau, er bod yn rhaid i mi gael copi cyn canu harmoni.

Byddai Emlyn Jenkins yn cynnal y gwasanaeth gyda chryn urddas. Roedd ganddo Gymraeg Sir Gâr bendigedig o gyfoethog ac arddull oedd yn hoelio'ch sylw. Wyddwn i ddim ar y pryd cymaint o alw oedd am ei wasanaeth mewn cyfarfodydd pregethu ar hyd a lled y wlad. I ni, ein gweinidog ni oedd o, a thad fy nghyfaill ysgol, ond wrth i mi dyfu drwy'r arddegau deuthum i werthfawrogi ein bod ni'n cael y fraint o glywed un o bregethwyr mawr Cymru yn ein hannerch bob Sul, er efallai ar yr union gyfnod pan oedd oes y pregethwyr mawr yn dod i ben. Doedd dim amheuaeth am ei argyhoeddiad a'i ddidwylledd er, i lawer un dwi'n siŵr, roedd rhai o'i ddaliadau'n cael eu gweld yn eithaf cul a thraddodiadol.

Roedden ni'n lwcus hefyd o gael athrawon da yn yr ysgol Sul drwy'r arddegau. Roedd gan Mr Lewis dipyn o amynedd pan oeddwn i o gwmpas y tair ar ddeg ac yn dechrau dangos fy hun er mwyn ceisio gwneud i weddill y dosbarth chwerthin. Mae'n rhaid bod ganddo ddawn i wneud y sesiynau'n ddiddorol gan i gynifer ohonon ni barhau yn aelodau am gyfnod mor hir.

Emlyn Jenkins ei hun oedd yn cymryd y dosbarth ar gyfer yr oed 16-18. Chwarae teg iddo, roedd yn gwybod mai dyma'r oed pan fyddai llawer o bobl ifanc yn dechrau codi amheuon am bopeth roedden nhw wedi ei ddysgu am grefydd a Christnogaeth. Mi fûm i'n ddigon hy' sawl gwaith yn cwestiynu popeth, o'r gwyrthiau i'r atgyfodiad, a chael ganddo wrandawiad ac ymateb oedd yn trin fy sylwadau a fy amheuon gyda pharch.

Er i mi gael fy medyddio yn 15 oed ar ffurf bedydd di-drochiad Annibynnol, yn hytrach na bedydd Bedyddwyr, ac er i mi gymryd yr holl beth yn ddifrifol iawn, ynghyd â'r llwon oedd angen eu tyngu, ac er mod i'n cofio'n glir iawn y teimlad o Emlyn Jenkins yn rhoi ei ddwylo am fy mhen wrth nodi mod i'n cael fy nerbyn i'r eglwys Gristnogol, ychydig iawn o amser fu rhwng y digwyddiad hwnnw a'r cyfnod o ofyn cwestiynau a chodi amheuon. Mae cymaint o newid yn digwydd rhwng y 15 a'r 18 oed.

Un o atyniadau'r gwasanaeth nos bob mis Medi fyddai dyfodiad y myfyrwyr. Ddechrau'r chwedegau roedd y Sul Cymreig yn dal i fodoli hyd yn oed yng Nghaerdydd. Doedd yna'r un dafarn ar agor. Ar y gorau roedd yna fariau coffi, fel y New Continental a'r Kardomah, oedd yn fannau cyfarfod poblogaidd yn Heol y Frenhines. Ond hefyd roedd yn dal yn arferiad gan Gymry ifanc o'r gogledd a'r gorllewin, fyddai'n dod i Gaerdydd i fynd i'r Brifysgol neu Goleg Cyncoed, i ddod i'r capel bob nos Sul. Roedd yn fan cyfarfod iddyn nhw hefyd ac mi fyddai'r capel yn darparu paned ar ôl y gwasanaeth bob nos Sul er mwyn i bobl gymdeithasu ychydig.

Ond i hogiau'r galeri, yr atyniad mawr oedd sylwi ar y merched – y stiwdants newydd – a dewis y ddelaf fel gwrthrych ein myfyrdodau bachgennaidd. Ar ôl nodi'r ffefrynnau, mi fyddai yna ddisgwyl eiddgar ar gychwyn pob gwasanaeth i weld a fydden nhw'n cyrraedd y noson honno, pwy oedd eu ffrindiau ac felly yn y blaen. Dwi'n cofio un o 'nghyfeillion yn syrthio mewn cariad go iawn â merch dlws iawn o'r gorllewin. Roedd wedi dod i wybod beth oedd ei henw a byddai'n cyfeirio ati yn ôl y ddwy lythyren gyntaf fel rhyw fath o god preifat rhyngom. Doedden ni byth yn siŵr a fyddai pob un o'r myfyrwyr yn ail-ymddangos ar ôl gwyliau'r haf, ac roedd yna ddisgwyl eiddgar i weld a fyddai'r gwenoliaid yn dod yn ôl. Mawr oedd siom fy nghyfaill un mis Medi o weld fod ei eilun yn ei hôl, ond gyda rhyw ddyn mawr golygus yn cadw cwmni iddi.

Aelwyd

Fyddai'r ysgol uwchradd Gymraeg gyntaf yn yr ardal, sef Rhydfelen, ddim yn agor tan 1962 pan oeddwn i erbyn hynny yn nosbarth 3. Fe anfonwyd fy mrawd, oedd bum mlynedd yn iau na mi, i Rydfelen, ond ystyriwyd y byddai newid ysgol yn 14 oed yn anfanteisiol i mi, felly aros yn Cardiff High wnes i.

Yn fy mlwyddyn gyntaf yno, ar wahân i'r capel a'r teulu, roedd holl gyd-destun a chysylltiadau Cymraeg fy mywyd yn cael eu torri'n llwyr. Roedd yr un peth yn wir i holl ddisgyblion Bryntaf wrth iddyn nhw gael eu chwalu i wahanol ysgolion uwchradd ar hyd a lled y ddinas.

Un o gymwynaswyr mwyaf bywyd Cymraeg Caerdydd am flynyddoedd lawer yn y cyfnod hwn oedd Gwilym Roberts, athro Cymraeg ymroddedig mewn gwahanol ysgolion Saesneg yng Nghaerdydd. Ei gymwynas fawr cyn belled ag yr oeddwn i yn y cwestiwn oedd ei waith yn cynnal Aelwyd yr Urdd. Er cymaint y gwaith roedd yn ymroi iddo gyda'r Aelwyd, roedd Gwilym hefyd yn ymwybodol o'r diffyg darpariaeth ar gyfer plant o dan bymtheg oed ac o ganlyniad aeth ati i sefydlu Uwch Adran yr Urdd ar gyfer plant 12-14. Byddai hwn yn cyfarfod gyda'r nos yn Nhŷ'r Cymry – tŷ sylweddol gafwyd yn rhodd gan gymwynaswr fel man cyfarfod cynnar i Gymry Cymraeg y ddinas, rhyw dri chwarter milltir o'r canol. Mae'n rhaid gen i fod pob noson o wythnos Gwilym yn cael ei rhoi i gynnal rhyw weithgarwch Cymraeg gwirfoddol neu'i gilydd. Roedd yn llafur cariad anferthol – gydag eraill yn ei gynorthwyo wrth gwrs, ond fyddai neb yn gwarafun rhoi'r clod mwyaf i Gwilym am gadw'r cyfan ynghyd.

Yn bymtheg oed, roeddech yn cael symud i fynychu'r Aelwyd. Roedd hon yn cael ei chynnal mewn festri danddaearol o dan gapel Undodiaid Saesneg ychydig yn nes at ganol y ddinas. Roedd Aelwyd Caerdydd eisoes wedi dechrau ennill enw iddi'i hun yn sgil y côr, a oedd yn cael ei arwain i ddechrau gan Owain Arwel Hughes ac yn ddiweddarach gan Alun Guy. Roedd y côr yn denu myfyrwyr a phobl yn eu hugeiniau, y rhan fwyaf yn bobl ifanc oedd wedi dod i Gaerdydd i weithio o rannau eraill o Gymru. Roedd nos Wener yn noson dda wrth gwrs – cychwyn y penwythnos ac felly roedd cael mynd i'r Aelwyd ac aros allan tan 10 o'r gloch, pan fyddai'n rhaid dal y bws olaf i Lanrhymni, yn dipyn o gam yn y broses o dyfu i fyny.

Yn bymtheg oed, doedd fy nghyfaill Huw Jenkins a minnau ddim wedi cychwyn mynd i'r côr. Mae'n debyg mai yn gymharol ddiweddar roedd ein lleisiau wedi torri ac felly fydden ni fawr o help i'r côr ar yr adeg honno. O ganlyniad, fe fyddai'n rhaid i ni ddisgwyl y tu allan i'r drws nes i ymarfer y côr ddod i ben, cyn i weithgareddau'r Aelwyd ei hun gychwyn am 8 o'r gloch. Y tu allan i'r drws hwnnw y digwyddodd un o'r pethau mwyaf trawiadol yn fy mherthynas i gyda'r iaith Gymraeg.

Yn unol â'r patrwm roedden ni wedi'i sefydlu ar y diwrnod cyntaf hwnnw ar yr iard yn Cardiff High, roedd Huw a minnau y noson arbennig yma, a phwy bynnag arall o'n cydnabod oedd hefo ni, wrthi'n siarad Saesneg hefo'n gilydd, yn ôl ein harfer. Dyma fachgen ychydig yn hŷn na ni yn troi i fyny ac ymuno yn y grŵp oedd yn disgwyl mynediad. Doedden ni ddim yn ei 'nabod o a doedd o ddim yn ein hadnabod ni a dyma fo'n ymuno'n raddol yn y sgwrs. Wrth iddi fynd yn ei blaen, mae'n rhaid bod 'na rywbeth wedi'i ddweud oedd yn amlygu'r ffaith ein bod ni i gyd yn medru siarad Cymraeg er mai yn Saesneg roedden ni'n trafod. A dyma'r newydd-ddyfodiad yn holi, yn hollol gwrtais ond gyda chryn syndod, yn ei acen Sir Gâr, 'Wel pam y'ch chi'n siarad Saesneg te bois?' Er ei bod hi'n dywyll, dwi'n siŵr i ni i gyd gochi'n sylweddol. O'r funud honno ymlaen wnes i erioed siarad Saesneg eto gyda Huw Jenkins na'r un o'r criw.

Yr unig beth sydd o'i le ar y stori hon ydi nad ydi'r Huw arall yn cofio dim am y digwyddiad. Ei ganfyddiad o ydi ein bod ni wastad wedi siarad Cymraeg hefo'n gilydd. Peth cymhleth ydi'r cof!

Dros y tair neu bedair blynedd nesaf, hyd at amser mynd i'r coleg, daeth yr Aelwyd i fod yn rhan allweddol o fywyd. Patrwm y noson am yr awr gyntaf oedd y byddai Gwilym yn chwysu gwaed i drio cael pawb i gymryd rhan mewn dawnsio gwerin. Roedd hon yn ymdrech galed iawn. Byddai pawb yn hel mewn grwpiau bach o gwmpas y neuadd yn siarad hefo'i gilydd tra byddai Gwilym yn erfyn ar un neu ddau i ddod ymlaen i gychwyn pethau a dangos sut oedd gwneud. Wrth gwrs i blant 'soffistigedig' y brifddinas, doedd dawnsio gwerin ddim yn *cool* iawn ac araf iawn fyddai pobl i ymuno hyd nes, fel arfer, i Gwilym gyhoeddi'r ddawns olaf pan y byddem yn ymuno yn anfoddog er mwyn cael symud ymlaen i ran nesa'r noson, sef y dawnsio cyfoes. Recordiau Saesneg fyddai rheini i gyd wrth gwrs ac roedd yna duedd i bobl ddod â'u hoff recordiau hefo nhw er mwyn iddyn nhw gael eu chwarae. Roedd Geraint Jarman yn un o'r criw ac yn dipyn o *aficionado* yn y materion hyn. Dwi'n cofio fo a finnau yn cydaddoli record newydd yr Everly Brothers, *The Price of Love* – record wirioneddol rymus, rywiol hyd yn oed, pan oedd y goleuadau i lawr a'r sain wedi'i droi i fyny i'r entrychion, fel y bydden ni'n gwneud yn siŵr ei fod o.

Un o broblemau'r Aelwyd oedd ei bod hi ychydig yn rhy llwyddiannus. Fe fydden ni'r Cymry yn sôn amdani yn ein hysgolion Saesneg amrywiol ac yn dechrau dod â nifer o'n ffrindiau di-Gymraeg i'n canlyn. Dwi'n siŵr fod gan Gwilym a'i gyd-arweinyddion deimladau cymysg ynglŷn â hynny gan ein bod ni wrth wneud hynny yn newid iaith lafar y lle unwaith yn rhagor, ond rwy'n tybio fod mwy o ddaioni nag o ddrwg wedi dod o'r arferiad hwnnw. Yn un peth, dyna sut y daeth Heather Jones i fod yn rhan ganolog o'r bywyd Cymraeg ac yn ddiweddarach, aeth o leiaf un o 'nghyfoedion ysgol innau ymlaen i ddysgu'r iaith yn rhugl a chyfrannu'n sylweddol i fywyd Cymraeg Caerdydd.

O fewn rhyw flwyddyn, roedd Huw Jenkins a minnau wedi ymuno â Chôr yr Aelwyd. Roedd hi'n amlwg mai tenor oedd Huw ac fe slotiodd i mewn yn gyfforddus i'w le priodol yn y côr. Doeddwn i ddim yn siŵr beth oedd fy nghyraeddiadau fel canwr ac mi es yn fas cyntaf gan dybio mai fanno oedd y lle saffaf i fod – dim gofyn mynd yn rhy isel nac yn rhy uchel. Mi roedd yn brofiad gwych bod yn aelod o Gôr Aelwyd Caerdydd yn ystod y cyfnod hwnnw pan oedd wrthi'n ennill enw gwirioneddol ddisglair – enillydd cyson yn Eisteddfodau'r Urdd a'r Genedlaethol, darllediadau ar Radio 3, cyngherddau niferus yng Nghymru a Lloegr, ac yn fwy na dim, y gwaith cerddorol diddorol yr oedd angen i ni ei feistroli, gydag Alun Guy yn ein gwthio'n galetach drwy'r amser i ymgymryd â heriau mwy a mwy uchelgeisiol. Roedd yna rai lleisiau arbennig iawn yn y côr hwnnw, nifer ohonyn nhw hefyd yn aelodau o Gôr Polyphonic Caerdydd, ond roedd hefyd wrth gwrs yn uned gymdeithasol yn cyflawni'r un swyddogaeth ag y mae corau hyd yn oed mwy enwog Caerdydd yn ei gyflawni yn y cyfnod hwn.

Er gwaetha'r agwedd anfoddog tuag at ddawnsio gwerin, mi roedden ni'n dal yn ddigon bodlon ymuno ar daith fws pan fyddai ambell i Aelwyd arall yn Sir Forgannwg yn cynnal dawns werin agored. Roedd Aelwyd Cwmafan yn un o'r rheini ac roedd yna gryn edrych ymlaen at y daith honno yn enwedig gan fod yna dipyn o sôn ymysg y bechgyn hŷn am ddau beth ynglŷn â Chwmafan – y merched a'r dafarn. Roedd Urdd Gobaith Cymru yn mynd â ni i gyfeiriadau amrywiol iawn.

Un o'r rheini wrth gwrs oedd y gwersyll. Er i mi fod yn

Llangrannog ddwy waith pan oeddwn yn iau, Glan Llyn oedd y lle a ddaeth yn rhyw fath o nefoedd i mi am gyfnod. Roeddwn i'n eithaf hwyr yn mynd yno am y tro cyntaf. Roedd nifer o 'nghyfeillion o'r Aelwyd wedi dechrau mynd yno yn 15 oed ac yn dod nôl gyda hanesion am yr hwyl rhyfeddol o bob math oedd i'w gael yno. Eto i gyd, ches i mo 'nhemtio tan oeddwn i tua 17 ond o'r funud gyntaf, fe ges i 'nghyfareddu gan y profiad o gyfarfod pobol o'r un oed â mi o bob rhan o Gymru a phawb yn siarad Cymraeg hefo'i gilydd yn eu hacenion gwahanol. Ar y cyfan, roedd hi'n rhyfeddol sut roedd pawb yn ymdoddi, er ar brydiau fod yna ambell i glic yn ymffurfio ac ambell i dyndra de-gogledd, neu gwlad a dinas – diwylliannol yn fwy na ieithyddol. Ond roedd 'na hwyl a phrofiadau eang ac arbennig i'w cael. Dringo'r Wyddfa am y tro cyntaf; dysgu trin canŵ a chwch hwylio; taith ganŵ i lawr yr Afon Ddyfi. Cymryd rhan mewn sgetsh a chân a siarad, siarad di-ben-draw. Un o'r manteision mawr ges i o fod yn aelod o'r Aelwyd ac o fynychu'r Gwersyll oedd y cyfleoedd rhwydd oedd yn dod i fentro i berfformio – yn fy achos i, i ganu, ond mi ddo' i at y bennod honno yn y man.

Ar ôl yr ymweliad cyntaf, mi roedd yn rhaid i mi gael mynd yn ôl nid yn unig yr haf canlynol, ond hefyd i Bantyfedwen, gwesty'r Urdd yn y Borth, dros y flwyddyn newydd, a chyn bo hir roeddwn innau yn un o'r swogs yn treulio pythefnos yno ar y tro.

Un noson, mae'n siŵr mai haf 1967 oedd hi, gydag arholiadau ysgol ymhell yn y gorffennol, y coleg heb ddechrau, diwrnod llawn o weithgareddau a noson o ddiddanwch wedi cael eu dilyn gan ffraethineb y cwmni hwyliog o gymoedd y De yr oeddwn i'n rhannu dorm yng Nglan Llyn Isa hefo nhw – mi orweddais yn fy ngwely, ar ôl i'r siarad ddod i ben, gan ail-fyw digwyddiadau'r dydd. A dwi'n cofio meddwl wrthyf fy hun, yn dawel ond mewn geiriau clir iawn, 'Heno, mi fedra' i ddweud fy mod i'n berffaith hapus'.

7

Ieithoedd a theithio

GYDA DAD A Mam ill dau yn athrawon ieithoedd tramor, heb sôn am y ffaith ein bod oll yn ddwyieithog i gychwyn, roedd y syniad o amrywiaeth ieithyddol yn gefndir cwbl naturiol i'n bywydau ni wrth dyfu i fyny. Chawson ni ddim teledu yn y tŷ nes mod i tua 12 oed; roedd yna silffoedd llyfrau ym mhobman gan gynnwys rhes amlwg o eiriaduron Cymraeg, Saesneg, Ffrangeg, Almaeneg, Eidaleg a Lladin. Cyfres a dyfodd dros y blynyddoedd, wrth i 'nhad daflu'i olygon ar Rwsieg, Sbaeneg a Groeg. Roedd yna *encyclopaedia* neu ddwy a'r pentyrrau o lyfrau – rhai Cymraeg, Saesneg ac Almaeneg yn enwedig – yn cynyddu o flwyddyn i flwyddyn.

Roedd athrawon Almaeneg ysgolion uwchradd Caerdydd yn arfer cyfarfod yn fisol i drafod ac ymarfer dan enw'r hyn roedden nhw'n ei alw yn *The German Circle*, gan deithio o dŷ i dŷ at y pwrpas. Bob hyn a hyn felly byddai'r enwogion yma yn dod i'n tŷ ni i bellafoedd Llanrhymni a ninnau'n cael ein gyrru o'r parlwr i ganiatáu iddyn nhw fynd drwy'u pethau. Bob blwyddyn bron, fe fyddai'r ysgol lle'r oedd fy nhad yn dysgu yn derbyn *assistent* o'r Almaen a fyddai dan adain Dad ac yntau'n mwynhau'r ddyletswydd o fynd â'r person hwnnw o gwmpas De Cymru i ddangos y rhyfeddodau iddyn nhw. Yn aml, byddent yn treulio noson neu ddwy yn ein tŷ ni tra roedd lletŷ yn cael ei drefnu mewn man mwy cyfleus. Ddwywaith tra roeddwn i'n fach, diflannodd fy nhad am dymor i'r Almaen. Pan oedd tua 50 oed aeth ati i ddysgu Eidaleg, gan dreulio'r haf yn Rhufain ac wedyn cyflwyno'r pwnc i'w ddysgu ganddo yn yr ysgol.

Pan oeddwn tua 8 oed, fe gyflwynodd Dad i mi gopi o'i lyfr dosbarth Almaeneg gyda'r holl eirfa ar gyfer y pum gwers gyntaf wedi'u cyfieithu i'r Gymraeg. Efallai fod Dad yn meddwl mod i'n fwy uniaith nag yr oeddwn i ond roedd yr awgrym yn glir – gorau po gyntaf yr awn ati i ddechrau dysgu'r iaith dramor 'ma.

Y peth gwaethaf am fod yn blentyn i athrawon oedd ei bod hi'n ymddangos bod ganddynt waith bron bob nos o farcio pentwr o werslyfrau ar gyfer y diwrnod canlynol. Mewn tŷ eithaf bach, roedd hwnna'n golygu cadw'r sŵn i lawr, peidio gwthio'n ceir bach ar hyd y lle ac, yn ddiweddarach, cyfyngu'n sylweddol ar fy hawl i ddefnyddio'r chwaraewr recordiau.

Ar y llaw arall, y peth gorau am gael athrawon yn rhieni oedd y gwyliau. Saith wythnos o wyliau yn yr haf a dwy neu dair bob Pasg a Nadolig ynghyd ag ambell i hanner tymor. Ond yr haf oedd yr un pwysig gan mai dyma'r adeg y bydden ni'n teithio!

Fe fu Dad a Mam ar ddwy neu dair taith dramor pan oeddwn i yn yr ysgol gynradd, gan fy ngadael i a 'mrawd yng ngofal y neiniau a'r teidiau. Ond pan oeddwn i'n 9 oed dyma fy nhad yn cael cyfrifoldeb am arwain taith o fechgyn Ysgol Howardian i'r Swistir a Mam a finnau yn cael mynd hefo nhw. Roedden ni i aros am wythnos mewn gwesty yn ymyl Interlaken ac wedyn wythnos mewn hostel ieuenctid yn Kandersteg – y ddau leoliad mewn ardaloedd dramatig o hardd gyda theithiau cerdded dyddiol i lefydd gogoneddus.

Y peth mwyaf i mi oedd cael yr hawl, ar ôl rhannu stafell gyda Mam a 'Nhad yn Interlaken, i fod yn ystafell wely'r bechgyn eraill yn yr hostel yn Kandersteg. Peth rhyfedd braidd ydi bod yn blentyn i'r athro a threulio amser yng nghwmni'r rhai mae o'n gyfrifol amdanyn nhw. Ar y cyfan, doedden nhw ddim yn amharchus ohono ar wahân i un adeg pan y bu'n rhaid iddo weinyddu rhyw fath o ddisgyblaeth ar un o'r hogiau a greodd rywfaint o rwgnach. Roedd ganddyn nhw lysenw arno fo wrth gwrs, sef 'Oscar'. Dim rheswm arbennig, dim ond bod 'Oscar' yn swnio fel enw Almaenig. Ond o ganlyniad, cafodd fy mam ei bedyddio'n 'Frau Oscar' am weddill y daith a minnau'n gorfod byw gyda 'Little Oscar'.

Roedd yna *juke box* yn y gwesty a hwnnw'n llawn o recordiau Almaenig 'wm-pa-pa' nodweddiadol. Doedd yna'r un record Saesneg ar y *juke box* a dim ond dwy roedd ein criw ni'n eu hystyried yn werth gwario pres prin arnynt. Y ddwy yna oedd rhywbeth o'r enw *Yakety sax* a'r llall oedd y clasur *Green Onions* gan Booker T and the MG's. Mae clywed honno, sy'n dal i gael ei chwarae y dyddiau yma, yn mynd â fi reit yn ôl.

Yn y gwesty hefyd, roedd yna griw o ferched ysgol o'r Alban. Fe fu yna sawl cyngres Geltaidd answyddogol yn ystod yr wythnos a dwi'n tybio fod fy nhad yn eithaf balch pan adawodd y merched ychydig ddyddiau o'n blaenau ni.

Canlyniad y daith oedd mod i yn yr oed ifanc hwnnw wedi mynd i ben yr Jungfraujoch a'r Reichenbach Falls (lle syrthiodd Sherlock Holmes), wedi ymweld â phentrefi hudolus Mürren a Grindelwald ac wedi clustfeinio ar sgyrsiau hogiau mawr oedd ar fin mynd i wneud eu *national service*. Ar ben hynny roeddwn i wedi llwyddo i gwympo, torri twll yn fy moch ar beipen sgrap a chael pedwar o bwythau gan feddyg lleol a'i gwnaeth hi'n glir nad oedd anaesthetig yn werth y drafferth a bod y Swisdir yn disgwyl i fechgyn bach dyfu i fyny yn gyflym.

Byddai hynny ynddo'i hun wedi sicrhau y byddai hon yn daith i'w chofio, ond roedd y cyfan yn addysg ac yn tanio'r dychymyg. Roedd y daith ei hun, yno ac yn ôl, yn antur. Doedd neb yn ystyried hedfan y dyddiau hynny. Rhywbeth i'r cyfoethogion oedd hynny. Ar y trên yr aethon ni a hynny dros nos heb gysur *sleeper*. Ond rhamant y peth! Yr injeni mawr, y mwg, y chwiban yn y nos. Croesi Llundain, cinio sydyn wedi'i drefnu mewn *cafeteria*, ac yna'r *boat train* i Dover. Y cwch drosodd ac yna'r trên mawr Ffrengig oedd yn mynd â ni lawr at y Rhein. Newid trên yn Basel ganol nos a gorfod mynd yn rhes grocodeil drwy'r ffin rhwng Ffrainc a'r Swistir oedd,

y pryd hynny, yn ffin weithredol iawn, ar ganol y platfform.
A'r un peth ar y ffordd yn ôl. Mi fydda' i'n meddwl yn aml
gydag edmygedd am fanylder y trefniadau y bu'n rhaid i 'nhad
fod yn gyfrifol amdanynt ac am y cyfrifoldeb o gadw trefn ar
gang o fechgyn yn eu harddegau yn awchu am antur a thorri
rheolau.

Er i mi'r haf canlynol fynd am bythefnos hefo fy Nain a Taid
Llanfyllin i Blackpool, eto ar y trên, ac i mi nodi mewn llythyr
bod hwnnw llawn cystal â'r Swistir (!), does dim dwywaith mai
dramor sy'n dod i fy meddwl i bob tro mae 'na sôn am deithio
ac am wyliau.

Mi ges i un daith ysgol arall hefo 'nhad, y tro hwnnw pan
oeddwn yn 14 oed, ac yntau'n athro yn Ysgol Croesyceiliog – a
oedd fel mae'n digwydd, yn ysgol gymysg. Y tro hwn mewn
bws ar draws Gwlad Belg drwy'r Almaen i Awstria.

Cyn cychwyn ar y daith, roeddwn wedi cael ffrae fawr efo
'nhad gan mod i, fel bron pawb arall yn fy nosbarth, wedi
cymryd at wisgo trowsus eithaf tyn, fel oedd y ffasiwn – nid
drainpipes yn hollol, ond ddim ymhell o hynny chwaith. Mi
fynnodd Dad mod i'n prynu rhyw drowsus mawr llac, lliw
lovat grey (mae wedi ei serio ar fy meddwl) gyda *turnups*, oedd
yn fflapio o gwmpas fy nghoesau tenau fel dwy hwyl oedd yn
barod i groesi'r Iwerydd. A minnau am y tro cyntaf yn mynd i
dreulio amser estynedig yng nghwmni merched! Roedd syniad
fy nhad o be oedd yn briodol i fab athro ei wisgo yn gwbwl
groes i'r ddelwedd oedd gen i o sut oedd bachgen 14 oed, oedd
eisiau gwneud argraff, i fod i edrych. Fy nhad enillodd y dydd
ac er mawr ryfeddod i mi, soniodd neb am y trowsus trwy
gydol y daith – i 'ngwyneb o leia.

Yr un mor ddylanwadol, o ran creu darlun yn fy meddwl
o be oedd yn ffordd naturiol o fyw, oedd y gwyliau teuluol y
buon ni arnyn nhw yn ystod fy arddegau. Tair taith hir mewn
car yn arbennig, yn para tua mis bob un – y gyntaf yn daith
gylch o gwmpas Ffrainc, un arall drwy'r Almaen a'r Eidal, a'r
olaf i Iwgoslafia. Roedd pob un yn golygu'r daith drafferthus,

cyn bodolaeth yr M4, ar draws Lloegr a thrwy gyrion Llundain i lawr i Dover, Margate neu Folkestone, y cwch neu'r *hovercraft* drosodd ac wedyn y daith ymlaen i ble bynnag oedd dan sylw.

Campio fydden ni. Dyna'r ffordd o wneud i'r bunt fynd ymhellach. Dad ac Alun a minnau â'r gwaith o osod y polion, trio cael trefn ar y canfas, a morthwylio'r pegiau, gan obeithio na fyddai'r ddaear oddi tanom yn rhy greigiog. Plygu pegiau fyddai'r pris o fod yn or-frwdfrydig mewn lle felly. Mam wedyn â'r ddyletswydd o danio'r *primus stove* bychan, un bach go iawn oedd o hefyd, un *burner* oedd yn cymryd oes i gynhesu tun o gawl. Mi fyddai ganddon ni stoc o fwyd yn y car a ffefryn fy nhad oedd tun *paté* o ryw fath, a hwnnw'n cael ei gynnig bob cinio ac ambell i swper yn ddi-ffael. Roedden ni hefyd yn dal yn nyddiau *Spam*, y cig hwnnw wedi'i brosesu oedd wedi cael ei gyflwyno yn ystod y Rhyfel. Fedra' i ddim dweud felly bod ein teithiau tramor wedi 'nghyflwyno i *cuisine* Ffrainc na'r Almaen ond fe ddangosodd be oedd yn bosib ei gyflawni gyda chyllideb fechan a llawer o ymchwil ymlaen llaw.

Bob hyn a hyn, byddem yn aros am noson mewn gwesty yn rhywle ar y daith, yn rhannol gan fod hynny'n rhoi cyfle i ni gael bath ond roedd angen bod yn wyliadwrus gyda'r pwrs teuluol, a mwy nag unwaith fe fu yna rincian dannedd ar ôl i ni gael ein gwneud – yn Rijeka yn Iwgoslafia yn arbennig, lle cawson ni'n gorfodi i dalu crocbris am lety sâl a budr, gan ein bod wedi gadael pethau'n hwyr iawn y noson honno.

Roedd Iwgoslafia yn reit gyntefig y dyddiau hynny yn tua 1963. Roedd y ffyrdd yn wael, ond fy nhad yn mynnu bwrw 'mlaen ar hyd y trywydd roedd o wedi'i gynllunio. Roedden ni'n croesi rhyw fryniau go uchel ar un rhan o'r daith a phenderfynu stopio i gael picnic ar ochr y lôn mewn lle oedd yn ymddangos yn gwbl ddiarffordd, heb unrhyw dŷ i'w weld yn unman. Ar ganol ein pryd, dyma ddwy ddynes a dau neu dri o blant yn ymddangos a syllu arnon ni'n hir cyn dod i fyny aton ni a chynnig i ni becyn bychan o rywbeth. Er gwaethaf aml-ieithedd fy nhad, doedd y fersiwn briodol o Serbo-Croat ddim ganddo fo, a chyfathrebu trwy amneidio fu ein hanes. Deall o'r diwedd eu bod nhw'n cynnig y pecyn yma i ni ac mai rhyw fath o gaws dafad oedd o. Ninnau'n cynnig talu amdano, a hwythau'n gwrthod. A dyna fu – lletygarwch cyntefig mewn cyfnod lle mae'n amlwg fod twristiaid yn y rhan honno o'r wlad yn beth anghyffredin iawn.

Yn ystod y daith i'r Almaen, fe stopion ni mewn pentref yn Bafaria ac aeth fy nhad i gnocio ar ddrws rhyw dŷ. Rhywun yn dod allan ac yn pwyntio i fyny'r lôn. Ninnau'n mynd yn ein blaenau a Dad yn disgyn ac yn cnocio eto. Y tro hwn, diflannodd i mewn i'r tŷ, gan adael fy mam, Alun a minnau yn y car. Ryw hanner awr yn ddiweddarach, dyma fo'n ymddangos, yng nghwmni gwraig mewn dipyn o oed. Dyma hithau'n ein cyfarch gyda chryn emosiwn, ysgwyd llaw mawr, a thipyn o ddagrau. Ein gwahodd i'r tŷ ond ninnau'n gwrthod; roedd angen symud ymlaen; felly codi llaw ac yn ein blaenau. A dyma wedyn gael y stori gan fy nhad. Mam Hellmut oedd y ddynes, y bachgen oedd wedi bod yn cyfnewid gyda 'Nhad yn 1938. Bachgen sensitif, cerddor talentog a oedd, mae'n ymddangos, wedi lladd ei hun yn fuan ar ôl cychwyn y Rhyfel. Roedd ei dad yntau wedi torri'i galon o'r herwydd ac wedi marw'n gynnar heb fedru dygymod â'r golled. Roedd hithau'r fam wedi byw ar ei phen ei hun byth oddi ar hynny. Roedd y ffenest fer yna i ran allweddol o fywyd fy nhad yn un drawiadol tu hwnt.

Yn 15 oed, mi ges innau fynd ar wyliau cyfnewid gyda bachgen o Nantes yn Ffrainc. Roedd Caerdydd a Nantes wedi'u gefeillio ac mi fyddai yna gyfnewid yn digwydd bob haf. Y patrwm oedd bod y criw o Ffrainc yn dod i Gaerdydd gyntaf ac yn treulio mis gyda ni. Roedd hynny'n golygu eu bod nhw'n cyrraedd cyn i dymor yr ysgol orffen ac felly roedden nhw'n ymuno gyda ni yn yr ysgol am ychydig gan groesi'n ôl i Ffrainc gyda'n gilydd i dreulio'r mis nesaf gyda'r teulu Ffrengig. Roedd pawb yn mynd lawr i orsaf Caerdydd i

gyfarfod â'r Ffrancod oddi ar y trên – rhyw 40 ohonyn nhw,
yn fechgyn ac yn ferched. Y ddau griw yn sbio ar ei gilydd
trwy gydol yr ugain munud wrth ddyrannu pob un i'w deulu
priodol gan drio dyfalu, wrth i'r rhestr leihau, pa un ohonyn
nhw oeddwn i'n mynd i'w gael.

Patrick oedd ei enw fo. Cochyn gyda gwallt fath â brwsh,
ychydig yn iau na fi. Fo'n bedair ar ddeg a minnau newydd gael
fy mhymtheg. Roedd hi'n ddealledig wrth gwrs mai yn Saesneg
yr oedden ni i fod i siarad hefo fo, er dwi'n meddwl ei fod o'n
reit falch bob hyn a hyn o fedru cyfnewid ambell i frawddeg yn
Ffrangeg efo Mam.

Aeth pethau'n ddigon hwylus, am wn i, yn ystod ei fis yng
Nghaerdydd. Wedi i'r ysgol gau, roedd yna dipyn o drefnu
cyfarfodydd gyda'r tri neu bedwar hogyn arall o'r grŵp oedd
wedi cyfnewid gyda fy ffrindiau i ac roedd 'na ambell i daith
yn cael ei threfnu ar gyfer y grŵp cyfan. Aeth Dad a ni'n dau i
Lundain un tro ac fe'n gollyngwyd yn rhydd i grwydro'r tiwb
ein hunain.

Daeth yr amser ymhen hir a hwyr i ni i gyd droi am Ffrainc.
Y tro hwn, y daith hir o Plymouth i St Malo oedd hi i fod a
hanner ffordd ar draws y Sianel, dyma Patrick yn troi ataf fel
pe tai ei gloc larwm newydd ganu a chyhoeddi, 'o hyn allan,
'dan ni'n mynd i siarad Ffrangeg'.

Daeth sydynrwydd y cyhoeddiad yn dipyn o sioc. Wrth
gwrs, roeddwn yn sylweddoli mai mynd i Ffrainc i ymarfer
fy Ffrangeg oedd y syniad ond roeddem wedi arfer bellach
dros gyfnod o fis gyda pherthynas trwy gyfrwng y Saesneg.
Ond fo oedd yn iawn, wrth gwrs, a bu'n rhaid i mi newid gêr
ieithyddol yn reit sydyn. Yn naturiol, doeddwn i ddim yn rhugl
a dros y mis nesaf, fe fu yna gryn wichian a chrafu wrth i
olwynion y gêrs geisio dygymod â'r pwysau trwm o addasu i'r
drefn newydd. Yr hyn wnaeth fy nhaflu'n llwyr oedd y ffaith
i Patrick a minnau, ond neb arall o'r criw, gael ein cludo yn
syth ar ôl cyrraedd Nantes yng nghar ei dad i wersyll gwyliau
ar gyfer plant a phobl ifanc, yr hyn y mae'r Ffrancod yn ei alw

yn *Colonie de vacances* ar lan y môr mewn pentref o'r enw St Brevin les Pins.

Mae'r *Colonie de vacances* yn sefydliad Ffrengig iawn ac mae 'na gannoedd os nad miloedd ohonyn nhw ar hyd a lled Ffrainc. Gwersylloedd gwyliau nid annhebyg i Langrannog ydyn nhw, gyda'r gwahaniaeth bod y plant yn aros ynddyn nhw am dair wythnos neu fis ar eu hyd. Roedd y gwersyll arbennig yma ar gyfer plant rhwng 5 a 14 oed, felly mi roeddwn i eisoes ychydig yn hŷn na'r hyn oedd i fod. Roedd Patrick a'i frawd a'i chwaer wedi bod yn dod i'r *colonie* arbennig yma bob haf ers blynyddoedd, ac roedd eu mam yn gweithio yno fel nyrs. Roedden nhw felly yn adnabod pawb ac mi ddiflannodd Patrick i weld ei ffrindiau yn syth ar ôl dangos i mi'r babell fawr frown lle'r oedd grŵp mawr ohonom ni i fod i gysgu.

Gan nad oedd neb wedi dweud wrtha' i be oedd i fod i ddigwydd nesaf a bod pawb wedi diflannu i rywle, mi benderfynais fynd am dro, allan drwy'r giât, i lawr y lôn ac o gwmpas y tai haf cyfagos. Ar ôl cerdded o gwmpas am dipyn, dyma ymlwybro'n ôl heibio ffens y gwersyll a dod o hyd i Patrick. Mi soniais nad oeddwn wedi sylwi ar unrhyw beth o ddiddordeb y tu allan i'r gwersyll a dyma fo'n edrych arna' i'n syn. Mi ges i ar ddeall mod i newydd dorri un o reolau sylfaenol y gwersyll, sef nad oedd neb i fynd allan oni bai fod hynny'n rhan o weithgareddau'r tîm. Roeddwn i'n garcharor mewn gwlad ddiarth, yn bell i ffwrdd o fy holl ffrindiau, ac yn sylweddoli mai'r hyn oedd Patrick isio'i wneud oedd treulio'i amser hefo'i griw o ffrindiau yntau.

Roedd y ddau ddiwrnod cynta'n uffernol. Mi fyddai llawer un yn dweud fy mod i'n greadur reit swil, ac yn sicr fel 'na roeddwn i'n teimlo yn y gwersyll yma. Roedden ni wedi cyrraedd yno ymhell ar ôl i'r gwersyll gychwyn ac ar ôl i bawb ddod i adnabod ei gilydd; roeddwn i'n ddiarth a ddim yn arbennig o ddiddorol, a dim awydd cychwyn sgwrs hefo neb. Y teimlad mawr ges i o'r cychwyn oedd mai gwersyll plant oedd hwn a'i bod hi'n annheg iawn mod i, oedd yn 15 oed, yn gorfod cydymffurfio efo cyfres hir o reolau o bob math oedd wedi'u hanelu at bobl oedd yn llawer iau na fi.

Mi sgwennais gerdyn digon diflas adref ar ddiwedd yr ail ddiwrnod a bron iawn nad oedd gen i galendr wrth ymyl fy ngwely yn barod, fel carcharor, i groesi'r dyddiau i ffwrdd fesul un.

Fodd bynnag, gwellodd pethau. Y drefn yn y gwersyll oedd bod grŵp o fechgyn, dan arweiniad swyddog tua 20 oed, yn gwneud pob math o weithgareddau gyda'i gilydd, ac yn aml iawn yn gwneud hynny yng nghwmni grŵp o ferched o'r un oed. O bryd i'w gilydd, byddai'r ddau grŵp yna yn ymuno gyda grwpiau eraill. Os byddai hi'n braf, fe fyddai yna daith gerdded i lan y môr i chwarae gemau yn y twyni tywod ac i ymdrochi. Roedd pob pryd bwyd yn sefyllfa lle roeddwn i'n cael fy ngorfodi i wrando a cheisio ymuno yn y sgwrs ac yn wir yn fuan iawn, roeddwn yn dechrau ymdoddi yn un o'r criw, heb fod yn ddibynnol ar Patrick. Ac wrth gwrs, mwya'n y byd roeddwn i'n dod yn un o'r criw, hawsa'n y byd oedd hi i Patrick fy ngholeddu.

Rhyw wythnos i ddeg diwrnod y buom ni yno i gyd ond dyna'r peth gorau allai fod wedi digwydd i mi o ran gwella fy Ffrangeg. Mi ddois i fedru dilyn y llefaru byrlymus ac i ymuno ynddo, yn fy ffordd fy hun, cyn y diwedd.

Wedi'r cyfnod yn y gwersyll, fe dreulion ni ychydig ddyddiau yn Nantes ei hun yn y cartref teuluol. Athro oedd tad Patrick hefyd. Mi ddwedodd wrtha' i, ar ôl i ni ddod i adnabod ein gilydd, mai camgymeriad ar fy rhan oedd cyfeirio fy llythyr gwreiddiol ychydig wythnosau ynghynt i 'Nantes, Llydaw'. Roedd am i mi ddeall nad oedd Nantes yn Llydaw. Es i ddim i ddadlau, er i mi fynegi rhywfaint o syndod, wrth fynd am dro teuluol un pnawn Sul, fod castell anferth y Ducs de Bretagne i'w weld yn cael lle amlwg iawn yng nghanol y ddinas.

Roeddwn i wrth gwrs wedi glanio yng nghanol y gwyliau haf Ffrengig traddodiadol, sy'n mynd o un ddefod i'r llall, yn ôl arfer pob teulu. Rhan nesa'r ddefod i ni oedd taith rhyw awr a hanner i ganol y wlad at nain a taid Patrick, hen gwpwl hyfryd a wnaeth i mi deimlo'n gartrefol iawn. Yno y buon ni'n reidio'n beiciau ar hyd lonydd tawel, gweld seidr yn cael ei wneud, dysgu chwarae'r gêm gardiau Ffrengig *belotte* a dod i adnabod cantorion pop Ffrengig y cyfnod ar y teledu.

Ar ddiwedd yr wythnos honno, ymlaen i dref lan môr arall a thad Patrick yn crwydro o un asiantaeth i'r llall nes dod o hyd i dŷ haf oedd ar gael i'w logi am weddill y gwyliau. Rhyw wythnos o wyliau glan môr Ffrengig iawn a dyna'r cyfnod drosodd a minnau'n cael fy hebrwng yn ôl i Nantes a'r bws am adre.

Does dim dwywaith gen i fod y mis hwnnw wedi bod yn aruthrol o werthfawr o ran fy ngorfodi a 'ngalluogi i siarad Ffrangeg. Er y byddai gen i lawer iawn o waith wedyn i gyfoethogi fy ngeirfa a dod yn rhugl, o'r pryd hwnnw ymlaen roeddwn i wastad yn ystyried mod i'n gallu siarad Ffrangeg. Y cyfuniad yna – o gychwyn yn ifanc, ac o dreulio cyfnod dwys gyda siaradwyr rhugl, yn ddi-os yw'r ffordd orau o ddysgu iaith arall.

Pan oeddwn tua'r 14-15 oed mae gen i gof fod gen i ryw fath o lygad ar fod yn aelod o'r gwasanaeth diplomataidd Prydeinig. Roeddwn yn darllen cyfres o lyfrau oedd yn rhoi cyngor ar yrfa i bobl ifanc ac roedd hi'n ymddangos mai dyma'r dewis amlwg ar gyfer rhywun oedd yn debyg o arbenigo mewn ieithoedd tramor. Roeddwn yn bendant iawn nad oeddwn eisiau bod yn athro. Roeddwn wedi gweld gormod o ochr negyddol y swydd honno gartref. Darllenais ddigon i ddeall y gallech fynd i mewn i'r gwasanaeth diplomataidd ar wahanol lefel, gan ddibynnu ar eich cymwysterau academaidd, ac y gallech adeiladu gyrfa allai gael ei choroni trwy fod yn Llysgennad ei Mawrhydi yn rhywle fel Paris neu Washington. Roedd hynny'n swnio'n reit dda i mi. Wn i ddim sut yn union roeddwn i'n cysoni'r math yna o feddwl gyda fy ymwybyddiaeth genedlaethol Gymreig, oedd yn tyfu yn yr un cyfnod. Mae'n debyg fod hynny oll yn rhan o'r ddeuoliaeth yma yn fy mywyd ar y pryd.

Wnes i ddim cymryd unrhyw gamau i wireddu'r syniad uchelgeisiol yma ond roedd Ffrainc a'r iaith Ffrangeg wedi gafael yn'o i ac roedd yn amlwg mai dyma oedd fy mhwnc cryfaf yn yr ysgol hefyd.

Ddau haf yn ddiweddarach roeddwn yn ôl yn St Malo, y tro hwn gyda phedwar o fechgyn eraill o'r ysgol i dreulio mis ar ryw fath o gwrs haf. Roedd Cyngor Dinas Caerdydd yn talu ein costau a'n llety gan gredu fod hwn yn wyliau addysgiadol – chwarae teg iddyn nhw. Roeddem yn aros mewn coleg ac yn rhannu'r gofod hwnnw gyda chriw mawr o Americanwyr oedd ar yr un perwyl. Dwi'n cofio dim am unrhyw ddosbarthiadau ac mae'n debyg i ni dreulio'r rhan fwyaf o'r amser yn cryfhau'r Berthynas Arbennig. Mae'n rhaid nad oedd y bwyd i fyny i safonau arferol Ffrainc gan i ni ddechrau arferiad o fynd i *crêperie* bach heb fod yn bell i ffwrdd ar ddiwedd pob noson. Roedd y prisiau'n rhesymol iawn ac roedd yn dipyn o orchest gennym gyflwyno archeb fawr wrth gyrraedd er mwyn gweld yr olwg ar wyneb y perchennog. Ein diod y pryd hynny oedd *diabolo*, sef cyfuniad Ffrengig unigryw o syrup melys iawn, cyrens duon fel arfer, a lemonêd. Cyrhaeddwyd yr uchafbwynt y noson yr archebwyd '35 *crêpes* et 7 *diabolos, s'il vous plaît, monsieur.'

Y noson cyn i'r Americanwyr ein gadael, fe gynhaliwyd rhyw fath o noson lawen ac roedd disgwyl i bawb gyfrannu eitem. Ar ôl pwyllgor sydyn, fe benderfynon ni ganu 'Hen Wlad fy Nhadau' iddyn nhw, a bu'n rhaid i mi ddysgu'r anthem i fy nghyd-ddisgyblion, gan nad oedd unrhyw ddarpariaeth ar gyfer gwneud hynny yn Cardiff High. Chwarae teg, fe wnaethon nhw hynny'n drwyadl ac fe roesom ddatganiad digon parchus. Ar ddiwedd y noson, dyma un o ofalwyr yr ysgol yn dod i fyny atom ac yn dweud 'ein hanthem ni ydi honna'. Wrth gwrs, Llydäwr oedd o. Er bod St Malo ar gyrion dwyreiniol Llydaw, roedd yno dipyn mwy o ddangos lliwiau Llydaw nag yn Nantes. Y peth diddorol oedd nad oedd o na ninnau yn ymwybodol o'r ffaith fod y Llydawyr wedi mabwysiadu fersiwn Lydaweg o 'Hen Wlad fy Nhadau' ar droad y ganrif fel eu hanthem genedlaethol 'Bro Gozh ma Zadoù'.[2]

Yr haf ar ôl hynny, sef 1966, roeddwn yn ôl yn Ffrainc unwaith eto, y tro hwn am saith wythnos. Erbyn hyn, roedd gen i gar mini bach glas ac fe wasgodd pedwar ohonom i mewn i hwn er mwyn treulio pythefnos ar y Côte d'Azur. Roedd gennym obeithion mawr am ychydig o *glitz* a rhamant, er mai mewn pabell roeddem yn cysgu. Treulio'r rhan fwyaf o'r dydd yn cicio pêl ar y traeth wnaethon ni a syllu o hirbell ar y mynd a'r dod yn y clybiau nos. Yn y gwersyll ger Le Lavandou y gwelais i'r pennawd ar flaen y *Daily Express* yn datgelu fod Gwynfor Evans wedi ennill isetholiad Caerfyrddin. Roedd y ddraig goch oedd gennym ar ochr y babell yn chwifio'n fwy balch fyth y diwrnod hwnnw.

Y cynllun ar y ffordd nôl oedd mod i'n gollwng yr hogiau eraill yn Avignon i fynd adref ar y trên achos mod i wedi trefnu i dreulio wythnos yn y ddinas honno mewn gŵyl theatr – cyfle i gymysgu gyda phobl ifanc o bob math o wledydd. O'r fan honno roeddwn i fod i deithio i ogledd Ffrainc i dreulio tair wythnos, fel swyddog y tro hwn, mewn *Colonie de vacances*. Yn anffodus, wrth geisio gwneud y daith o Avignon mewn diwrnod mi gefais ddamwain. Gan i ni golli oriau'n cael trefn ar bethau, bu'n rhaid i mi dreulio'r noson ym Mharis yn cysgu ar lawr bachgen o Algeria roeddwn wedi rhoi lifft iddo o'r ŵyl.

Yn sgil hynny, cefais brofiad anarferol iawn, sef mynd o gwmpas Paris yn y nos gyda'r cyfaill o Algeria a chwpl o'i ffrindiau. Yr hyn oedd yn unigryw oedd gweld y driniaeth roedd yr Arabiaid yma'n ei gael gan yr heddlu. Heb wneud unrhyw beth o'i le cafodd ein grŵp ei stopio gan yr heddlu a'i holi mewn modd ymosodol iawn gan ddau blismon cydnerth a'n gorchymyn i symud ymlaen. Roedd unrhyw fath o ateb yn ôl yn eu cynddeiriogi a'u dwylo'n barod i afael yn y pastwn a'r

---

[2]   Mae 'na fersiwn wych ohoni'n cael ei chanu mewn arena anferth ym Mharis gan Alan Stivell a Nolwenn Leroy i'w gweld ar Youtube.

gwn oedd gan bob un yn ei wregys. Yn ôl y bechgyn, roedd hyn yn gwbl arferol.

Cyrraedd y *colonie* ddiwrnod yn hwyr fu fy hanes felly ond ar ôl yr ymddiheuriadau, dyma setlo i fewn i gyfnod prysur, blinedig ond arbennig o gyfoethog.

Cwmni pyllau glo ardal gogledd-ddwyrain Ffrainc oedd biau'r *colonie* yma a phlant y glowyr oedd yn cael mynd yno ar eu gwyliau. Roedd y *colonie* ei hun mewn hen *château* o'r enw *La Dune aux Loups*, sef 'twyn y bleiddiaid', ryw filltir o'r arfordir yn ardal y Somme. Roedd y plant bach yn cysgu yn y plasty tra roedd y rhai hŷn yn cysgu mewn cabanau mewn llannerch goediog. Roedd yna gaeau chwarae, cabanau gweithgareddau a bob hyn a hyn taith gerdded i lan y môr a'r twyni tywod.

Roedd anfon Prydeinwyr ifanc i fod yn swyddogion yn y *colonies* yn cael ei hystyried yn ffordd dda iawn o wella eu Ffrangeg, ac wrth gwrs mi oedd. Roeddwn i wedi bod ar gwrs y Pasg blaenorol, lle roedd arferion a thechnegau defnyddiol yn cael eu dysgu i ni, yn amrywio o sut i wneud eich gwely yn y ffordd Ffrengig i sut orau i gadw trefn a syniadau am sesiynau i basio'r amser ar ddyddiau gwlyb.

Roeddwn yn gyfrifol am grŵp o wyth o fechgyn 10 oed. Roedden ni'n rhannu caban gyda dau grŵp arall o fechgyn o'r un oedran a oedd dan ofal Patrice a Gérard. Ac heb fod ymhell i ffwrdd roedd caban y grŵpiau merched o'r un oed yr oedden ni'n partneru hefo nhw o dan ofal Cécile, Maxi a Josiane.

Fel swyddog, roedd angen cymryd yr awenau o ran y gweithgareddau yn ogystal â chadw rheolaeth. Roeddwn wedi gwneud cais i gael grŵp 10 oed oherwydd bod un o'r arweinwyr ar y cwrs wedi dweud mai dyna oedd *l'âge d'or* – yr oed euraidd – ddim yn blant bach ac eto dim o gymhlethdodau'r arddegau. Er hyn, roedd yna ambell i fwnci bach drygionus yr oedd angen cadw llygad barcud arno. Mi fedra' i eu gweld nhw heddiw, Marc, Luc, Jean-Marc, Pierre – roedd yr Apostolion yn cael eu cynrychioli'n gryf. Roedd yn waith caled iawn. Ar ddiwedd dydd roedden ni wedi blino'n lân ac roeddem yn cael un diwrnod o ryddid bob wythnos yn ein tro. Ar y diwrnod hwnnw mi fyddai rhai o'r swyddogion eraill yn dod â brecwast i ni yn ein gwelyau ac yn gwneud ffŷs fawr ohonom cyn i ni fynd am dro i dre lan môr gyfagos i gael blas o'r byd arferol.

O fewn ychydig ddyddiau, fodd bynnag, fe ddigwyddodd rhywbeth syfrdanol. Anfonwyd Gérard, ynghyd ag un o'r swyddogion merched, adref am gamfihafio! Roedd Gérard yn taeru nad oedd dim byd wedi digwydd, dim byd go iawn fel pe tae, ond adref y cawson nhw fynd, gan adael Patrice a minnau yn gyfrifol am dros bythefnos am grwpiau oedd felly wedi tyfu cryn dipyn o ran maint. Wrth lwc roedd o a minnau yn tynnu 'mlaen yn dda iawn. Novak oedd ei gyfenw. Pwyliad o dras – ei dad yn löwr wedi dod i Ffrainc o Wlad Pwyl ar ôl y Rhyfel. Pêl-droed oedd ei bethau fo, ac fe aeth ymlaen i chwarae am gyfnod yn broffesiynol i dîm Boulogne yn yr ail adran yn Ffrainc. Yr haf hwnnw enillodd Lloegr Gwpan y Byd. Treuliais bnawn y ffeinal yn chwarae gyda'r plant tra roedd y rhan fwyaf o'r dynion wedi sleifio i'r gegin i weld y gêm. Roedd profi fy niffyg diddordeb yn y gêm yn rhan o fy ymgyrch breifat i gael y byd i ddeall fod yna wahaniaeth rhwng Cymro a Sais.

Un o draddodiadau'r gwersyll oedd bod gan rieni'r plant yr hawl i ymweld â nhw am un diwrnod tua diwedd y cyfnod tair wythnos. Hwn oedd y *kermesse* – rhyw fath o arddwest, gyda stondinau, mabolgampau a chyfle i'r rhieni weld y pethau roedd y plant wedi bod yn eu gwneud yn ystod y sesiynau tywydd gwlyb. Roedd pob swyddog yng ngofal rhywbeth neu'i gilydd ac fe'm gosodwyd i i fod yn gyfrifol am y stondin gwrw. A dyma orfod dysgu'n sydyn fod gan lowyr y gogledd o leiaf bedair ffordd wahanol o gyfeirio at botel o gwrw.

Un peth nad oeddwn wedi sylweddoli oedd bod y plant wedi bod o'r cychwyn cyntaf yn sgwennu adref at eu rhieni yn disgrifio'r hyn roedden nhw'n ei wneud, pwy oedd eu ffrindiau, ac wrth gwrs yn dweud wrthyn nhw lawer iawn am y swyddogion oedd yn edrych ar eu holau nhw. O ganlyniad, roedd rhieni fy nghriw i'n teimlo eu bod nhw'n fy nabod i'n dda iawn tra doedd gen i ddim syniad pwy oedd rhiant pa blentyn nes iddyn nhw egluro gyda llawer iawn o ysgwyd llaw a thynnu coes. Pobl a chymdeithas gynnes a chlos debyg iawn i rai cymoedd y De, ond cymdeithas, fel yn y fan honno, sydd wedi gorfod addasu'n sylfaenol yn dilyn cau ei phyllau. Mae'n debyg fod Marine le Pen yn cael pleidlais uchel yn yr ardal y dyddiau hyn.

Roedd ffarwelio ar ddiwedd y tair wythnos yn ddwys ac yn ddagreuol, yn enwedig pan oeddem yn agor ein llythyrau ffarwelio gan y sefydliad yn ein gwahodd yn ôl y flwyddyn ganlynol – neu beidio, yn ôl yr amgylchiadau. Erbyn deall, roedd gan y cyfarwyddwr offer clustfeinio yn y cabanau fel ei fod o a'i dîm yn gallu cadw llygad ar faint o drefn oedd gan y swyddogion ar eu preiddiau. Roedd medru cael tawelwch yn ystod yr hanner awr o *sieste* oedd yn digwydd bob prynhawn, ac ar amser diffodd y goleuadau gyda'r nos, yn brawf pwysig, ac nid pawb oedd yn llwyddo.

Roeddwn i'n falch iawn o gael y cyfle i fynd yn ôl yno'r flwyddyn ganlynol. Roedd llawer iawn o'r un criw yno eto, a minnau yn fy ail flwyddyn gymaint â hynny'n fwy profiadol. Hawdd iawn y buaswn i wedi medru gwneud hwn yn arferiad blynyddol, oni bai fod pethau hyd yn oed mwy diddorol wedi dechrau digwydd yng Nghymru. Erbyn diwedd y cyfnod, roeddwn wedi dechrau meddwl a breuddwydio yn Ffrangeg, heb sôn am ei siarad bob munud o'r dydd a dwi'n priodoli hynny o ruglder sydd gen i yn yr iaith honno, er gwaetha'r ffaith na fu mi erioed yn byw am gyfnod estynedig yn Ffrainc, i'r *colonie de vacances* ac i blant glowyr Bully, Hesdin a Noeux-les-Mines.

Synnwyr y fawd

Fy ail daith epic (ar ôl y sgwter) oedd y chwe wythnos o daith hitsh-heicio ar fy mhen fy hun ar draws Ewrop yn 1967.

Roeddwn wedi gadael yr ysgol ar ddiwedd tymor y gwanwyn. Bryd hynny, os oeddech yn ymgeisio am le yn Rhydychen neu

Gaergrawnt, roedd rhaid gwneud yr *Entrance Exam* ym mis Tachwedd a mynd am gyfweliad yn fuan wedyn. Roedd hyn yn golygu dau fis a hanner caled o sgwennu traethodau estynedig ac, yn gyffredinol, yn treiddio i'ch pwnc yn ddyfnach nag ar gyfer Lefel A.

Yn yr ail flwyddyn yn y Chweched dosbarth, a dydw i ddim yn siŵr iawn pam, rhyw elfen o wrthryfel mae'n debyg, roeddwn i wedi penderfynu mai Hanes oeddwn i am ei wneud fel prif bwnc Lefel A, a gwneud yr arholiad arbennig, Lefel S, yn y pwnc hwnnw, yn hytrach na Ffrangeg. Rhyw deimlo fod hanes yn ddiddorol, ac yn wir, mae gen i ddiddordeb mawr mewn hanes hyd heddiw. Ond tra roeddwn yn y *colonie* yn Ffrainc, fe gyrhaeddodd fy nghanlyniadau Lefel A, yn dangos, er i mi gael A yn Ffrangeg a B yn Lladin, mai C roeddwn i wedi'i gael mewn Hanes. Roeddwn eisoes wedi cael cynnig lle ym Mhrifysgol Sussex i wneud Hanes ond roedd yna ddisgwyl 'mod i'n ymgeisio am le yn Rhydychen ac ynghyd â deuddeg o fechgyn eraill o'r un flwyddyn, dyma ymrwymo ar gyfer slog y drydedd flwyddyn yn y Chweched, a phenderfynu yn syth ar ôl y canlyniad Lefel A, mai Ffrangeg oedd y pwnc roedd y duwiau am i mi ganolbwyntio arno.

Yn y papur cyffredinol yn yr arholiad mynediad, roedd yna wahoddiad i ysgrifennu traethawd ar '*What is the value of national sovereignty?*' neu rywbeth tebyg. Erbyn hynny, roeddwn wedi fy nhrwytho yn y dadleuon o blaid hunanlywodraeth i Gymru ac felly roeddwn ar fy nhiriogaeth fy hun, fel petai. Aeth y tiwtoriaid ar ôl yr un cwestiwn yn y cyfweliad ac er i Mam fod yn bur bryderus pan wnes i adrodd ar hyn ar ôl mynd adref, gan boeni fy mod i'n cyflwyno fy hun i bobl Rhydychen fel eithafwr, dwi'n sicr mai'r cyfan roedden nhw eisiau ei weld oedd y gallu i ddeall ac amddiffyn syniad, a dadlau'n rhesymol o'i blaid.

Daeth telegram ganol Rhagfyr yn cyhoeddi, er mawr lawenydd a balchder i 'nhad a mam, mod i wedi ennill *exhibition* – sef ysgoloriaeth ychydig yn llai gwerthfawr na *scholarship* - i

Goleg Iesu ac roedd hynny'n rhyddhad mawr, yn enwedig ar ôl y Lefel A llai na disglair.

Ar ôl gwyliau Nadolig digon pleserus o ganlyniad, roedd yna bron i ddeng mis i'w ddisgwyl tan yr hydref canlynol. Arhosais yn yr ysgol am dymor yn mwynhau fy hun ac yn chwarae hoci, ac wedyn fe benderfynwyd y dylwn fynd i Ffrainc am y tymor canlynol. Ar ôl peth ymchwil, dyma ddarganfod fod Prifysgol Strasbourg yn cynnig cwrs byr mewn diwylliant Ffrengig ar gyfer tramorwyr ac mi rois fy enw i lawr ar gyfer hwnnw.

Teithio wedyn mewn trên gyda hen gês mawr du fy nhad ac, erbyn hynny, gitâr i 'nghanlyn. Aros am ddwy noson mewn gwesty rhad yn ymyl gorsaf Strasbourg, yn crwydro ac yn ymddwyn fel twrist, ac yna, cofrestru fel aelod o'r Brifysgol. Roedd hynny yn ei dro yn rhoi'r hawl i gerdyn myfyriwr, i fwyta yn y cantîns hynod o resymol oedd gan y Brifysgol ar draws y ddinas, ac hefyd, y fantais fwyaf, cael lle yn un o'u neuaddau preswyl. Dyma gyfle arall i daflu fy hun i fywyd Ffrengig ac mi ges ystafell i'w rhannu gyda bachgen lleol, gan fod y sawl oedd arfer bod yn yr ystafell honno wedi mynd adref am ryw reswm.

Roedd Jean-Luc a'i gyfeillion ar eu blwyddyn olaf. Roedden nhw'n gweithio'n galed yn paratoi ar gyfer eu harholiadau terfynol ac wedi bod drwy'r holl brofiad o fywyd prifysgol tra roeddwn i mewn gwirionedd yn dal yn fachgen ysgol ac heb gychwyn arno. I'r graddau roedd eu hamserlen yn caniatáu, fe ddois i adnabod tri neu bedwar o'r criw yma a chael fy nhywys o gwmpas rhai o gorneli mwy diddorol Strasbourg. Yn y fan hon y gwnes i ddarganfod *pizza* am y tro cyntaf, gan nad oedd o wedi cyrraedd Prydain ar y pryd. Dwi'n cofio meddwl y byddai'n syniad busnes da iawn i agor bwyty *pizza* yn rhywle fel Bangor, gan mai dyma'n aml y ffordd y byddem yn dod â'r noson i ben yn Strasbourg.

Roedd un o ffrindiau Jean-Luc yn fachgen golygus iawn, yn amlwg yn ei chael hi'n hawdd iawn i ddenu'r merched. Finnau yn cymryd yn ganiataol ei fod yn edrych ymlaen at orffen coleg a gweld bywyd yn agor o'i flaen. Ond mewn sgwrs hwyrol un noson, dyma ddarganfod fod trefniadau eisoes wedi'u gwneud iddo briodi yn syth ar ôl gadael y coleg, fod swydd yn barod ar ei gyfer yn ei dref enedigol heb fod ymhell i ffwrdd, ac i bob pwrpas bod llwybr bywyd wedi'i baratoi ar ei gyfer. Roedd hi'n amlwg ei fod wedi cael dwy flynedd reit wyllt yn Strasbourg, ond bellach ei fod ar y llwybr cul, ac yn derbyn hynny. Roeddwn i'n teimlo'n ifanc iawn yn ei gwmni.

Roedd yno glwb Prydeinig oedd yn lle cyfleus i gyfarfod ac fe ddois i adnabod criw o Saeson – rhai ohonyn nhw ar yr un cwrs â mi, ac eraill yno am gyfnod hirach. Doedd y darlithoedd ddim yn ysbrydoledig iawn ac mi fyddwn yn treulio tipyn o amser yn y caffis a'r tafarndai gyda'r nos ac o ganlyniad yn codi'n reit hwyr yn y bore. Byddai'r ddynes lanhau yn dod heibio tua 10.30 ac mi fyddwn yn ei chlywed yn twt twtio yn ei thafodiaith Almaenig fod yr hogyn newydd yma'n dal yn ei wely. Ac wedyn, byddwn yn treulio rhyw awr neu ddwy yn cael tonc ar y gitâr gan dybio fod yr adeilad yn wag.

Un bore roeddwn wrthi'n blastio 'House of the Rising Sun' pan ddaeth 'na sŵn curo caled ac egnïol ar y drws. Myfyriwr arall oedd yna yn gofyn gyda thipyn o straen yn ei lais a'i lygaid faswn i'n meindio rhoi'r gorau iddi hi gan ei fod o yn trio adolygu ar gyfer ei arholiadau.

Un o'r pethau difyr wnes i yn Strasbourg oedd prynu *velo solex* bach. Beiciau modur gydag injan peiriant gwnïo oedd y rhain oedd i'w gweld ym mhobman yn Ffrainc y pryd hynny. Doedd dim rhaid cael trwydded na gwneud prawf gyrru; roedden nhw'n rhad iawn i'w rhedeg ac roedd pawb yn dweud y byddai'n bosib ei werthu ar ddiwedd y tymor. Gan mod i wedi cael llety am dipyn llai nag oeddwn i wedi cyllidebu ar ei gyfer, teimlais mod i'n gallu fforddio'r *luxury* yma ac mi fûm yn mynd yn ôl ac ymlaen arno dipyn go lew am ryw chwech neu saith wythnos.

Roedd Strasbourg yn lle diddorol. Ers 1870 roedd wedi cyfnewid dwylo rhwng Ffrainc a'r Almaen bedair gwaith ac roedd ôl y cyfnodau Almaeneg yn amlwg mewn pensaernïaeth, ysgrifen ar garreg a iaith lafar. Mae hen ardal y *Petite France* yn llawn cymeriad fel ag y mae yr eglwys gadeiriol anferth. Mae 'na barciau a chamlesi difyr ac yno hefyd y mae un o ddau Senedd-dy Ewrop. Nid nepell y mae'r bont dros y Rhein sy'n symbol o ail-eni Ewrop ar ôl yr Ail Ryfel Byd ac o'r bartneriaeth rhwng Ffrainc a'r Almaen sy'n sylfaen i'r Gymuned Ewropeaidd. Roedd y beic yn caniatáu i mi bicio drosodd i'r Almaen ac roedd y Fforest Ddu heb fod ymhell ar gyfer teithiau mwy estynedig.

Yr oeddwn i fod i deithio i ogledd Ffrainc ganol Gorffennaf am yr ail arhosiad yn y *colonie de vacances* a doedd yna ddim trefniant pendant ar gyfer be oedd i fod i ddigwydd ar ddiwedd y tymor coleg. Ymhell cyn diwedd y tymor, fodd bynnag, teimlwn mod i wedi cael popeth roedd y sefyllfa'n gallu'i gynnig i mi ac roeddwn i ers peth amser wedi bod yn astudio mapiau dwyrain Ewrop a thu hwnt. Dyma ymaelodi â'r gymdeithas ryngwladol ar gyfer hosteli ieuenctid; prynu map da o Ewrop a defnyddio fy nisgownt myfyriwr i brynu pabell fechan, sach gysgu, a bag cefn. Rywsut roeddwn yn gallu gwneud hyn i gyd o'r lwfans tyn roeddwn wedi'i gael gan fy rhieni oherwydd bod y telerau llety a bwyd o dan system addysgiadol Ffrainc mor arbennig o hael.

Un bore, dyma roi goriad fy ystafell yn ôl, gwerthu'r *solex* (am lai na hanner y pris roeddwn i wedi'i roi amdano – *supply and demand*!), dal bws i gyrion y ddinas a sefyll yno gyda fy mawd i fyny.

Fe fûm ar y lôn am chwe wythnos i gyd ac mi fedra' i gofio bron bob un o'r llifftiau ges i a'r llefydd y bûm yn cysgu ynddyn nhw. Fe ges anturiaethau, rhai ohonyn nhw wrth edrych yn ôl yn deillio o'r ffaith mod i'n rhoi fy hun mewn sefyllfa reit beryglus wrth deithio ar fy mhen fy hun mewn gwledydd cwbl ddiarth, ond mi ddois drwyddi yn ddianaf. Yn ogystal â'r sach, y babell a'r sach gysgu, roeddwn yn cario siaced – gan fod honno gen i ac roeddwn yn tybio y gallai fod yn ddefnyddiol yma a thraw er mwyn edrych yn barchus, ac roeddwn hefyd yn cario'r gitâr. Roeddwn yn ffodus iawn fod un o'r bechgyn o Loegr oedd yn yr un grŵp wedi gwirfoddoli i fynd â 'nghês mawr du yn ôl hefo fo pan fyddai'n mynd adref mewn ychydig wythnosau.

Cyrhaeddais y draffordd yn yr Almaen yn weddol ddi-lol, gan feddwl ei throi hi i'r de i gyfeiriad Munich ond bûm yn sefyll wedyn am dros dair awr a neb yn stopio. Bu bron i mi dorri 'nghalon reit ar gychwyn y daith. Yn y diwedd, penderfynais groesi i ochr arall y ffordd a cheisio cael lifft i'r gogledd, rhag ofn y cawn well lwc. Roedd angen i mi gychwyn i rywle, a doedd dim ots i ble erbyn hynny. A dyna fu fy achubiaeth yn y diwedd – lori a aeth â fi yn hollol i'r cyfeiriad arall i'r hyn roeddwn wedi'i fwriadu gan fy ngollwng yn nhref Aschaffenburg lle'r oedd 'na hostel ieuenctid a chyfle i roi 'mhen i lawr.

Y bore wedyn, roeddwn yn awyddus iawn i gychwyn ar fy ffordd gan mod i gymaint allan ohoni, ac mi biciais i'r dref i gael 'chydig o frecwast gan nad oeddwn wedi bwyta dim y noson gynt. Erbyn i mi ddod yn ôl, roedd yr hostel ieuenctid wedi'i chloi gyda fy mhethau i gyd y tu mewn. Dim arwydd o fath yn y byd i ddweud bod y warden yn mynd i ddychwelyd. Dyma aros a disgwyl gan anesmwytho fwy-fwy wrth i amser fynd yn ei flaen. Doedd y daith epig ddim yn argoeli'n dda o gwbl. Ar ôl hanner awr, mi benderfynais chwilio i weld os oedd 'na ffordd i fynd i fewn i'r hostel heblaw drwy'r drws ffrynt a dyma sylwi fod yna ffenest ar agor yn yr ochr yn uwch i fyny. Dringo i ben y to ac ar fin gweld a fedrwn i fynd i fewn drwy'r ffenest pan ddaeth yna waedd fawr o'r iard islaw. Y warden a'i wraig oedd wedi dod yn ôl o lle bynnag roedden nhw wedi bod ac yn bytheirio bygythion mewn Almaeneg roeddwn i prin yn ei ddeall ond lle roeddwn i'n clywed y geiriau am 'leidr' ac am 'heddlu' yn cael eu hailadrodd droeon. Finnau'n trio egluro'r sefyllfa a'm golwg innau ar bethau ond yn methu'n lân â'u darbwyllo. Aethom drwy'r broses o dalu am y stafell a hel fy mhethau mewn awyrgylch rewllyd iawn a dwi'n meddwl mod i'n lwcus na chanslwyd fy ngherdyn hostel rhyngwladol yn y fan a'r lle.

I'r dwyrain oeddwn i'n anelu, wedi cael fy nenu gan Rwmania ac enwau rhamantus eu sŵn – llefydd fel Constanta a Varna ar y Môr Du. Ond wedi deall hefyd fod yn rhaid cael visas i fynd i'r llefydd yna ac mai yn Fiena roedd cael rheini. Ar ôl Aschaffenburg, mi aeth y bodio yn weddol hwylus. Cefais hostel eto yn Passau ar y ffin rhwng yr Almaen ac Awstria a lifft arbennig o dda mewn Merc i gyrraedd Fiena.

Ym mhobman yr awn i, roeddwn yn cyfarfod â phobl newydd – yn aml iawn yn sgil y lifft. Rhaid cyfaddef, wrth edrych yn ôl, ei bod yn debyg bod gan nifer o'r gyrwyr – dynion ar eu pennau eu hunain, bron yn ddi-ffael – gymhellion cymysg am gynnig lifft i fachgen ifanc 19 oed oedd yn sefyll ar ei ben ei hun ar ochr y lôn. Wrth edrych yn ôl, rwy'n meddwl fod yna ryw hanner dwsin ohonyn nhw yn gwneud hynny gyda rhyw obeithion niwlog. Wedi dweud hynny, ar ddiwedd y dydd, wnaeth yr un ohonyn nhw fynd yn rhy bell, gan dderbyn, fel y dysgais i ddweud mewn mwy nag un iaith, mai mewn merched oedd gen i ddiddordeb. Roedd hynny hyd yn oed yn wir am y dyn oedd â gwraig a dau o blant a'm gyrrodd yn ei fan o ffin Bwlgaria yr holl ffordd i Istanbul a rhoi llety i mi yn ei dŷ, gwneud i mi smocio joint am y tro cyntaf ac yna awgrymu ein bod yn rhannu gwely. Dwi'n meddwl mai rhyw deimlad y byddai'n biti colli cyfle, neu rywbeth tebyg, oedd ar ei feddwl. Yn y bore, doedd yna ddim drwgdeimlad, ac fe ffarwelion ni ar delerau da.

Yn Fiena, roedd 'na siom yn fy nisgwyl, gan nad oedd modd cael visa i Rwmania a Hwngari yn y fan a'r lle. Yn lle disgwyl am dridiau, penderfynais droi i'r de am Iwgoslafia. Un o nodweddion bodio trwy wahanol wledydd yn y cyfnod hwnnw, yn enwedig o groesi'r Llen Haearn, oedd ei bod hi'n mynd yn anoddach ac yn anoddach cael lifft po fwyaf agos fyddech chi'n mynd at y ffin rhwng dwy wlad gan nad oedd pobl y gwledydd Comiwnyddol fel arfer yn cael teithio i wledydd eraill. Yn naturiol felly, roedd y rhan fwyaf o'r traffig yn draffig lleol, mewnol. I groesi ffin y Llen Haearn i Iwgoslafia, mi ges i lifft gan deulu o Iddewon oedd ar eu gwyliau a chael gosod fy mhabell wrth ymyl eu *camper van* am noson. Roedd y Rhyfel Chwe Diwrnod rhwng Israel, Yr Aifft a gwledydd eraill Moslemaidd y Dwyrain Canol newydd gychwyn a'r teulu Iddewig yn gwrando'n ofalus ar y radio, yn llawn cynnwrf a gobaith wrth i'r newyddion am lwyddiannau sydyn byddin Israel gael eu darlledu.

Y pnawn trannoeth roeddwn ar ochr y lôn y tu allan i Ljubljana, yn ceisio cael lifft i'r ddinas nesaf ar y daith, sef Zagreb. Yn fy ymyl roedd 'na lencyn lleol oedd hefyd yn gobeithio cael lifft i rywle. Mi ddechreuodd adrodd y newyddion am y rhyfel fel roedd o yn eu clywed. Mewn Almaeneg bratiog yr oedden ni'n cyfathrebu. Yr adeg hynny, roedd Almaeneg yn llawer mwy cyffredin ar draws Dwyrain Ewrop na Saesneg. Ymysg y genhedlaeth hŷn roedd hyn oherwydd eu hanes o fod dan lywodraeth Awstria a phresenoldeb yr Almaen yno yn ystod yr Ail Ryfel Byd ond roedd yna hefyd lawer iawn o bobl o genhedlaeth iau wedi bod yn gweithio yn yr Almaen am gyfnodau hir. Ar adegau fel hynny, roeddwn yn difaru fod fy niffyg hoffter o Mr Wanger wedi golygu mai Almaeneg Lefel O yn unig oedd gen i.

Yn ôl y cyfaill hwn, roedd awyrennau America a Phrydain wedi ymuno yn y rhyfel ac yn bomio'r gwledydd Arabaidd. Roedd ganddo ddull dramatig iawn o ddisgrifio'r bomio honedig yma, gan chwifio ei freichiau yn yr awyr fel pe bai o'n llygad-dyst ei hun. Doedd y straeon yma ddim yn wir, ond roedd yn dangos y tensiwn uchel oedd 'na ar draws y byd yn sgil y digwyddiadau hyn. Roedd y Rhyfel Oer yn dal yn ei anterth ac er bod Iwgoslafia yn niwtral yn y 'rhyfel' hwnnw, roedd y ffaith fod ganddi lywodraeth Gomiwnyddol yn golygu mai tueddu i weld bai ar America a'i ffrindiau yr oedd y farn gyhoeddus a'r cyfryngau am bob dim drwg oedd yn digwydd. Wyddwn i ddim ar y pryd fod Mam wedi gyrru un llythyr ar ôl y llall i mi i wahanol gyfeiriadau *poste restante* i fynnu mod i'n troi'n ôl ar unwaith.

Roeddwn i'n cael ambell i lifft ryfeddol. O'r diwedd, ac ar ôl i'r cyfaill lleol ddiflannu i rywle, dyma lori fawr yn stopio. Minnau'n gweiddi 'Zagreb?' a'r gyrrwr yn mwmblan rhywbeth oedd yn awgrymu enw lle arall. Dyma estyn fy map a cheisio lleoli'r dref roedd o'n sôn amdani oedd yn swnio rhywbeth tebyg i 'Bewgra'. Welwn i ddim golwg o'r fath le rhwng Ljubljana a Zagreb ond wrth ei weld yn mynd yn ddiamynedd mi neidiais i mewn i'r cab p'un bynnag. Wrth i ni gychwyn, dyma gael ar ddeall mai'r hyn roedd o wedi bod yn ei ddweud oedd Beograd, sef yr enw cywir am Belgrade. Roedd Belgrade 300 milltir i ffwrdd, yn llawer iawn pellach na Zagreb a'r canlyniad oedd, er gwaethaf fy holl anawsterau, i mi gyrraedd prifddinas Iwgoslafia yn oriau mân y bore canlynol. Mi ges i ngollwng ar sgwâr mawr yng nghanol y ddinas yn rhy hwyr i ffeindio gwersyll felly es i chwilio am fainc mewn parc cyfagos. Roedd yna ddigon o feinciau, ond roedd rhywun yn cysgu ar bob un – roedd y sgwâr a'r parc yn berwi o bobl o'r wlad oedd wedi cyrraedd er mwyn gwerthu eu nwyddau yn y farchnad agored fore trannoeth. Sach gysgu ar lawr oedd yr unig ateb a dyna fu.

Ymlaen yn gynnar y bore wedyn i gyfeiriad Bwlgaria. Rywle rhwng dinas Niş a'r ffin, dwi'n cofio cerdded allan o ryw dref i geisio cyrraedd man tawel fyddai'n lle gwell i gael lifft. Pasio rhyw fath o ysgol breswyl i ferched ar yr ochr dde a'r olygfa o fachgen ifanc gyda gitâr a gwallt go lew o hir (oedd yn anghyffredin yn y gwledydd comiwnyddol) yn achosi cryn gythrwfl. Heidiodd y merched i'r ffenestri a dechrau gweiddi a chwerthin yn afreolaidd. Minnau'n codi llaw a cherdded yn fy mlaen, heb fod yn hollol siŵr be oeddwn i'n ei gynrychioli yn eu golwg nhw – p'un ai rhyddid y gorllewin yntau dirywiad yr hil ddynol.

Sylwais fod yna dipyn go lew o geir mawr, Mercedes-Benz fel arfer, gyda rhifau Almaenig ond platiau hirgrwn yn hytrach na rhai hirsgwar. Ceir yn cael eu gyrru o'r Almaen i wledydd y Dwyrain Canol oedd rhain, i'w gwerthu ar ôl cyrraedd. Wrth chwilio am lifft i groesi'r ffin o Iwgoslafia i Fwlgaria dyma holi un o'r ceir yma oedd yn disgwyl cael trefn ar ei bapurau gan y Customs, a fedrai o fynd â mi i Sofia. Roedd yna ddau gar mewn *convoy* bychan ar y daith ac ar ôl ymgynghori fe gytunwyd i mi ymuno â nhw. Ar y daith wrth sgwrsio yn yr Almaeneg clogyrnaidd arferol daeth yn amlwg mai Afghans oedden nhw a dyma'r cynnig yn dod – 'a hoffen i fynd cyn belled â Kabul efo nhw?' Byddai hynny wedi golygu teithio trwy Dwrci, Irac ac Iran. Mi ges i nhemtio! Yr hyn sy'n rhyfeddol wrth enwi'r gwledydd yna heddiw ydi meddwl fod y daith ar draws gwlad ac ymlaen wedyn ar yr *hippy trail* cyn belled â Katmandu yn Nepal yn berffaith bosib y pryd hynny.

Bwlgaria oedd y wlad gyntaf ar fy nhaith i fod yn un gwbl newydd i mi. Hefyd, y wlad Llen Haearn gyntaf go iawn. Dod o hyd i le i osod fy mhabell oedd y cam cyntaf a dyma daro ar ryw fath o swyddfa deithio oedd yn edrych fel lle allai gynnig gwybodaeth.

Ddwy flynedd ynghynt roeddwn i wedi treulio blwyddyn yn astudio Rwsieg ar gyfer Lefel O. Un o atyniadau mawr gwneud hynny oedd mai'r unig le y gallech chi gael gwersi ar y pryd oedd yn yr Ysgol Uwchradd i Ferched oedd yn cyfateb i'n hysgol ni, sef Cardiff High School for Girls. Fy mhrofiad wythnosol yn y fan honno oedd gorfod sefyll y tu allan i stafell y chweched dosbarth nes y byddai'r awr ginio ar ben, gyda rhesi o ferched bach a mawr yn pwffian chwerthin am fy mhen, minnau'n hunanymwybodol iawn, yn rhannol oherwydd mod i'n dioddef o acne yn ddrwg ar y pryd ac yn gorfod sefyll yn y fan honno fel rhyw *exhibit* allan o arddangosfa o greaduriaid egsotig. Yn y dosbarth, roedd 'na chwech ohonom yn cael ein dysgu gan Madame Fikrlé oedd o deulu cefnog oedd wedi ffoi o Rwsia yn dilyn y Chwyldro. Roedd hi wedi bod yn byw ym Mhenarth ers llawer o flynyddoedd ac yn siarad Saesneg gyda'r acen Rwsieg ryfedda'. Rhyw grafu drwy'r arholiad wnes i yn y diwedd, a dwi'n meddwl mai bron yr unig adeg i mi ddefnyddio hynny o Rwsieg oedd gen i oedd yn y swyddfa deithio yma yn Sofia.

Mae'n rhaid 'mod i wedi cychwyn y sgwrs yn Saesneg neu Almaeneg ond wedyn fe drodd y dyn tu ôl i'r cownter a gofyn a oeddwn i'n medru Rwsieg. Dyma finnau'n dweud fy mod i, rhyw gymaint. Swyddfa deithio i bobl leol fynd i lefydd tramor oedd hon, nid swyddfa i ymwelwyr i Fwlgaria. Yn y cyfnod hwnnw, Rwsia oedd un o'r ychydig lefydd roedd pobl o Fwlgaria yn cael ymweld â nhw, ac wrth i'r sgwrs fynd yn ei blaen, roedd y cyfaill yn mynd â mi'n ddyfnach ac yn ddyfnach i wleidyddiaeth gyfoes gan holi be oedd fy marn am hyn a'r llall, gan gynnwys y drefn Brydeinig a'r teulu brenhinol. Mae'n siŵr gen i 'mod i wedi dangos fy lliwiau rhyw gymaint achos mi roedd o'n dangos mwy a mwy o ddiddordeb wrth i'r sgwrs fynd yn ei blaen. Wnaethon ni ddim cyrraedd y pwynt lle roeddwn i'n cael fy recriwtio i fod yn *spy* i'r KGB ond synnwn i fawr nad i'r cyfeiriad hwnnw yr oedden ni'n mynd. Ond roedd hi'n hwyr, roedd y swyddfa ar fin cau ac roeddwn innau eisiau gwely am y nos a dyma gael fy nghyfeirio yn y diwedd i ryw wersyllfan weddol gyfleus a dyna, wrth lwc, ei diwedd hi.

Wedi'r cychwyn melodramatig yma, rhaid dweud mai ym Mwlgaria y cefais i'r enghreifftiau mwyaf trawiadol o groeso a lletygarwch gan bobl leol.

Tra roeddwn yn crwydro strydoedd Sofia, dyma fachgen ifanc ychydig yn hŷn na mi yn codi sgwrs. Roeddwn, mae'n debyg, yn eithaf naïf, yn tueddu i gredu mewn ewyllys da pawb tuag at ei gilydd, ac yn barod i gael fy nhynnu mewn i sgwrs gyda dieithryn heb bryder na rhagfarn ynglŷn â'i gymhellion. Yn achos Khristov, fodd bynnag, doedd dim angen i mi boeni. Roedd ganddo Ffrangeg reit dda a doedd o 'mond isio sgwrsio – am bawb a phopeth. Tua diwedd y sgwrs, fe ofynnodd a oeddwn i'n hoffi *jazz* a finnau'n ateb, er nad oeddwn yn hollol siŵr o hynny, fy mod i. Roedd ganddo docyn sbâr ar gyfer cyngerdd *jazz* ddiwedd y prynhawn ac roedd yn fy ngwadd. 'Iawn', medde fi a dyma drefnu i gyfarfod eto am 5 o'r gloch.

Roeddwn yn cael ar ddeall fod *jazz* ym Mwlgaria yn beth reit anghyffredin, felly roedd hwn yn ddigwyddiad a'r tocyn yn docyn poeth.

Am 5 o'r gloch roeddwn yn ôl yn y man cyfarfod ond doedd dim golwg o Khristov. Aros am dipyn go lew o amser a dod i'r casgliad mai rhyw fath o dwyll oedd y cyfan. Am 5.30, wrth i mi droi i fynd yn ôl at fy mhabell, ymddangosodd Khristov yn llawn ymddiheuriadau. Roedd o wedi dweud 5 o'r gloch pan y dylai o fod wedi dweud 4.00. Yr iaith estron oedd y maen tramgwydd. O ganlyniad, roedd o'i hun wedi colli'r cyngerdd, trwy ddisgwyl i mi gyrraedd a dim ond yn ddiweddarach roedd o wedi sylweddoli ei gamgymeriad. Roeddwn i'n teimlo drosto. Fe wnaethon ni gyfnewid cyfeiriadau ac am ryw hyd fe wnaethon ni gyd-lythyru ar ôl i mi gyrraedd adref. Yn y diwedd, fe orffennodd un o'i lythyrau gan ddweud efallai y byddai'n well i ni beidio parhau i sgwennu. Yr argraff glir oedd bod yna ryw gangen o'r awdurdodau wedi'i rybuddio yn erbyn parhau i gyfathrebu gyda rhywun o'r gorllewin. Fe hoffwn i feddwl ei fod wedi goroesi i weld codi'r Llen Haearn yn 1989.

Y bore canlynol roeddwn yn gadael Sofia yn gynnar iawn yn y bore, yn ôl fy arfer – yn un peth roedd y babell yn gallu bod yn oer, ond hefyd yn y bore y mae ei dal hi o ran cael lifft. Ar y ffordd rhwng y gwersyll a'r ffordd fawr mi glywais oglau bara bendigedig o rywle a sylweddoli fod yna fecws bach traddodiadol reit ar ochr y lôn. Doeddwn i ddim wedi cael brecwast, a dyma daro i mewn i weld os cawn i brynu torth. Roedden nhw'n ei chael hi'n anodd iawn deall be oeddwn i ei eisiau, a'r tebygrwydd ydi mai fi oedd y cwsmer tramor cyntaf roedden nhw erioed wedi'i gael. Rhaid cofio mai peth pur anghyffredin oedd i bobl o'r gorllewin ymweld â mannau diarffordd yn Nwyrain Ewrop y pryd hynny.

Yn y diwedd, fe ddeallon nhw ac fe gyflwynwyd torth fawr frown fendigedig i mi'n anrheg yn boeth o'r popty, a gyda chwerthin a chodi llaw mawr gan y tri oedd wrthi'n pobi, dyma fy anfon ar fy ffordd.

Yr un diwrnod, cefais lifft gan lori a minnau'n nodi mod i'n trio cyrraedd Plovdiv. Dyn mawr rhadlon oedd y gyrrwr ac fel sawl gyrrwr lori ar y daith, roedd yn awyddus i mi roi tonc ar y gitâr wrth i ni deithio. Tua diwedd y bore, dyma ni'n stopio mewn *transport café* enfawr. Roedd hi'n amser cinio a dyna lle'r oedd ei fêts o i gyd yn disgwyl amdano o gwmpas bwrdd mawr. Mi fynnodd brynu cinio i mi a phawb yn chwerthin am fy mhen pan oeddwn i'n cael trafferth mawr i dorri'r cig gan mai dim ond fforc oedd yn cael ei chynnig. Dyma alw ar un o'r staff a gwneud cyflwyniad seremonïol mawr o gyllell, yng ngŵydd pawb, er mwyn i'r dieithryn bach gael gorffen ei fwyd. Ac wedyn, ar ôl i'r lorri ollwng ei llwyth, mi fynnodd fynd â mi ugain cilomedr allan o'i ffordd cyn ffarwelio. Mae'r cymwynasau bychain yna yn golygu bod gan Fwlgaria a'r Bwlgariaid gornel gynnes yn fy nghalon byth oddi ar hynny.

Wrth i'r ffin rhwng Bwlgaria a Thwrci agosáu, teneuo roedd y traffig unwaith yn rhagor. Ychydig filltiroedd cyn y ffin dyma finibys yn stopio. Roedd hi ar ei ffordd o'r Almaen i Istanbwl, lle byddai'n cael ei gwerthu ar ôl cyrraedd ond roedd y gyrrwr yn gwneud ceiniog neu ddwy ychwanegol trwy gludo'i gyd-wladwyr o'r Almaen i'w cartrefi yn Nhwrci. Teithio dros nos oedd y bwriad a dyna sut y bu i mi, yn gynnar iawn yn y bore, ddeffro pan stopiodd y fan i ni gael coffi ac ychydig o frecwast yn y dref fawr gyntaf ar ôl croesi'r ffin, sef Edirne. A'r peth cyntaf wnaeth fy nharo i, yn ogystal â'r oglau coffi Twrcaidd cryf, oedd y gerddoriaeth oedd yn chwarae ar ryw radio yn rhywle – y sŵn dwyreiniol cwbl wahanol i unrhyw beth roeddwn i wedi'i glywed ar y daith cyn hynny. A chyn bo hir iawn, uwchben sŵn y radio, llais y *muezzin* yn galw'r ffyddloniaid i weddi. Yn y dyddiau hyn pan mae hi mor hawdd teithio i Marrakesh neu Cairo mewn tair neu bedair awr, mae'n anodd cyfleu'r teimlad o groesi ffiniau a chyrraedd bydoedd newydd heb i'ch traed adael tir. Does dim amheuaeth gen i fod yr ymdrech, a gweld y tirwedd, y bobl, y bwyd a'r synau yn newid yn raddol, yn gwneud y profiad hwnnw gymaint yn gyfoethocach.

Ymlaen i Istanbwl a chroesi'r Bosfforws ar fferi bryd hynny, cyn adeiladu'r pontydd, a chael aros y nos hefo'r gyrrwr yn Üsküdar a chael y profiad o gael fy nhraed ar gyfandir Asia am y tro cyntaf. Cefais fy nghyflwyno i'w gymdogion a buon nhw'n fy mwydo – llond plât o domatos wedi'u stwffio bendigedig – tra roedd o'n gwerthu ei finibys. Erbyn hyn, roeddwn wedi cyrraedd ffin ieithyddol go iawn gan nad oedd gan y bobl garedig yma na Saesneg nac Almaeneg na Ffrangeg. Bron i mi drio'r Gymraeg. Yn lle hynny, buom yn ceisio cyfathrebu ar sail y ffaith fod y gŵr wedi bod yn gweithio ym Mwlgaria a bod ganddo rywfaint o'r iaith Slafaidd honno, tra roedd gen i weddillion fy Rwsieg. Go brin i ni rannu gwirioneddau mawr ond roedd pawb yn glên ofnadwy.

Ar ôl treulio noson neu ddwy yn Istanbwl yn ymweld â'r rhyfeddodau amlwg, dyma droi i'r gorllewin at wersyll twristaidd ar lân y môr. Yn y fan honno, mi ges i fy nghymryd dan adain hen gwpl o Awstria oedd yn bryderus iawn mod i yno ar fy mhen fy hun. Beth ar wyneb y ddaear oedd fy mam yn ei feddwl? Ond yn y fan honno hefyd y ces i rywbeth arall – y byg. Mi roedd yna ddiodydd ffrwythau deniadol iawn yr olwg yn cael eu gwerthu ar strydoedd Istanbwl a dwi'n siŵr bod un o'r rheini wedi cynnwys mwy nag oedd i fod. Bûm yn gorweddian am 36 awr heb fedru bwyta dim nes i bethau setlo digon i mi ailgychwyn ar fy nhaith.

Roedd y ffin rhwng Twrci a Gwlad Groeg yn un o'r rheiny lle doedd 'na fawr ddim croesi arni ar wahân i draffig rhyngwladol pell. Fe'm cynghorwyd gan y plismyn oedd yn gwarchod y ffin mai'r peth gorau fyddai i mi gysgu yn eu cwt nhw dros nos ac i ddeffro gyda'r wawr i ddal y ceir fyddai wedi gadael Istanbwl ben bore er mwyn osgoi'r traffig. A wir i chi yn y bore, dyma'r plismyn yn dechrau holi rhai o'r gyrwyr a fydden nhw'n fodlon mynd â mi. Roedd cael yr awdurdodau yn pledio fy achos yn siŵr o gyfri am rywbeth oherwydd cyn bo hir dyma gael lle i mi mewn Mercedes â phlatiau Almaenig addawodd fynd â fi cyn belled â Thessaloniki. Mi gychwynnais siarad Almaeneg gyda'r gyrrwr gan dybio mai Almaenwr oedd o ond roedd o'n dawedog iawn a theimlwn nad oedd o'n gwbl fodlon ei fod o wedi derbyn pwysau i fynd â'r Almaenwr bach yma (sef fi) hefo fo. Fe ddaeth yn amlwg yn fuan mai Iddew oedd o, heb lawer o gariad tuag at Almaenwyr. Roeddwn yn falch felly o fedru sefydlu nad dyna oeddwn i ac yn wir roedd yn llawer gwell ganddo yntau sgwrsio yn Ffrangeg. Roedd bŵt y car yn llawn o ddarnau mawr o farmor oedd yn cael eu mewnforio ganddo i'r Swistir. Oherwydd y rhyfel, roedd o'n osgoi mynd drwy'r gwledydd comiwnyddol yn ôl ei arfer, ac yn hytrach am groesi i'r Eidal ac ymlaen o'r fan honno. Yn Thessaloniki, roedd ganddo westy'n disgwyl amdano a gan ein bod erbyn hynny ar delerau reit dda, fe gynigiodd i mi gysgu yn y car, gan adael y goriadau yn fy meddiant. Ganol nos, dyma gnoc ar y ffenest. Yr heddlu oedd yna. Minnau'n dechrau cynhyrfu, ond be oedden nhw eisiau oedd i'r car gael ei symud oherwydd ei fod o ar ffordd rhywbeth neu'i gilydd. Finnau'n gorfod llusgo'r gyrrwr yn ei byjamas allan o'r gwesty i gyflawni'r gwaith a fyntau'n dweud y drefn na faswn i wedi symud y car fy hun. Merc llawn marmor, meddyliwch!

Y diwrnod wedyn fe yrron ni yr holl ffordd ar draws Gwlad Groeg nes cyrraedd porthladd Igoumenitsa. Doeddwn i ddim wedi bwriadu mynd i'r cyfeiriad yma. Fy nharged gwreiddiol oedd Creta, ond o gael cynnig y fath lifft ardderchog, mi benderfynais achub ar y cyfle oherwydd roedd y fferi i'r Eidal yn galw yn ynys Corfu, ac roeddwn wedi clywed pethau da iawn amdani.

Fe dreuliais bron i wythnos yn Corfu – rhyw wyliau ar ganol y daith fel petai. Doedd datblygiad yr ynys ddim byd tebyg y pryd hynny i'r hyn ydi o rŵan. Roedd yna bentrefi bach tawel ar lan y môr, traethau anghysbell sydd bellach wedi'u poblogi gyda gwestai a *villas* o bob siâp. Roedd yno bobl newydd i'w cyfarfod, a'r gitâr yn agor drysau mewn barbeciw neu wrth dorheulo ar y traeth.

Sych a phoeth oedd y bodio a'r teithio i gyfeiriad Athen ym mhen rhai dyddiau. Un noson mi sleifiais i fewn i sied gychod ar lan y môr ar ôl ei gadael hi'n rhy hwyr i godi'r babell. Roeddwn yn fy sach gysgu ar fainc yng nghanol y sied pan glywais sŵn rhywun yn symud yn y pen draw a gweld golau tortsh. Wrth i'r golau ddod yn nes, mi godais fy mhen i ddangos fy mod i yno a dechrau ymddiheuro, hel fy mhethau a chynnig gadael. Ond na, doedd dim rhaid gwneud hynny. Roedd y cyfaill wedi sylweddoli fod 'na rywbeth anarferol yn y cwt ac wedi dod i gael golwg. O weld beth oedd yna, sef y fi, doedd dim angen poeni, gallwn i fynd nôl i gysgu a phob lwc i mi. Caredigrwydd naturiol a rhyfeddol unwaith yn rhagor.

Yn Athen dyma wneud y pethau amlwg – ymweld â'r Acropolis ac ati. Un o'r pethau rydw i'n edifar amdano ydi fod gen i gyn lleied o luniau o'r daith. Fe dynnais lond dwrn o luniau gwael o'r golygfeydd enwog, y Sultanahmet yn Istanbwl, yr Acropolis ac ati ond cymaint mwy diddorol heddiw fyddai gweld lluniau o'r bobl wnes i eu cyfarfod, a hyd yn oed ohonof fi fy hun. Rydw i wedi newid llawer, ond dydi'r adeiladau ddim.

Mi fyddwn yn ceisio sgwennu llythyr at Mam a Dad unwaith yr wythnos yn ystod y daith. Roedd y rhyfel erbyn hynny wedi dod i ben felly roedd ganddynt lai i boeni amdano o'r ochr yna, o leiaf. Ond mae'n debyg os byddai'r llythyr yn hwyr yn cyrraedd am ryw reswm y byddai lefel pryder fy mam, yn arbennig, yn dechrau cynyddu. Mae'n anodd credu heddiw fod y syniad o wneud galwad ffôn rhyngwladol yn rhywbeth oedd yn cael ei ystyried yn anhygoel o ddrud ac hefyd yn ofnadwy o drafferthus.

Roeddwn wedi cychwyn y llythyr diweddaraf cyn gadael Athen ond heb ei orffen. Fy mwriad oedd croesi'r ffin i Iwgoslafia unwaith yn rhagor. Roeddwn bellach ar fy ffordd adref er bod hynny'n mynd i gynnwys tair wythnos yn y *colonie de vacances* yng ngogledd Ffrainc.

Ond ar ôl gadael Thessaloniki, roedd y bodio'n mynd yn fwy ac yn fwy llafurus a'r traffig yn teneuo, fel arfer, wrth i'r ffin agosáu – i'r graddau bod gen i amser fwy nag unwaith i ychwanegu ychydig o linellau wrth ddisgwyl i'r car nesaf, neu gerbyd arall o unrhyw fath, gyrraedd. Mi ddois i ar draws y llythyr hwnnw'n ddiweddar ac mae'n darllen yn ddigon difyr, wrth i mi nodi'r tractor a'r ddau geffyl a chert, yn ogystal â'r 12 cilomedr ar droed oedd eu hangen er mwyn cyrraedd a chroesi'r ffin.

Y noson honno, ar ôl diwrnod trwm, llychlyd a chwilboeth, cafwyd parti yn y coed ger y ffin gyda chriw rhyngwladol oedd wedi cael yr un math o broblemau â mi, cyn i storm sydyn wneud i bawb ddifaru nad oeddem wedi trafferthu i godi pabell.

Y bore trannoeth, un syniad oedd ar fy meddwl sef croesi Iwgoslafia ar hyd traffordd Tito cyn gynted ag y gallwn i. Roeddwn wedi llwyddo i fynd heibio i Belgrade cyn iddi nosi, ond wedi methu'n lân a chael lifft ddim pellach na rhyw orsaf wasanaethau. Dyma aros yn y fan honno i gael tamed o fwyd a phenderfynu cymryd y goulash lleol, gan ei fod yn rhad. Ar ôl trio eto am lifft am ryw ddwy neu dair awr, mi ges ar ddeall fod yna fws yn stopio yn y fan honno am hanner nos. Er bod hynny'n mynd yn groes graen mi benderfynais bod yn rhaid defnyddio rhywfaint o 'mhres prin a chymryd y bws hwnnw os byddai 'na le i'w gael. Digwydd bod, roedd hi'n lwcus i mi wneud hynny.

Rhyw awr neu ddwy ar ôl gadael y gwasanaethau a chael fy ngwasgu i mewn gyda'm bag a'm gitâr, dyma'r goulash yn bygwth ail-ymddangos. Wrth i'r munudau fynd heibio, roedd fy mhanig yn tyfu. Gwyddwn fod y bws yma yn *non-stop* i Zagreb ac roedd y gyrrwr yn amlwg yn ceisio torri rhyw record. Roeddwn yn gwasgu cyhyrau na wyddwn am eu bodolaeth er mwyn dal pethau ynghyd ac roedd pethau wir ar fin ffrwydro pan ddigwyddais droi i sbio am yn ôl ar hyd y bws. Wn i ddim be roeddwn i'n disgwyl ei weld, cyfri faint o'r teithwyr oedd yn cysgu falle, neu drio gwneud yn siŵr nad oedd 'na neb yr oeddwn i'n ei nabod fyddai'n dyst i'r llanast oedd ar fin digwydd, ond mi sylwais fod yna, dri chwarter ffordd i lawr y bws, rywbeth a oedd yn edrych fel, y gallasai o fod – tybed? – oedd hi wir yn bosibl? – oedd yn wir mi oedd – yn doilet! Doeddwn i erioed wedi bod ar fws efo toilet o'r blaen, ac felly heb ddychmygu fod y fath beth yn bosibl. Wrth lwc, doedd yna neb arall ar y bws wedi bod yn bwyta'r goulash a fues i erioed mor falch o wthio drws a darganfod bod yr hyn oedd y tu ôl iddo yr union beth roeddwn i'n gweddïo amdano.

Ymhen dau neu dri diwrnod wedyn, roeddwn yn croesi o'r Swistir i Ffrainc ac yn aros mewn hostel yn Belfort. Dwi'n cofio'n glir iawn y teimlad o falchder pan archebais i *steak frites* y noson honno nid yn unig bod fy stumog wedi setlo o'r diwedd, ond mod i wedi cyrraedd adre.

Y noson ganlynol roedd hi wedi tywyllu pan benderfynais osod fy mhabell am y tro olaf mewn cae ar gyrion pentref Domrémy. Fan hyn y ganwyd Jeanne d'Arc, y forwyn a fu'n arwain byddin Ffrainc mewn brwydrau yn erbyn y Saeson yn y bymthegfed ganrif ac a losgwyd ganddynt am ei thrafferth. Mi ges i fy neffro rywbryd yn oriau mân y bore gan y sŵn peirianyddol mwyaf dychrynllyd – rhyw 'wff wff wff' ofnadwy o uchel, ychydig fodfeddi o 'nghlustiau. Roedd o'r math o sŵn y byddech chi'n disgwyl ei glywed petai llong ofod wedi glanio yn eich ymyl – arallfydol, annynol a bygythiol a doedd gen i ddim syniad beth oedd o. Dyma agor *zip* y babell yn ofalus iawn a gwthio 'mhen drwy'r drws. Roeddwn wedi campio mewn cae yn llawn gwartheg. Erbyn hyn roedd hi ar fin gwawrio a'r da yn cael eu brecwast. Mi benderfynais ei bod hi'n amser i minnau gychwyn ar fy nhaith. Unwaith eto.

Yr unig alwad ffôn a wnes i drwy gydol yr holl gyfnod oedd un o'r *colonie de vacances* at fy nhad a mam ryw wythnos cyn gadael y fan honno i ofyn tybed a fyddai'n bosibl i fy nhad ddod i 'nghyfarfod i King's Lynn, gan mai yno yr oedd fy nghês

95

yn mynd i fod, diolch i'r cyfaill o Sais oedd wedi'i lusgo adre ar fy rhan.

Wrth edrych yn ôl ar y daith, mae 'na sawl peth yn fy nharo i. Y cyntaf ydi mai taith Ewropeaidd iawn oedd hi ar wahân i'r ymweliad sydyn â chornel o Asia. Y dyddiau hyn mae pobl ifanc yn treulio blwyddyn cyn neu ar ôl y coleg yn mynd i ben draw'r byd. Maen nhw'n lwcus iawn o fedru gwneud hynny wrth gwrs ond mae'n drawiadol hefyd faint sy'n dewis teithio i wledydd Saesneg eu hiaith, megis America ac Awstralia yn lle teithio ar draws gwlad trwy wledydd lle mae'n rhaid dygymod â iaith wahanol. Er, i fod yn deg, mae teithio i Dde America yn uchel ar y rhestr poblogrwydd y dyddiau hyn, ac mae mwy a mwy yn dysgu rhywfaint o Sbaeneg o'r herwydd.

Wrth gwrs, mae llawer iawn llai o bobl ifanc yn bodio y dyddiau hyn. Fel dangosodd fy mhrofiad i, doedd bodio yn y chwedegau ddim yn gwbl ddiogel, ac mae'n siŵr ei bod hi'n ddoeth i gymryd sylw o'r hanesion achlysurol sy'n ein cyrraedd am ymosodiadau sy'n digwydd yn sgil y fath deithio. Ond mae'r broses o roi eich hun ar drugaredd caredigrwydd pobl eraill yn golygu eich bod yn cael golwg ar ochr orau'r ddynoliaeth, gan weld fod lletygarwch yn elfen sy'n perthyn yn reddfol i'r rhan fwyaf o gymdeithasau, unwaith yr ewch chi o dan yr wyneb a thu hwnt i'r trefniadau masnachol arferol.

Un peth wnaeth y daith i mi oedd plannu'n ddwfn iawn ynof yr awydd i'w hailadrodd ar raddfa lawer mwy. Y freuddwyd oedd gen i oedd prynu Land Rover, ei dodrefnu fel llofft a stafell fyw, a mynd o gwmpas y byd ynddi ar ôl gorffen yn y coleg.

Yn y cyfamser, ar ôl y daith o King's Lynn i Gaerdydd i gael sicrhau fy mam fy mod yn gyfan, a chael golchi 'nillad, dyma'i throi hi am Eisteddfod y Bala a Maes B.

8

Rhydychen

DYDI STORI'R PERSON ifanc o'r 'rhanbarthau' sy'n mynd i Rydychen neu Gaergrawnt ac yn gorfod wynebu math cwbl newydd o gymdeithas ddim yn un newydd, ac nid dyna fy stori innau'n hollol chwaith. Fel arfer y person hwnnw, neu honno, yw'r disgybl cyntaf erioed o'u hysgol i fynd i *Oxbridge* ac mae pob dim yn y fan honno'n gwbl newydd. Y stori fel arfer ydi sut mae'r lle yn eu newid nhw am byth i fod yr hyn fyddan nhw yn ddiweddarach mewn bywyd.

Roeddwn i'n un o 13 o fechgyn o Cardiff High oedd wedi sefyll yr arholiad mynediad ac fe lwyddodd wyth ohonon ni i gael lle. Roedd yna fyrddau anrhydedd ar waliau neuadd yr ysgol yn nodi enwau pawb oedd wedi ennill lle yno ers rhyw ddeugain mlynedd, ac roedd yna ddigon o le gwag arnyn nhw i ychwanegu enwau newydd. A dyna oedd y disgwyl. Er na chawson ni ein hyfforddi mewn techneg cyfweld, roedd hi'n amlwg bod yr athrawon yn gwybod beth oedd y safon academaidd ddisgwyliedig, ac yn gwneud eu gorau i'n galluogi ni i gyrraedd y safon honno. Yn y tymor paratoi ar gyfer yr arholiad, roedd y tri ohonom oedd yn arbenigo mewn Ffrangeg yn cael gwersi penodol gan Wynford Davies, y pennaeth adran, gyda thraethodau anodd i'w hysgrifennu'n rheolaidd.

Yn weddol fuan ar ôl yr arholiad, roedd yn rhaid mynd i gael cyfweliad. A dyna oedd fy mhrofiad cynta' i o Rydychen fel dinas ac fel cysyniad.

Roeddwn i'n ymgeisio am le yng Ngholeg Iesu oherwydd cysylltiadau hanesyddol y coleg hwnnw gyda Chymru. Am wn i fod pawb oedd yn ymgeisio am le yn Rhydychen yn ceisio dod o hyd i ryw ongl neu gysylltiad allai fod yn fanteisiol yn wyneb y gystadleuaeth fawr oedd yna i gael lle. Roedd gan rai ysgolion gysylltiadau hanesyddol gyda cholegau penodol – un Eton efo Christ Church ydi'r un mwyaf amlwg ond roedd yna nifer sylweddol o'r rhain, gan gynnwys er enghraifft gysylltiad Coleg Corpus Christi gydag Ysgol y Porth yn y Rhondda.

Gyrru i Rydychen wnes i a hynny gyda fy ngwynt yn fy nwrn oherwydd mod i wedi mynnu cael chwarae mewn gêm hoci cyn mynd. O ganlyniad, roeddem yn cyrraedd Rhydychen ar ôl iddi nosi. Y broblem gyda cholegau Rhydychen ydi nad ydyn nhw'n teimlo mai eu gwaith nhw yw hysbysebu eu bodolaeth. Maen nhw wedi bod yno ers canrifoedd. Eich gwaith chi fel newyddian a dieithryn yw dod o hyd iddyn nhw os gallwch chi. Mae'n siŵr bod hynny'n rhan o'r prawf i weld os ydych chi'n ddigon deallus i gael bod yn fyfyriwr yno. Bu bron i mi fethu'r prawf hwnnw. Mae canol Rhydychen yn llawn o golegau o'r 16eg a'r 17eg ganrif, ac i'r newyddian maen nhw i gyd yn edrych yr un fath. Yn stryd fechan Turl Street, mae 'na dri choleg, Exeter, Lincoln a Choleg Iesu, ac yn y nos doedd yna ddim byd i ddweud wrthych ymhle yn union oedd y drysau mynediad a pha goleg oedd pa un. Ac roedd hynny cyn sôn am y cwestiwn dyrys o ble roedd rhywun i fod i barcio.

Yn y diwedd, dyma sortio'r dryswch a darganfod mod i i fod i gysgu mewn ystafell yn y coleg a honno'n ystafell oedd yn rhannu lolfa gyda rhywun o'r enw Lieutenant C. Wilson, ond doedd dim golwg ohono.

Daeth cyfle i ddod i adnabod rhai o'r ymgeiswyr eraill dros swper yn y neuadd fawreddog. Wrth gwrs, closio at y triawd o'r un ysgol â mi oeddwn i ar y dechrau, yn ogystal â dau arall roeddwn i'n eu hadnabod, sef Michael Watkins o ysgol arall yng Nghaerdydd a Vivian Davies o Lanelli – y chwaraewr gwyddbwyll.

Wnaeth Lieutenant Wilson ddim ymddangos tan ar ôl i mi fynd i 'ngwely ond tua hanner nos dyma fo i mewn, fel creadur o blaned arall. Dyma ddarganfod ei fod rai blynyddoedd yn hŷn na mi, yn filwr gyda'r Ghurkas, wedi bod yn Sandhurst a rhyw ysgol fonedd ac yn siarad Saesneg *far back* eithaf mawreddog i 'nghlustiau Caerdydd i, p'un bynnag. Y noson ganlynol, wrth i griw ohonom, ac yntau yn ein plith, sgwrsio, roedd pawb yn dechrau datgelu ychydig o'u cefndir. Roedd y rhan fwyaf ohonom yn y grŵp yn fechgyn ysgolion gramadeg, felly Chris Wilson oedd yr *exotic* yn ein plith, yn fwy fyth felly gan ei fod yn filwr proffesiynol ers rhai blynyddoedd. Y Fyddin oedd yn trefnu iddo gael lle yn Rhydychen fel rhan o gynllun arbennig oedd ganddyn nhw. Wrth ei holi a'i stilio ynglŷn â'i fywyd fel milwr, dyma Viv Davies yn gofyn y cwestiwn plaen *'have you ever killed anyone?'* Saib; distawrwydd dros yr ystafell ac yna yr ateb diymffrost ond yr un mor blaen, *'well yes actually'.*

Doedd hi ddim yn glir i ni ar ba sail y byddai Chris yn gallu cael mynediad. Doedd hi ddim yn ymddangos fod ganddo fawr o Lefel A gwerth sôn amdano. Er ei fod yn ymgeisio am le ar yr un cwrs â mi, sef ieithoedd modern, doedd o ddim wedi astudio testunau roedden ni'n disgwyl cael ein holi amdanyn nhw. Roedd o'n anifail mor wahanol i ni ag y gallech chi ei ddychmygu. Doeddwn i a'm ffrindiau ddim yn gweld sut y galle fo haeddu lle yn y coleg, ond y mis Hydref canlynol, dyna lle'r oedd o, erbyn hynny wedi ei ddyrchafu yn Captain Christopher Wilson. Yn ystod ei dair blynedd, wnaeth o ddim gweithio'n galed a dweud y lleiaf. Roedd o'n aml yn llwyddo i ymddiheuro nad oedd ei draethawd yn barod, gyda'i *charm* a'i *logic* rhesymol arferol; roedd o'n cymysgu gydag aristocratiaid y colegau cyfoethog a phob penwythnos fe fyddai'n diflannu hefo nhw i Lundain neu'r *Home Counties.* Er hynny, roedd ganddo'r ddawn fawr o astudio rhyw bwnc yn ddwys iawn am gyfnod byr a medru traethu'n ddeallus arno'r bore trannoeth. Mi fyddai'r tiwtor yn dweud am rai o'i draethodau *'that's very insightful, Wilson',* ac ar ddiwedd y drin fe gafodd radd ddigon tebyg i'r un ges i.

Pan wnes i ei gyfarfod mewn aduniad rai blynyddoedd yn

ddiweddarach, roedd yn siomedig i glywed na ches i ddosbarth cyntaf, gan ei fod o wedi fy nghlustnodi i fel un o'r '*swots*', yn yr un modd cyfeiliornus ag yr oeddwn i wedi ei glustnodi o fel un o'r '*chancers*'. Doedd ganddo fo ddim syniad am fy mywyd arall i, dim mwy nag oedd gen i syniad am ei fywyd arall o. Fuon ni erioed yn ffrindiau, ond am wn i fod yna ryw barch pell at ein gilydd fel cynrychiolwyr diwylliannau cwbl wahanol oedd yn digwydd cwrdd ar dir niwtral. Fe ddysgodd y berthynas i mi i beidio rhuthro i farnu pobl yn ôl fy rhagfarnau. Clywais iddo, ar ôl gadael y fyddin, fynd i weithio yn y Ddinas ac iddo'n ddiweddarach weithio ar lefel uchel i Salomon Brothers yn Efrog Newydd. Mae'n siŵr iddo wneud pres mawr. Ond yn 2008, Salomon Brothers oedd un o'r enwau mawr aeth i'r wal adeg y creisis ariannol. Ie, pwy a ŵyr?

Ar ôl cael y telegram hanesyddol ychydig cyn y Nadolig yn dweud mod i'n cael cynnig lle, un mater oedd angen ei benderfynu oedd pa bwnc yn union oeddwn i'n mynd i'w astudio. Roedd hi'n arferol yn yr adran Ieithoedd Modern i astudio dwy iaith ac roedd yn rheidrwydd gwneud hynny am y ddau dymor cyntaf, ar gyfer yr arholiadau *prelim*. Mi allech fodd bynnag wneud gweddill eich gradd trwy ganolbwyntio'n ddwys ar un iaith a'i llenyddiaeth yn unig. Oherwydd fy agwedd negyddol tuag at Mr Wanger, dim ond Ffrangeg oedd gen i at Lefel A. Roedd fy Almaeneg a Rwsieg Lefel O yn wan ac fe fyddai gen i waith mawr dal i fyny pe bawn yn dewis un o'r rheini. Felly dyma ysgrifennu at bennaeth yr adran Ieithoedd Modern yn y coleg i ofyn cyngor gan holi oni fyddai dilyn dwy iaith fodern yn fwy defnyddiol fel cymhwyster ar gyfer swydd yn y dyfodol. Roedd gen i erbyn hynny syniad efallai mai mynd i'r maes cyfieithu y byddai rhywun yn ei wneud gyda gradd mewn iaith dramor, ac efallai mod i wedi dweud hynny.

Daeth yr ateb yn ôl gan fynegi agwedd Rhydychen at yr addysg oedd yn cael ei darparu yno, mewn modd clasurol. Ni ddylid, meddai Mr Barlow, edrych ar gwrs gradd Rhydychen fel cymhwyster ar gyfer gyrfa. Yn hytrach, dylid ei ystyried fel cymhwyster ar gyfer bywyd ac yn hynny o beth, doedd hi fawr o bwys pa bwnc roeddech chi'n ei astudio, dim ond i chi ddangos y gallu i gael y gorau o'r profiad ac o'r heriau fyddai'n eich wynebu wrth ei ddilyn.

Roedd hynny'n ddigon plaen, onid oedd? Felly, gan ei fod yn opsiwn, dyma benderfynu mai fy ail bwnc ar gyfer y ddau dymor cyntaf fyddai Lladin. Er i hynny olygu i mi ddod i adnabod un o ffigyrau chwedlonol Rhydychen yn y cyfnod, sef y Dr John G. Griffith, neu 'Johnny G' fel y byddem yn cyfeirio ato, y gŵr oedd â'r cyfrifoldeb o gyfansoddi areithiau Lladin ar gyfer digwyddiadau cyhoeddus y Brifysgol a phersonoliaeth oedd yn *throwback* go iawn i ryw oes a fu – y gwir oedd mai tipyn o lafur caled oedd Lladin gen i. Hyd heddiw, rydw i'n difaru nad oedd y system addysg yn ei gwneud hi'n bosibl i ni wneud Eidaleg neu Sbaeneg yn yr ysgol ac wedyn troi at Ladin yn nes ymlaen pe baem yn dymuno gwneud hynny, yn hytrach na'r gwrthwyneb. Mae fy Lladin i heddiw, er gwaethaf saith mlynedd o addysg yn y pwnc, yn wan iawn, tra dwi'n siŵr y byddwn erbyn hyn yn bur rhugl yn un o'r ieithoedd modern eraill, pe bawn wedi treulio'r un faint o amser yn ei hastudio.

Doedd Coleg Iesu ddim yn un o'r colegau mwyaf *public school*. Er hynny roedd yna ambell i sioc yn fy nisgwyl. Y diwrnod cyntaf un, roeddwn yn setlo yn fy stafell newydd pan glywais sŵn canu emynau Cymraeg yn dod o'r llawr uwch fy mhen. Roedd hyn yn amlwg i mi yn arwydd o gyd-wladwr oedd yn benderfynol o fynegi ei Gymreictod yn y cadarnle Seisnig yma. Mi wnes i gynhyrfu digon i benderfynu trio gweld o ba ystafell yr oedd y canu yma'n dod. Dyma ffeindio'r drws, cnocio a chyfarch y bachgen wnaeth agor i mi – yn Gymraeg wrth gwrs.

Tipyn o siom felly oedd cael fy ateb yn Saesneg gan fachgen a oedd yn digwydd bod yn dod o Gaerdydd hefyd, ond yn un yr oedd ei rieni wedi ei anfon i ysgol fonedd Rugby ar gyfer ei addysg. Roedd un neu ddau o ffrindiau Stephen o Rugby yn yr ystafell hefo fo, a chwarae'r record *Mil o Leisiau o'r Albert Hall* oedden nhw fel rhyw fath o ddatganiad diwylliannol cymhleth, hanner eironig, oedd yn deillio o'r ethos a'r cymhlethdodau ysgolion bonedd mewn ffordd y cymerodd hi'n hir iawn i mi eu deall. Doedden nhw ddim yn gwneud hwyl am ben y canu yn hollol, ond doedden nhw ddim yn uniaethu hefo fo chwaith. Rhyw eitem amgueddfa ddiddorol, mewn cyd-destun diddorol a pherthnasol (sef Coleg Iesu) oedd hyn iddyn nhw.

Ond yr hyn a ddaeth hefyd yn amlwg yn ystod y dyddiau a'r wythnosau nesaf oedd i ba raddau roedd y bechgyn ysgol bonedd yma yn llithro mor rhwydd o'r ysgol i Rydychen ac yn mynd â'u diwylliant hefo nhw mor ddidrafferth. Rwy'n siŵr y byddai yna gryn 25 o gyn-ddisgyblion Rugby mewn gwahanol golegau ar hyd a lled y Brifysgol, ac fe fyddai'r un peth wedi bod yn wir am gyn-ddisgyblion y prif ysgolion preswyl eraill. Dyma oedd eu haddysg gostus wedi'i addo iddyn nhw ac fel hyn roedd pethau i fod. Llundain, y Ddinas, y Senedd, y proffesiynau, fyddai'r cam nesaf ac roedd llawer ohonyn nhw â syniad eithaf da'n barod o'u llwybr i gyrraedd yr uchelfannau yn y llefydd hynny.

Mae'r broses o ffeindio'ch traed mewn unrhyw sefyllfa newydd yn gallu bod yn fwy diddorol, wrth edrych yn ôl, na'r cyfnod pan rydych chi wedi canfod eich lle o fewn y sefydliad hwnnw, os ydych chi'n lwcus. Mae 'na wrthdaro o wahanol fathau, mae yna gamau ymlaen a chamau yn ôl, mae yna addasu, mae yna gleisio. Mae dyddiau cyntaf coleg neu brifysgol yn enghraifft arbennig o hyn. Y rhan fwyaf o bobl oddi cartref am y tro cyntaf ac felly'n rhydd o oruchwyliaeth rhieni. Y rheolau ymddygiad yn llawer llacach ac, yn arbennig felly yn Rhydychen, y gofynion o ran dilyn amserlen benodol yn wan iawn. Roeddech chi i fod i ffeindio'ch ffordd eich hun; roeddech chi i fod i ddarganfod os oeddech chi'n gallu sefyll ar eich traed eich hun; roeddech chi i fod i drio pethau newydd a phan oeddech chi'n methu, roeddech chi i fod i ddysgu'r gwersi priodol a symud yn eich blaen.

Ym mhob coleg yn Rhydychen mae yna ystafell gyffredin

ar gyfer y myfyrwyr sy'n gwneud eu gradd gyntaf, sef y *junior common room* (JCR). Yng Ngholeg Iesu, dwy stafell yng nghornel yr ail *quad* oedd y JCR. Roedd yna soffas ac ychydig o fyrddau; roedd yna deledu mewn un gornel ac roedd yna hefyd gownter lle byddai'n bosibl archebu te a thôst pan fyddai'n amser te. Yno hefyd, ar ddiwedd pob noson, y cynhelid yr ysgolion cardiau.

Roeddwn wedi chwarae tipyn o gardiau yn yr ysgol. A dweud y gwir, un o'r digwyddiadau wnaeth daflu cysgod dros ddiwedd yr ail flwyddyn yn y Chweched oedd i mi a Jim Coleman, y ddau ohonom yn *brefects* ac felly'n gynrychiolwyr safonau'r ysgol, gael ein dal yn chwarae cardiau yn ystafell y *prefects*. Roedd Mr Wilmot yr athro Saesneg yn ddyn tal iawn gyda meddwl mawr ohono'i hun, heb lawer o reswm dros hynny. Byddai'n arfer gan y rhan fwyaf o'r athrawon, pe byddai angen iddynt ddod i mewn i ystafell y *prefects* am ryw reswm, ddangos eu parch drwy gnocio'r drws yn gyntaf. Doedd Mr Wilmot ddim yn un i wneud hynny. Roedd Jim a mi ar ein pennau'n hunain yn ystod gwers rydd gyda chardiau o'n blaenau ni a phentwr bychan o ddimeiau a cheiniogau – *stakes* gwirioneddol fach oedd yn rhoi rhyw liw i'r gêm. Heb rybudd dyma Wilmot i mewn ac yn sylwi ar unwaith beth oedd ar waith. Geiriau fel 'cywilydd' a 'gwarth' yn cael eu taflu atom a ninnau, yn *brefects*, yn cael ein hanfon i sefyll y tu allan i ddrws y prifathro – rhywbeth oedd heb ddigwydd i ni ers tua phum mlynedd. Yr hyn oedd yn waeth oedd bod hyn yn digwydd yn ystod wythnos olaf ein prifathro yn ei swydd. Roeddem yn cael ein tynnu rhwng yr ymwybyddiaeth o'r siom y byddai hyn yn ei sbarduno ynddo tuag atom ni, a theimladau hynod o flin tuag at Mr Wilmot am wneud môr a mynydd o rywbeth mor fach. Drwy lwc, ein gyrru oddi yno yn weddol ddiseremoni wnaeth y prifathro a fu dim mwy o sôn am y peth.

Yn yr ysgolion cardiau hynny yn yr ysgol, fodd bynnag, roeddem wedi dechrau chwarae math o *poker* o'r enw *three card brag*. Roedd hon yn gêm roedd yn rhaid cael rhywbeth go iawn i fetio hefo fo neu mi fyddai'n ddiystyr. Roedd yn dibynnu'n llwyr ar gyfuniad o blyff a seicoleg. Dyma hefyd oedd gêm y JCR yn y coleg. Ar ddechrau'r tymor, roedd holl grant y Cyngor ar gyfer y tymor cyfan yn cael ei dalu i mewn i'ch banc. Yr adeg honno o'r flwyddyn felly, roedd gan fyfyrwyr bres yn eu pocedi a phres ar y bwrdd ar gyfer y gêm. Mi ddechreuais i chwarae gan ennill a cholli ychydig, fel y byddai rhywun, ond un noson yn gynnar iawn yn y tymor cyntaf hwnnw, mi gollais saith bunt mewn noson. Rhyw £100 oedd y cyfanswm roeddech chi'n ei gael o grant am dymor, felly roedd £7 yn swm sylweddol iawn. Neu felly roedd hi'n teimlo i mi o leiaf, oherwydd mi es i i 'ngwely'r noson honno yn trio dadansoddi beth oedd wedi mynd o'i le. Y casgliad y does i iddo oedd bod gamblo yn gêm beryg, yn wir yn rhy beryg i botsian hefo hi ac mi benderfynais y noson honno na fyddwn yn cael dim mwy i'w wneud â'r peth.

Mae'n fy nharo i hyd heddiw mai peth gwirion iawn yw gamblo yn y gobaith o ennill pres, oni bai fod gennych chi le cryf iawn i gredu bod gennych wybodaeth arbennig am y pwnc dan sylw. Mater arall ydi rhoi rhyw swllty ar y Grand National. Hwyl ydi hynny, wrth gwrs.

Yn anffodus, roedd yna fwy nag un o'r bechgyn ifanc yna yn y coleg wnaeth ddim dysgu'r wers honno. Roedd yna chwaraewyr caled a galluog o gwmpas y lle a synnwn i ddim nad oedd rhai ohonyn nhw'n disgwyl yn eiddgar am ŵyn newydd y flwyddyn gyntaf i ddod i'r lladdfa. Mi wnaeth un o'r bechgyn roeddwn i'n ei adnabod yn dda golli ei grant am y tymor yn yr ystod yr wythnos gyntaf ac mewn cyfnod diweddarach, mi wnaeth 'na un arall golli swm hyd yn oed yn fwy a mynd i ddyled sylweddol.

Ar wahân i'r golled iddyn nhw, y tristwch mwyaf oedd yr effaith roedd hyn yn ei gael ar y canfyddiad oedd 'na ohonyn nhw ymysg y myfyrwyr eraill. Yn un peth, oherwydd nad oedd ganddyn nhw bres ar ôl, doedden nhw ddim yn gallu prynu rownd wrth y bar; roedden nhw'n gofyn am fenthyciadau ac weithiau ddim yn eu talu'n ôl. Maes o law, fydden nhw ddim yn talu biliau llety, neu daliadau am bethau eraill oedd i fod i gael eu rhannu. Yn raddol, roedden nhw'n troi yn bobl roedd angen eu hosgoi. Ac roedd y rhain, yn aml, yn fechgyn oedd wedi gadael eu hysgol fel sêr academaidd mwyaf disglair eu blwyddyn. Y rhan fwyaf o'r amser, doedd yr hyn oedd yn eu disgwyl mewn bywyd ddim yr hyn roedden nhw wedi ei obeithio wrth ennill lle yn y fath sefydliad.

Roedd alcohol yn gallu bod yn broblem arall. Unwaith eto, roedd y cyfuniad o ryddid, arian parod a'r ffaith ei fod ar gael yn hawdd yn demtasiwn gref iawn. Yn fy nghyfnod i, ac yn y coleg lle'r oeddwn i, neu o leiaf yn y cylchoedd yr oeddwn i'n troi ynddyn nhw, doedd cyffuriau ddim yn broblem amlwg. Roedd diwylliant seicedelig diwedd y chwedegau yn amlwg yn y cefndir. O fewn tymor roedd y bechgyn ifanc taclus oedd yn cael tynnu'u llun fel grŵp o newydd-ddyfodiaid yn yr wythnos gyntaf wedi troi yn flêr a hirwallt. Roedd gen i boster efo rhyw siapiau cymhleth arno ar y wal, oedd yn awgrymu fod yr artist wedi bod ar yr LSD ond rhyw *gesture* oedd hwnnw gen i yn fwy nag arwydd o unrhyw beth go iawn.

Y tristwch oedd mai, ar y cyfan, y bechgyn o gefndir ysgol ramadeg oedd yn cael eu llorio gan y gamblo a'r ddiod, tra roedd hunanhyder ac efallai gylchoedd gwarchod cryfach hogiau'r ysgolion bonedd fel petai yn ei gwneud hi'n haws iddyn nhw hwylio drwy'r cyfan, a blasu'r cyfan hefyd, heb golli gafael yn llwyr yn y canllaw oedd yn eu cynnal.

Mater arall hyd yn oed yn dristach oedd y pwysau roedd y drefn academaidd yn Rhydychen yn gallu ei roi ar bobl.

Yn absenoldeb trefn gadarn o fynychu darlithoedd ac ati, yr hyn oedd yn gyrru myfyrwyr ifanc oedd cystadleuaeth a hunan-barch. Dydw i ddim am fychanu systemau addysg prifysgolion eraill, gan nad oes gen i ddigon o brofiad ohonyn nhw, ond mae pawb sydd wedi bod drwy system *Oxbridge* yn cydnabod bod y pwysau academaidd o fewn y tymhorau cymharol fyr o wyth wythnos ar y tro, yn gallu bod yn rhyfeddol o drwm. O'r cychwyn cyntaf, roedd angen cynhyrchu traethawd wythnosol, gan ddarllen neu o leiaf sgimio rhyw hanner dwsin neu fwy o lyfrau ar gyfer gwneud hynny. Yn fy mhythefnos cyntaf, fe wnes i ddilyn yr un drefn ag oedd gen i yn yr ysgol, sef sgwennu'r traethawd ac yna ei ail gopïo yn daclus cyn ei gyflwyno. Aeth y drefn honno i'r bin yn fuan iawn.

Erbyn yr ail flwyddyn roeddwn wedi darganfod mai'r ffordd orau oedd treulio'r tri diwrnod cyntaf yn darllen a chopïo dyfyniadau; ar ôl amser te ar y diwrnod olaf mi fyddwn yn trio cael siâp ar benawdau fy nhraethawd ac yn mynd yn ôl dros fy nodiadau i ddethol dyfyniadau. Nôl i'r coleg i gael swper am 7 a dechrau sgwennu tua 8 o'r gloch ac ymlaen tan 2 o'r gloch y bore. I 'ngwely bryd hynny gyda'r cloc larwm wedi'i osod am 6 o'r gloch, gan anelu at orffen y traethawd rhwng 6 ac 8 y bore canlynol. Brecwast am 8, tacluso fymryn a chnoc ar ddrws y tiwtor am 10 o'r gloch. Un fantais o orfod darllen traethawd yn hytrach na'i gyflwyno yn ysgrifenedig oedd bod yna well siawns y byddwn i fy hun yn gallu darllen yr ysgrifen roeddwn wedi'i chynhyrchu dan y fath amgylchiadau, nag a fyddai gan unrhyw diwtor.

Yn ogystal â'r traethawd, roedd angen gwneud cyfieithiad o Ffrangeg i Saesneg ac un arall o Saesneg i Ffrangeg bob wythnos. Unwaith y tymor fe fyddai yna draethawd yn Ffrangeg ar ryw bwnc penodol – fel arall yn Saesneg y byddai'n holl draethodau ni yn cael eu cyfansoddi. Yn y flwyddyn olaf, roedd yna bwnc arbennig ar ben y gwaith arall felly am ddau dymor roeddech chi'n sgwennu, ar gyfartaledd, draethawd a hanner bob wythnos, gyda'r un disgwyliadau ond heb fwy o amser.

Mi roedd 'na lawer o fyfyrwyr yn Rhydychen yn gweithio yn anhygoel o galed. Roedden nhw yn llyfrgell y coleg hyd at yr oriau mân; yn yr un modd ar ddydd Sadwrn a dydd Sul. Mi wnaeth fy nghyfaill Vivian, ar ôl penderfynu newid o astudio'r Clasuron i astudio Eifftoleg, sylweddoli mai dim ond rhyw bum swydd mewn Eifftoleg oedd yna ym Mhrydain gyfan ac i gael unrhyw obaith am un o'r rheini mi fyddai'n rhaid iddo fod wedi cael gradd dosbarth cyntaf. O'r ail flwyddyn ymlaen mi wnaeth o fwrw iddi â'i waith coleg mewn modd disgybledig dros ben. Ugain mlynedd yn ddiweddarach, daeth yn Guradur yr Adran Eifftoleg yn yr Amgueddfa Brydeinig.

Dwi'n meddwl mai tymor yr arholiadau terfynol oedd un o'r pethau mwyaf anodd a dwys i mi fynd drwyddo yn fy mywyd. Un o fanteision hyfryd system Rhydychen oedd nad oedd yna unrhyw arholiadau rhwng y *prelims* oedd yn digwydd ar ddiwedd eich ail dymor a'r ffeinals oedd yn digwydd ar ddiwedd y drydedd flwyddyn. Roedd hyn yn golygu fod yr ail flwyddyn yn un oedd yn gallu bod yn rhydd o bob straen arholiadol. Os oeddech chi wedi pasio'ch *prelims*, roeddech chi drwy'r giât, ac yn iawn tan y ffeinals. Roedd tymor haf yr ail flwyddyn yn un arbennig o ddymunol. Roedd yna rasys cychod rhwng y colegau ar yr afon, roedd yna *May Balls* i'w mynychu os oedd gynnoch chi ddigon o bres, ac roedd gan bob coleg drefniant efo cwmni *punts*, fyddai'n rhoi cyfle i fyfyrwyr logi un o'r cychod gwaelod fflat peryglus hyn am awr neu ddwy. Roedd yr holl ddinas, gyda'i pharciau niferus, ei phensaernïaeth, a'r afon, yn baradwysaidd yn ystod Mai a Mehefin.

Y pris i'w dalu oedd bod yn rhaid i chi yn eich tymor olaf adolygu popeth roeddech chi wedi'i wneud ers trydydd tymor y flwyddyn gyntaf. Roedd 'na 14 o bapurau ac yn y maes ieithoedd modern, llenyddiaeth o wahanol gyfnodau oedd y mwyafrif dan sylw. Felly roedd rhywun yn ceisio ail-ddysgu bron holl lenyddiaeth Ffrainc o'r 11eg Ganrif tan 1914, gan geisio rhoi ar gof a chadw dalpiau o ddyfyniadau fyddai'n debyg o wneud argraff ar yr arholwyr – yn ogystal ag awgrymu eich bod wedi eu darllen yn y lle cyntaf. Roedd hi'n straen ac roedd yn hawdd iawn i chi fynd i gredu na fyddech chi byth yn dod i ben â'r holl waith. Mi ddois o fy arholiad olaf un yn gwbl gatatonig a bu'n rhaid i mi gerdded yn araf o gwmpas rhai o'r strydoedd er mwyn *decompression*, a hyn er gwaetha'r ffaith fod gen i westai wedi dod i lawr o Fangor ac yn disgwyl amdana' i yng

Ngholeg Iesu. Mi fethais ag egluro'n iawn pam ei bod wedi cymryd cymaint o amser i mi ddod i chwilio amdani.

Ar y cyfan, mi rydw i'n teimlo pwysau, ond yn llwyddo i ddygymod ag o yn weddol dda. Roedd yna nifer nid ansylweddol o fyfyrwyr Rhydychen oedd ddim yn pasio'r prawf. Roedd yna fachgen o Ogledd Lloegr oedd yn gwneud Ffrangeg yn yr un flwyddyn â mi ac yn byw mewn stafell uwch fy mhen. O'r ail dymor ymlaen, roedd hi'n amlwg nad oedd Peter yn gyfforddus efo'r gwaith. Roedd o'n ieithydd galluog iawn; roedd ganddo ddawn naturiol yn hynny o beth ac roedd popeth oedd yn ymwneud â'r iaith yn dod yn rhwydd iddo. Ond doedd o ddim yn dygymod yn dda â'r dadansoddi llenyddol oedd ei angen yn sgil ffordd Rhydychen o astudio'r pwnc. Roedd hi'n anodd i'r tiwtor hefyd oherwydd roedd yn rhaid iddo fo geisio dangos beth oedd diffygion traethodau Peter ond wrth wneud hynny, roedd hunanhyder y bachgen yn mynd yn is. Byddem yn trafod hefo fo bob hyn a hyn ac yntau'n awyddus i wybod mwy am sut oedden ni'n ymdrin â'r pynciau yma ond doedd natur y lle ddim yn cynnig ei hun i neb roi braich rownd ei ysgwydd a'i helpu fel roedd ei angen.

Y gwir trist a syml oedd nad oedd cwrs Rhydychen yn addas ar gyfer Peter. Byddai wedi blodeuo mewn nifer fawr o sefydliadau eraill fyddai wedi rhoi mwy o werth ar y ddawn naturiol oedd ganddo i drin iaith dramor, ond roedd o wedi cael ei wthio i ymgyrraedd at y 'pinacl' addysgiadol honedig yma a wnaeth neb feddwl ei ddargyfeirio.

Yn ystod ei drydedd flwyddyn, aeth Peter fel y rhan fwyaf o'r myfyrwyr ieithoedd i dreulio blwyddyn yn Ffrainc a dwi'n tybio ei fod wedi cael blas ar y cyfnod hwnnw. Doeddwn i fy hun ddim wedi dewis yr opsiwn hwnnw gan fod pethau mor brysur yng Nghymru ar y pryd. Felly erbyn i Peter a gweddill y flwyddyn ddod yn ôl am eu blwyddyn olaf, roeddwn i wedi gadael. Rywbryd tua diwedd ei drydedd flwyddyn, clywais fod Peter wedi cymryd ei fywyd ei hun. Trwy gydol fy amser yn Rhydychen, roedd rhywun yn clywed am fyfyrwyr o golegau eraill oedd wedi cael eu cymryd i'r Radcliffe Infirmary oherwydd rhyw fath o dorri lawr meddyliol, a nifer ohonyn nhw yn eistedd eu harholiadau terfynol yn yr ysbyty. Ond dyma'r tro cyntaf i'r pwysau yma gael ei amlygu i mi mewn ffordd mor uniongyrchol bersonol. Mi fyddwn am flynyddoedd yn cael hunllef am arholiadau, a'r un un oedd hi bob tro, sef fy mod wedi cael fy nerbyn i wneud rhyw radd ychwanegol yn Rhydychen ond bod gwaith a bywyd bob dydd wedi dod ar ei draws a mod i bellach yn gorfod mynd yn ôl i'r coleg i sefyll yr arholiad heb wneud unrhyw waith o gwbl ar ei gyfer. Mi fydda' i wastad yn deffro pan fydda' i'n cyrraedd y pwynt yn y freuddwyd o orfod penderfynu beth i'w wneud. Mi fydda' i'n aml iawn yn meddwl hefyd am Peter druan a'r hyn y byddai o wedi gallu ei wneud mewn bywyd pe bai'r system wedi bod yn garedicach.

Yn fy mlwyddyn gyntaf, yn arbennig, roedd Cymdeithas Dafydd ap Gwilym wedi bod yn dipyn o angor yng nghanol y môr o ddieithrwch. Ymysg y rhai oedd yn aelodau yr un pryd â mi yr oedd Elan Closs Stephens, Emyr Daniel, Elin Jones yr hanesydd, Meirion Pennar a Hugh Evans. Ar ôl y cyfarfod cyntaf dan lywyddiaeth Idris Foster, yr Athro Celtaidd, byddai'r cyfarfodydd yn ddigon bychan o ran nifer i'w cynnal yn ystafelloedd yr aelodau gan deithio o gwmpas y colegau. Roedd y cinio Gŵyl Ddewi blynyddol yn gallu bod yn gofiadwy. Roedd yna ddisgwyl i'r swyddogion wneud areithiau doniol ac roedd y siaradwr gwadd fel arfer yn ffigwr adnabyddus ym mywyd Cymru. Dwi'n cofio'n glir neges yr Athro Geraint Gruffydd un flwyddyn. Ei gymhelliad taer, er mwyn sicrhau dyfodol y Gymraeg, oedd 'priodwch Gymry!'

Roedd Idris Foster, chwarae teg, yn un da iawn am gadw llygad ar fyfyrwyr Cymraeg Coleg Iesu a chymryd diddordeb yn eu hynt a'u helynt yn enwedig gan fod hwn yn gyfnod pan oedd gweithgareddau ac achosion llys Cymdeithas yr Iaith yn niferus iawn. Un dydd cefais neges ei fod am fy ngweld yn ei ystafell. Roedd newydd gael ei gopi o'r *Cymro* ac mi fynnodd fy mod yn adrodd iddo benillion fy nghân 'Paid Digalonni' oedd newydd gael dipyn o sylw yn sgil carcharu Dafydd Iwan. Mae'n siŵr bod Idris yn ddigon ymwybodol o'r holl waith teledu yr oeddwn i'n ei wneud ac am wn i y gallai'r coleg fod wedi gwneud rhywbeth i'm rhwystro. P'un bynnag, naill ai mi'i cadwodd o'n dawel, neu roedd *extra curricular activities* yn cael eu hystyried gan y coleg yn rhan o'r profiad roedden nhw'n ei gynnig a ches i ddim problem o'r ochr honno.

Mi fachais y cyfle i wneud papur ychwanegol mewn llenyddiaeth Gymraeg yn y flwyddyn olaf. Roeddwn am astudio'r Nofel Gymraeg, gan bod gennych yr hawl ffurfiol i gynnig pwnc o'ch dewis eich hun ond cael fy nghyfeirio i'r llwybr cul ges i gan yr Athro ac felly dyma dreulio dau dymor yn astudio'r Mabinogi a'r chwedlau eraill, a chael blas arnynt, fel mae'n digwydd. Yr un frwydr fach y gwnes i ei hennill oedd mynnu mod i'n cael ysgrifennu fy nhraethodau iddo yn Gymraeg. Roeddwn yn ymwybodol nad oeddwn wedi arfer ysgrifennu fawr ddim Cymraeg ers blynyddoedd a bod gen i le i wella, felly byddai'n ymarfer da. Derbyniodd Idris Foster yr awgrym ond gan fy rhybuddio y byddai'n rhaid i mi wneud y papur yn yr arholiadau terfynol yn Saesneg. Doedd dim dianc rhag hynny.

Roedd diwedd y chwedegau, wrth gwrs, yn gyfnod hynod o gythryblus mewn prifysgolion ar draws y byd. Yn Strasbourg yn 1967 roeddwn wedi gweld tipyn o'r math o gynnwrf ymhlith myfyrwyr arweiniodd y flwyddyn ganlynol at ymgais myfyrwyr Paris i greu chwyldro; roedd protestiadau yn erbyn Rhyfel Fietnam yn dechrau digwydd ar draws y byd ac yn Rhydychen bu gwrthdystio cryf adeg ymweliad Enoch Powell yn sgil ei araith yn bygwth afonydd gwaed oherwydd mewnfudo.

Roedd hefyd yn gyfnod o brotestio yn erbyn llawer o arferion a defodau'r Brifysgol ei hun. Fel Trysorydd y JCR, bûm yn rhan o gyfres o drafodaethau gydag awdurdodau'r coleg lle buom yn awgrymu newidiadau eithaf radical yn nhermau Rhydychen. Yn eu plith, roedd cais i hepgor yr angen i wisgo gŵn ar gyfer swper yn y coleg, a hefyd, yr angen i'r myfyrwyr godi ar eu traed pan fyddai'r *dons* yn dod i mewn i gymryd eu lle wrth yr *high table*. Cyndyn wrth gwrs oedd yr awdurdodau i gytuno i'r newidiadau hyn ond oherwydd bod yna wastad ddadleuon rhesymol yn cael eu cyflwyno o'u plaid, roedden ni'n tueddu i ennill y dydd yn raddol ar y rhain, ond yn colli ar rai eraill megis dadlau yn erbyn codi ffioedd. Dwi'n cofio'r teimlad rhyfedd iawn y tro cyntaf y bu i ni barhau i eistedd pan gerddodd y *dons* i mewn. Distawrwydd llethol a phawb yn sbio ar ei gilydd â rhyw biffian chwerthin dan ein gwynt.

Roedd yna un newid pellgyrhaeddol gafodd ei gychwyn yn y cyfnod hwnnw a dwi'n meddwl fod gan JCR Coleg Iesu le i gymryd llawer o'r clod amdano. Doedd treulio tair blynedd neu fwy mewn coleg ar gyfer dynion yn unig, a hynny yn aml ar ôl saith neu wyth mlynedd mewn ysgol i fechgyn, ddim yn arwain at fagu cenhedlaeth oedd yn gallu ymwneud yn naturiol a chartrefol gyda merched mewn sefyllfaoedd cymdeithasol o unrhyw fath. Roedd yr holl beth yn teimlo, fel cymaint o bethau eraill ynglŷn â'r brifysgol a'r coleg, yn hen ffasiwn ac adweithiol. Pleidleisiodd y JCR o blaid ymgyrch i droi Coleg Iesu yn goleg cymysg.

Fe gyflwynon ni ein dadleuon i'r awdurdodau mewn sawl cyfarfod. Roedd rhai o'r *dons* yn ffyrnig yn erbyn. Un o'r dadleuon a gyflwynwyd i ni mewn un cyfarfod oedd '*You do realise of course that if women had been allowed to apply, some of you might not be here now.*' Roedd hynny'n ffeithiol gywir ond doedd hi ddim yn ddadl oedd yn mynd â chi'n bell iawn.

Flwyddyn neu ddwy ar ôl i mi adael, roedd yn dda iawn gen i glywed bod Coleg Iesu ymysg y chwe choleg oedd wedi derbyn yr argymhelliad oedd yn cael ei alw yn *Habbakuk Memorandum* i gyflwyno nifer cyfyngedig o ferched fel arbrawf. Yr Athro John Habbakuk oedd Prifathro Coleg Iesu a'r gŵr oedd yn eistedd yr ochr arall i'r bwrdd pan oedden ni'n cyflwyno ein dadleuon iddo. Bu'r arbrawf yn llwyddiannus ac o fewn ychydig o flynyddoedd, roedd mwyafrif llethol colegau Rhydychen yn dilyn enghraifft Coleg Iesu ac wedi mynd yn *co-ed.*

Erbyn i mi adael coleg, roeddwn i wedi arfer tipyn go lew gyda phrotestiadau Cymdeithas yr Iaith yn ôl yng Nghymru, ac wedi arfer gyda'r ddisgyblaeth o beidio ymateb i wrthwynebwyr a pheidio gwrthsefyll yn gorfforol unrhyw ymdrech i'ch symud chi o'r sefyllfa, os mai protest eistedd i lawr oedd hi. Ym mhrotestiadau Cymdeithas yr Iaith roedd yna ddisgyblaeth dda a pharodrwydd i dderbyn y canlyniadau. Fe fuodd 'na hefyd yn yr un cyfnod brotestiadau yn Rhydychen ynglŷn â gwahanol bethau yn ymwneud â rheolau'r brifysgol. Roedd y rhain yn tueddu i greu arweinwyr ymhlith y myfyrwyr – y bobl hynny oedd yn fodlon sefyll i fyny i siarad yn gyhoeddus ac i leisio'r gŵyn, beth bynnag oedd honno. Un noson, roedd yna drefniant y byddem yn gwrthod gadael ein safleoedd gwaith yn y Radcliffe Camera, yr adeilad crwn hynod o hardd yng nghanol Rhydychen, am ddeg o'r gloch y nos fel roedden ni i fod i'w wneud. Dydw i ddim hyd yn oed yn cofio beth oedd amcan y brotest. Roeddem yn gwybod mai'r hyn fyddai'n digwydd oedd y byddai plismyn y brifysgol, sef y *bulldogs*, yn dod yno i fygwth rhywbeth neu'i gilydd arnom ac felly mae'n rhaid bod pawb yn gwybod y gallai fod yna bris i'w dalu.

A dyna fu. Cafwyd hanner awr o wrthdaro geiriol rhwng y *bulldogs* a'r arweinydd mwyaf llafar cyn iddo ddychwelyd i'r ystafell a dweud fod yr awdurdodau yn bygwth disgyblu unrhyw un oedd yn gwrthod cydymffurfio trwy eu gyrru o'r brifysgol – eu 'hanfon i lawr' – a'i fod yn awgrymu felly y byddai'n well i ni roi'r gorau iddi am y tro, gan ein bod wedi gwneud ein pwynt. Fe ges i fy nadrithio'n llwyr gan agwedd lipa protestwyr honedig Rhydychen o'i chymharu â phendantrwydd di-droi'n-ôl bechgyn a merched Cymdeithas yr Iaith.

Un o'r atgofion mwyaf clir sydd gen i o Rydychen ydi o fod yn cerdded o Lyfrgell y Bodleian, lle roeddwn yn dewis mynd i weithio yn fy nhrydedd flwyddyn, ar ôl iddi gau am 10 o'r gloch y nos, i lawr Brasenose Lane tuag at Goleg Iesu, gyda phwysau

traethawd arall yn drwm ar fy meddwl a dweud wrthyf fy hun
– 'Yn y blynyddoedd i ddod, os cei dy demtio i ramantu am dy
gyfnod yn Rhydychen, cofia pa mor uffernol y mae'r noson
yma'n teimlo.'

Er hynny, rydw i'n falch mod i wedi mynd i Rydychen. Roedd
yr her o gyflawni'r gwaith i safon uchel a chystadleuol yn fy
ngwthio i brofi fy hun, er na ches i ddim digon o'r profiadau
diwylliannol amrywiol roedd y lle yn eu cynnig, yn bennaf
oherwydd 'mod i nôl a blaen cymaint i Gymru. Yn y diwedd,
roeddwn yn sicr yn falch o fynd oddi yno, ond yn falch hefyd
mod i wedi llwyddo i wneud digon i gael yr hyn oedd yn cael
ei gyfeirio ato fel *a good Second*. Doedd y cwrs ynddo'i hun, fel
roedd Mr Barlow wedi'i awgrymu ar y cychwyn, ddim wedi
gwneud dim i mi o ran creu llwybr gyrfa uniongyrchol ond fe
roddodd i mi'r modd i ddadansoddi, gwerthfawrogi a mwynhau
llenyddiaeth fawr y byd, i bwyso a mesur dadleuon ac i ffurfio
ac amddiffyn fy marn fy hun, ac mi rydw i'n ddiolchgar am
hynny.

9

Darlledu

UN O FANTEISION tyfu i fyny yn Gymro Cymraeg yng Nghaerdydd yn y chwedegau oedd tuedd y cyfryngau i ddefnyddio pobl leol i gymryd rhan yn eu cynyrchiadau. Cyn mod i'n ddeuddeg roeddwn i wedi cael y cyfle i gymryd rhannau bach mewn dwy ddrama radio yn stiwdios y BBC yn Park Place. Roedd sawl un roeddwn i'n ei 'nabod o'r ysgol a'r capel yn wynebau cyfarwydd ar sioe boblogaidd TWW *Land of Song* gydag Ivor Emmanuel. Byddai'r rhaglen hon, oedd yn cael ei chyflwyno'n Saesneg ond gyda llawer o ganeuon Cymraeg, yn cael ei darlledu ar draws Prydain ac roedd y rhai oedd yn cymryd rhan ynddi yn dipyn o sêr ac yn destun cenfigen i'r gweddill ohonom.

Pan oeddwn i'n bymtheg, mi gefais dipyn o lwc. Gofynnwyd i un arall o gyn-ddisgyblion Bryntaf fynd i stiwdios TWW i gymryd rhan mewn peilot ar gyfer gêm gwis newydd roedden nhw am ei phrofi. Roedd TWW yn cael eu cynghori gan ŵr o Ganada o'r enw Roy Ward Dickson. Fo oedd yn gyfrifol am ddod â *Siôn a Siân* i Brydain ac roedd ganddo fformat newydd i'w chynnig ar gyfer cwis plant. Doedd y bachgen arall ddim yn gallu mynd, ac fe awgrymodd fy enw i yn ei le. Dyma fynd ar ryw bnawn braf o wyliau'r haf i stiwdios TWW ym Mhontcanna, a chyfarfod Jean Parry Jones a Margaret Elin Griffith, y ddwy oedd yn gyfrifol am raglenni plant TWW. Yr hyn oedd dan sylw ganddyn nhw oedd gêm yn seiliedig ar *noughts and crosses*, gyda'r cystadleuwyr yn gorfod ateb cwestiynau'n gywir cyn cael gosod X neu O yn y bocs. Y gamp wrth gwrs oedd cwblhau llinell. Y cyfan oedd yn rhaid i mi ei wneud y diwrnod hwnnw oedd sefyll ar y lawnt y tu allan i Glwb TWW – yn y fan honno roedd y peilot yn digwydd, nid o flaen camerâu, gan ei bod hi'n ddiwrnod mor braf – ac ateb cwestiynau hefo rhywun arall i weld os oedd y gêm yn gweithio.

Ddaeth 'na ddim byd o'r gêm honno, ar y pryd o leiaf, ond ychydig fisoedd yn ddiweddarach dyma alwad ffôn arall gan TWW. Y tro hwn roedden nhw am i mi fynd i mewn i'r stiwdio go iawn i gymryd rhan mewn gêm banel newydd. *Tipyn o Gamp* oedd enw hon a'r cyflwynydd oedd Teleri Bevan. Roedd yna bedwar ohonom yn ffurfio panel ac ym mhob rhaglen fe fyddai yna bedwar neu bump o blant yn cael eu holi gennym. Un arall oedd ar y panel yn eithaf rheolaidd oedd y darlledwr, a chyd-sefydlydd y rhaglen *Heno*, Glynog Davies.

Ein gwaith ni oedd darganfod, trwy ofyn cwestiynau, y gamp neu'r gyfrinach yr oedd y cystadleuydd wedi'i datgelu i'r gynulleidfa adref. Roedd pob panelydd yn ei dro yn cael gofyn cwestiynau ond dim ond 'ie' neu 'na' oedd yn cael ei roi fel ateb. Roedd y panelydd yn parhau i holi nes y byddai'n cael yr ateb 'na', cyn symud i'r holwr nesaf, a hyn a hyn o amser oedd gennym i ddarganfod y gyfrinach.

Roedden nhw'n recordio pedair rhaglen ar ddydd Sadwrn unwaith y mis ac yn galw ar ryw ddwsin o banelwyr, yn cynrychioli gwahanol rannau o Gymru, yn eu tro. Os oeddech chi'n lwcus felly roeddech chi'n cael gwahoddiad i fod ar ddwy neu dair rhaglen allan o'r pedair.

Fe redodd y rhaglen hon am o leiaf ddwy flynedd, fwy neu lai ar hyd y flwyddyn, gan gael ei darlledu tua 4.10 y pnawn ganol yr wythnos. Dim ond dwy sianel oedd yna ar y pryd, a'r cyfnod hwn oedd yr adeg pan yr oedd pawb yn prynu neu rentu teledu am y tro cyntaf. Roedd menter ddewr Teledu Cymru wedi dod i ben ychydig fisoedd ynghynt ac roedd TWW wedi cael cymryd y *franchise* honno ar yr amod eu bod yn derbyn nifer o gyfrifoldebau mewn perthynas â darlledu yn yr iaith Gymraeg. Roedden nhw eisoes wedi sefydlu rhaglen *Y Dydd* ac roedd darlledu ar gyfer plant yn un o'r amodau yr aethant ati i'w gwireddu gyda chryn arddeliad. Roedd hi'n ymddangos fel pe bai pob cartref yng Nghymru â'r teledu ymlaen o 4 o'r gloch y pnawn (doedd dim darlledu yn ystod y dydd bryd hynny) a, chwarae teg, roedd y fformat syml yma yn un eithaf gafaelgar, yn enwedig os oedden ni fel panelwyr yn cael hwyl ar y broses o ddyfalu'r gamp.

Y canlyniad personol oedd fy mod i, cyn bod unrhyw sôn am ganu na dim byd felly, yn wyneb eithaf cyfarwydd yn y Gymru Gymraeg cyn cyrraedd 17 oed. Fe fydd pobl yn dal i ddod ataf heddiw i'm hatgoffa eu bod yn cofio 'ngweld i ar – 'be oedd enw'r rhaglen yna, dwedwch? O ie, *Tipyn o Gamp.*'

Un o'r pethau oedd yn aros amdana' i ar ôl dod yn ôl o Ffrainc yn ystod haf 1967 oedd gwahoddiad i gymryd rhan mewn cyfres o'r enw *Her yr Ifanc*, lle'r oedd pobl ifanc yn holi unigolion amlwg ynglŷn â phynciau'r dydd. Roedd Elystan Morgan yn un o'r rhain, a dwi'n cofio'r siom i ni fethu â'i ddarbwyllo y gallai fod yna ddadleuon cyfiawn dros dorri'r gyfraith (roedd Cymdeithas yr Iaith yn amlwg yn y newyddion y dyddiau hynny). Wrth i mi baratoi ar gyfer y rhaglen, roeddwn yn eithaf pryderus nad oedd fy Nghymraeg yn mynd i fod yn ddigon da. O fod wedi bod dramor am gyfnod mor hir, doeddwn i ddim wedi siarad Cymraeg ers misoedd ac wrth gwrs yn yr ysgol doedd yna ddim cyfle o gwbl wedi bod i gyfoethogi fy ngeirfa Gymraeg. Doeddwn i chwaith ddim wedi darllen Cymraeg ers peth amser ac mi roedd yna adegau yn ystod y rhaglen hon pan y bûm i'n cloffi ac yn chwilio am y gair priodol i geisio mynegi'r hyn roeddwn i'n ceisio'i ddweud.

Y gwir yw, ar wahanol adegau yn ystod fy mywyd, mae Cymraeg a Saesneg wedi cyfnewid llefydd o ran bod yn iaith gyntaf i mi fwy nag unwaith, yn ogystal â gorfod cystadlu am gyfnod byr iawn am y lle hwnnw gyda'r Ffrangeg. Flynyddoedd yn ddiweddarach, pan es i'n Brif Weithredwr S4C, a wynebu cyfarfodydd gyda gwleidyddion, gweision sifil ac ati, roedd gen i ar y cychwyn bryder gwirioneddol am fy ngallu i wneud hynny'n effeithiol, gan mai prin iawn, tra roeddwn i'n byw ac yn gweithio yn y gogledd, y bu'r angen i mi siarad Saesneg. Ar ddiwedd 1967, fe ddaeth gwahoddiad arall o gyfeiriad Pontcanna. Erbyn hyn roedd TWW wedi colli ei drwydded a chwmni newydd sbon HTV, neu Deledu Harlech fel roedd yn cael ei alw ar y dechrau, wedi cymryd ei le. Roedd hwn yn gwmni oedd â chefnogaeth nifer o sêr mawr Cymreig y cyfnod, megis Richard Burton a Geraint Evans, ac roedd y darlledwyr John Morgan a Wynford Vaughan Thomas hefyd yn amlwg eu cysylltiad â'r cwmni. Y Cadeirydd oedd yr Arglwydd Harlech a chymryd ei enw o wnaeth y cwmni. Mae'n ddiddorol nodi pa mor gryf oedd y cysylltiadau Cymreig hyn o ystyried y ddyletswydd oedd ar y cwmni i wasanaethu gorllewin Lloegr hefyd ac o gofio fod yr incwm hysbysebu oedd yn deillio o'r rhanbarth honno dipyn yn uwch na'r hyn oedd yn cael ei ennill yng Nghymru.

Roedd yn rhaid i'r cwmni ddarlledu saith awr yr wythnos o raglenni Cymraeg, eto gyda thalp sylweddol o raglenni plant. Yn sgil yr ymrwymiad hwn, mi ges i wahoddiad gan Margaret Elin Griffith i fod yn un o gyflwynwyr cyfres wythnosol i blant o'r enw *Tins a Lei*. Mae'n debyg mai term o'r gorllewin yw 'tins a lei' sy'n golygu rhywbeth fel 'tipyn o bopeth'. Y cyflwynydd arall oedd Rhiannon Evans, Tregaron, aeth yn ei blaen i fod yn gynllunydd gemwaith enwog. Rhyw fath o *Blue Peter* oedd y rhaglen hon a bûm yn ei chyflwyno bob wythnos am flwyddyn tra roeddwn yn dilyn y cwrs yn Rhydychen.

Roeddwn yn lwcus iawn nad oedd system Rhydychen yn mynnu eich presenoldeb mewn darlithoedd. Bron iawn yr unig beth oedd yn orfodol, neu o leiaf yn ddisgwyliedig, oedd eich bod yn mynd unwaith yr wythnos gyda thraethawd yn eich llaw i gyfarfod â phwy bynnag oedd eich tiwtor ar gyfer y pwnc dan sylw y tymor hwnnw. Roedd *Tins a Lei* yn cael ei recordio ar ddydd Iau a'r unig beth allai fy rhwystro rhag parhau â'r rhaglen o dymor i dymor fyddai pe bai fy nhiwtorial wythnosol yn disgyn ar y diwrnod hwnnw. Roedd yna dipyn o gnoi ewinedd felly ar ddechrau pob tymor nes y cawn i glywed beth oedd amserlen yr wythnos i fod yn y coleg. Mi fues i'n lwcus iawn am dri thymor i fedru osgoi gwrthdaro, ac felly pob dydd Iau mi fyddwn yn gosod fy nghloc larwm ar gyfer 6 o'r gloch, wedi trefnu'r noson gynt fod fy nghar mini wedi cael lle parcio y tu allan i ddrws Coleg Iesu, dringo dros wal y coleg yn y lle arferol, gan bod y drws wedi'i gloi, ac yna rhuthro ar hyd yr A40 i gyfeiriad Pont Hafren. Bryd hynny doedd yr M4 yn mynd dim pellach na throfa Caerfaddon ac fe ddois i'n gyfarwydd iawn â ffordd dlws iawn sy'n mynd trwy gyrion y Cotswolds o Witney a thrwy Burford a Tetbury. Pe byddai amser yn caniatáu, mi allwn hyd yn oed alw heibio'r tŷ yn Llanrhymni i gael pwt o frecwast a gollwng fy *laundry* i gael ei olchi gan Mam. (Ie, dwi'n gwybod, ond fel 'na mae mamau hefo'u meibion ynte?)

Ddiwedd y pnawn, mi fyddwn yn rhuthro yn ôl am Rydychen lle byddai un o ddau beth yn fy nisgwyl, naill ai noson allan gyda'r hogiau gan fod fy nhiwtorial wedi digwydd yn gynharach yn yr wythnos, neu, a dyma fu'r sefyllfa am un tymor erchyll, gorfod mynd yn syth i'r llyfrgell i gwblhau traethawd ar lenyddiaeth Ffrangeg yn yr Oesoedd Canol, oedd i fod i fewn erbyn 10 o'r gloch y bore canlynol.

Rhyw fyw'n beryglus oedd hyn, ond cyn belled ag roedd y teledu yn y cwestiwn, dim ond unwaith y gwnes i fethu cyrraedd ar amser, a hynny pan dorrodd y car i lawr yn Witney a finnau'n gorfod disgwyl nes i'r garej agosaf agor. Hyd yn oed wedyn mi gyrhaeddais y stiwdio wedi colli'r ymarfer ond mewn digon o bryd i daflu fy hun i mewn i'r rhaglen. Roeddwn i'n ffodus iawn y diwrnod hwnnw i beidio cael y sac gan fod y cwmni'n talu i mi gael llety y noson gynt, fel yr eglurwyd i mi'n ddigon plaen. Roeddwn yn dal fodd bynnag yn awyddus i gael cymaint o flas bywyd coleg ag y gallwn i, felly parhau i roi fy ffydd yn y mini bach a wnes i.

Yn haf 1969, dyma wahoddiad arall yn dod oedd yn rhoi cyfle i mi fynd i gyfeiriad arall, hyn eto tra roeddwn yn dal yn y coleg. Ruth Price o'r BBC oedd ar y ffôn y tro hwn ac am i mi gyflwyno'r rhaglen gerddoriaeth boblogaidd *Disc a Dawn*. Er cymaint roeddwn yn gwerthfawrogi'r ffydd roedd HTV wedi'i ddangos ynof, doedd dim dwywaith bod *Disc a Dawn* ar ryw lefel uwch o ran amlygrwydd cenedlaethol. Roedd y rhaglen eisoes wedi esblygu o fod yn gylchgrawn pobl ifanc i fod yn llwyfan wythnosol i ganu pop a gwerin, gyda Ronnie Williams, o Ryan a Ronnie, yn ei chyflwyno. Roedd yn rhaglen wirioneddol boblogaidd, yn cael ei gweld gan bawb, gan gynnwys llawer iawn o'r di-Gymraeg, gan ei bod yn cael ei darlledu am 6 o'r gloch ar nos Sadwrn, yn ogystal ag ailddarllediad ar y rhwydwaith Prydeinig ganol dydd ar ddydd Mercher. Roedd yn rhedeg mwy neu lai ar hyd y flwyddyn, heblaw am doriad o ryw ddeufis yn yr haf. Ar ben hyn i gyd, roedd yn cael ei darlledu'n fyw.

Roedd y pedair blynedd o fod ar raglenni TWW ac HTV wedi gwneud i mi ddeall pa mor bwysig oedd peidio gwneud camgymeriadau wrth gyflwyno gan nad oedd modd golygu rhaglen yn y cyfnod hwnnw heb dorri'r tâp yn gorfforol, hynny yw, gyda chyllell. Roedd pawb yn cael ar ddeall fod hyn yn rhywbeth oedd yn costio llawer o arian, felly roedd cyflwyno glân, heb faglu, yn rhinwedd pwysig i anelu ato. Os oedd hynny'n wir am raglenni plant wedi'u recordio ymlaen llaw, roedd o gymaint â hynny'n fwy gwir am raglen adloniant oedd yn mynd allan yn fyw. Mi wnes i ddarganfod yn fuan iawn mai'r ffordd orau o sicrhau'r cyflwyno glân oedd ei angen oedd dysgu'r lincs, sef y darnau roeddwn i i'w llefaru, air am air a mynd drostyn nhw drosodd a throsodd yn ystod y dydd tra roedd y rhaglen yn cael ei hymarfer. Roedd yn help yn hynny o beth mod i, o fewn terfynau'r hyn roedd angen ei ddweud, yn cael sgwennu'r lincs yn fy ngeiriau fy hun. Roedd 'na fwy o siawns felly y bydden nhw'n dod allan yn swnio'n naturiol.

Y dyddiau hynny doedd 'na ddim *autocue* yn cael ei ddefnyddio mewn rhaglenni o'r fath ac efallai fod hynny llawn cystal er mwyn creu teimlad o gyflwyno naturiol. Mae 'na grefft i gyflwyno da, sy'n wahanol i actio, er mai rhyw fath o actio ydi o hefyd. Yr hyn mae cyflwynydd yn ceisio'i wneud yw nid ymddwyn yn gyfan gwbl fel y byddai mewn sefyllfa gymdeithasol arferol, ond, yn hytrach, cyflwyno fersiwn ohono'i hun wedi'i deilwra i ofynion y cyfrwng, fel ag i deimlo'n 'naturiol'. Mae'r Cymry, yn arbennig, yn rhoi gwerth uchel ar fod yn naturiol – bod yn chi'ch hun. Mae gen i barch mawr at y cyflwynwyr hynny sy'n gwneud hyn bob dydd o'r wythnos ac sydd wedi dod o hyd i'r cywair priodol fel bod y gwyliwr yn teimlo'n gyfforddus, heb fod yn ymwybodol o unrhyw straen.

Wrth gwrs, tydi hi ddim mor hawdd â hynny, oherwydd mae'n rhaid hefyd bod yn ymwybodol o holl ofynion technegol y cyfrwng, megis pa gamera sydd eisiau ei wynebu nesa', lle mae angen i chi stopio cerdded er mwyn bod yn y golau cywir, sut i ddal meicroffon wrth gyfweld â rhywun. Weithiau mae gynnoch chi declyn yn eich clust sy'n rhoi cyfarwyddyd gan y cyfarwyddwr neu'r cynhyrchydd. Roeddwn i'n arfer casáu pan oedd llais y cyfarwyddwr yn dod drwy'r teclyn a minnau ar ganol traethu i'r camera. Wrth lwc doedd gen i run o'r rheini ar *Disc a Dawn*. Yn hytrach, roedd angen dibynnu ar arwyddion dwylo'r rheolwr llawr i gyfleu negeseuon.

Un o'r technegau angenrheidiol i'w meistroli oedd y *countdown*. Yn aml iawn ar *Disc a Dawn* fe fyddai yna ffilm o gân wedi'i recordio ymlaen llaw, i'w chwarae yng nghanol y rhaglen. Roedd yn rhaid cychwyn rhedeg y tâp yma ddeg eiliad cyn yr amser roedd rhywun am i'r ffilm gael ei gweld. Roedd yn rhaid i'r cyfarwyddwr wybod yn union beth oedd y cyflwynydd yn mynd i'w ddweud ac fe fyddai'n nodi yn ei sgript y gair fyddai'n arwydd mai dim ond deg eiliad o lefaru oedd ar ôl. Dyna fyddai'r sbardun i'r cyfarwyddwr ddweud '*cue VT*' (sef *video tape*). Roedd hi'n bwysig felly i'r cyflwynydd lynu at y geiriau. Pe bai'r llefaru yn mynd ymlaen yn rhy hir, fe fyddech chi'n colli cychwyn y gân ond pe bai'n gorffen yn rhy fuan, fe fyddai yna fwlch lle byddai'r cyflwynydd yn sbio ar y camera gyda gwên rewllyd ar ei wyneb wrth ddisgwyl i'r gân

gychwyn. I sicrhau cydlynu perffaith byddai'r rheolwr llawr
yn sefyll wrth ochr y camera yn dal dwy law i fyny i nodi deg
eiliad i fynd, un llaw pan fyddai pump ar ôl ac wedyn tri bys,
dau fys ac un bys wrth gyrraedd y diwedd. Roedd hynny o leiaf
yn rhoi cyfle i'r cyflwynydd arafu neu gyflymu rhyw gymaint er
mwyn cyrraedd diwedd y linc mewn pryd.

Camp dechnegol arall oedd gorffen y rhaglen ar yr union
eiliad roedd hi i fod i orffen. Gyda rhaglen o gerddoriaeth fyw,
roedd hynny ychydig yn fwy anodd nag y byddai rhywun yn
ei feddwl. Faint bynnag roeddech chi wedi ymarfer yn ystod
y dydd, allech chi ddim bod yn sicr na fyddai rhai caneuon
yn cael eu perfformio yn arafach neu'n gyflymach na'r hyn a
fwriadwyd. Hunllef y cyflwynydd fyddai cychwyn ar ei linc olaf
a gweld y rheolwr llawr o'i flaen naill ai'n gwneud cylchoedd
gyda'i fys, sef yr arwydd i gyflymu, neu yn gwneud arwydd
fel petai o'n ymestyn lwmp o glai meddal, sef yr arwydd oedd
yn mynnu bod yn rhaid arafu. Mae ychwanegu geiriau, pan
nad oes gennych chi ddim byd i'w ddweud, dim ond er mwyn
llenwi amser, a gwneud hynny heb ymddangos yn hollol
wirion, yn grefft ynddi'i hun ac nid yn un rydych chi eisiau
gorfod ei harfer yn rhy aml. Yr arwydd arall fyddai'n cael ei
weld bob hyn a hyn gan y rheolwr llawr fyddai tynnu ei law ar
draws ei wddf, oedd yn golygu, wrth gwrs, ei thorri hi yn y fan
a'r lle, rŵan. Yr her oedd ceisio osgoi rhoi unrhyw arwydd i'r
gynulleidfa adref bod unrhyw beth o'r fath yn digwydd.

Roedd dyddiau *Disc a Dawn* yn ddyddiau da. Ruth Price
oedd yn cynhyrchu a Rhydderch Jones yn cyfarwyddo. Ruth
oedd y brifathrawes drefnus, awdurdodol a Rhydderch gyda'i
acen Aberllefenni a'i afiaith oedd yr artist. Doedd gafael
Rhydderch ar yr ochr dechnegol i bethau ddim bob amser yn
un diogel. Bob hyn a hyn mi fyddai yna gamerâu yn taro i
mewn i'w gilydd ar lawr y stiwdio oherwydd rhyw ddiffyg yn
y broses ymarfer. Weithiau mi fyddai'r dynion camera, y rhan
fwyaf ohonynt yn ddi-Gymraeg, yn dadlau'n ôl ar gownt un
o'i gyfarwyddiadau, ac ar brydiau mi fyddai'n mynd yn ffrae

dros yr *intercom*. Canlyniad hynny un tro oedd i bawb glywed Rhydderch yn gweiddi yn ei acen ogleddol fwyaf eithafol 'and when ai sê "swm camera tŵ", ai mîn plyti swm' – llinell fyddai'n cael ei thaflu'n ôl ato'n rheolaidd dros y misoedd canlynol.

Er gwaetha'r amheuon hyn, roedd pawb yn caru Rhydd. Roedd ganddo galon fawr. Roedd yn garedig wrth bawb gan fynd allan o'i ffordd i geisio cyfathrebu'n gymdeithasol gyda'r criw di-Gymraeg a'u cael i ddeall pam roedd o'n meddwl bod y gwaith roedden ni'n ei wneud yn bwysig. Roedd yn gwneud popeth y medrai i helpu cywion ifanc fel fi yn ein gwaith a'n gyrfa. Bûm yn aros yn ei gartref yn Aberllefenni unwaith pan roeddem yn ffilmio fideo o'r gân 'Dŵr' a chael cyflwyniad cofiadwy ganddo i ddiwylliant a chymeriadau'r fro. Aeth Rhydderch ymlaen i sgwennu dramâu teledu gwironeddol gywrain, megis *Mr Lolipop M.A.* (ar gyfer Charles Williams) ac i goroni ei yrfa trwy gyd-ysgrifennu gyda Gwenlyn Parry y gomedi sefyllfa Gymraeg sy'n dal i daro deuddeg ddegawdau yn ddiweddarach, sef *Fo a Fe*. Fe'i collwyd yn llawer rhy fuan. Byddai S4C wedi elwa'n aruthrol o'i athrylith.

Bûm yn cyflwyno *Disc a Dawn* am dair blynedd, y gyntaf ohonynt tra roeddwn yn y coleg ac felly'n teithio nôl a mlaen eto, ond ar ddydd Sadwrn y tro hwn, a oedd yn haws. Yr hyn sy'n arbennig am ddarlledu byw, o'i gymharu ag unrhyw fath o ddarlledu wedi'i recordio, ydi'r ffordd y mae tempo'r diwrnod yn newid wrth iddo fynd yn ei flaen. I'r rhai sy'n perfformio, mae cychwyn y diwrnod yn gallu teimlo'n araf iawn wrth i'r cyfarwyddwr a'r tîm technegol drafod y gwahanol siots sy'n mynd i gael eu defnyddio, lle mae'r meicroffonau yn mynd i gael eu gosod, sut mae osgoi cael pobl neu offer sain yn y llun ac yn y blaen. Tra mae hyn oll yn digwydd, bydd y perfformiwr yn aml iawn ddim ond yn sefyll neu'n eistedd yn y fan lle mae o i fod ac weithiau'n gorfod perfformio'r gân fwy nag unwaith er mwyn cywiro rhyw siot neu'i gilydd.

Mae'r ymarfer olaf wrth reswm i fod yn debyg iawn i'r perfformiad terfynol ond os nad yw pob problem wedi ei datrys mae'r tensiwn yn codi o dan bwysau'r cloc. Erbyn yr amser darlledu, mae'r adrenalin wedi codi i lefel uchel iawn. Doeddwn i byth yn gallu bwyta dim byd cyn darllediad byw; roedd y nerfau yn frau iawn a phan fyddai'r diwedd yn dod mi fyddai pawb ar ryw fath o *high* am beth amser. Mewn hen gapel yn Broadway rhwng y Rhath a Sblot y byddai *Disc a Dawn*, fel rhaglenni adloniant eraill BBC Cymru, yn cael ei gwneud yn bennaf y pryd hynny, ac roedd yna adeilad yn Newport Road wedi ei addasu yn glwb i'r technegwyr a'r perfformwyr. I'r fan honno y byddai pawb yn rhuthro ar ôl y rhaglen, i gael ymlacio ar ôl tensiwn y perfformiad byw. Ac yn y fan honno y deuthum i adnabod cymaint o'r grwpiau a'r cantorion oedd yn perfformio ar y rhaglen. Roedd yr Hennessys yn eu helfen yng nghlwb y BBC. Mi wnaeth y c'nafon fy nghynhyrfu'n fwriadol un noson trwy ddechrau canu 'There'll always be an England', yn araf ac urddasol. Doeddwn i ddim yn eu hadnabod nhw'n dda iawn ar y pryd ac yn dechrau gwingo braidd wrth iddyn nhw lusgo eu ffordd drwy'r gân erchyll yma. Pam ar wyneb y ddaear bod eisiau canu hon? Nes dod at y llinell olaf:

There'll always be an England
And England will be free
If England means as much to you
As Guinness means to me.

I'r clwb yn eu tro y deuai'r grwpiau o'r gogledd a'r gorllewin. Hogia'r Wyddfa, Hogia Llandegai, Tony ac Aloma ac ati. Ac yn aml iawn ar nos Sadwrn fe fyddai yna aelodau eraill o gymuned y BBC yn ymuno, yn gyfarwyddwyr, actorion a 'sgwenwyr amrywiol. Does dim dwywaith ei bod hi'n gymdeithas ddifyr dros ben, yn llawn cymeriadau talentog a gwreiddiol ac roedd bod yno yn hwyl ac yn addysg. Dwi'n falch fodd bynnag mai dim ond yn achlysurol y byddwn i'n galw yno. Yn aml iawn roedd gen i gyhoeddiad mewn rhan arall o'r wlad yr un noson ac ochr arall y difyrrwch oedd bod yr adrenalin a'r dathlu yn sgil y darlledu a'r elfen o fyw er mwyn y funud yn mynd yn ffordd o fyw i nifer, gyda phris trwm i'w dalu maes o law.

Y flwyddyn gyntaf ar ôl gadael coleg mi ges gynnig gan HTV i ailafael yn y gwaith o gyflwyno rhaglenni plant, ar yr un pryd ag yr oeddwn yn cyflwyno *Disc a Dawn* i'r BBC. Dyma'r fantais fawr o fod yn *freelance*. Doedd yr un o'r ddau ddarlledwr i'w weld yn poeni mod i'n gwneud gwaith rheolaidd i'r llall hefyd. Am wn i roedd hynny am fod y ddau faes yn reit wahanol. Erbyn hyn roedd HTV wedi penodi gŵr ifanc talentog o Sir Fôn, Peter Elias Jones, yn Bennaeth Rhaglenni Plant a Phobl Ifanc. Gwnaeth Peter waith arbennig dros y blynyddoedd yn cyflwyno cyfresi newydd mentrus i blant a phobl ifanc cyn iddo gymryd cyfrifoldeb am holl waith HTV ym maes adloniant. Yn y saithdegau cynnar, fo gyflwynodd *Miri Mawr* i'r genedl. Er nad oeddwn i'n cymryd rhan yn y glasur honno, roedd Caleb (Dafydd Hywel), Robin Griffith, John Ogwen a'r lleill yn aml iawn o gwmpas y lle pan oeddwn i ac eraill wrthi'n cyflwyno'r rhaglenni mwy strêt oedd yn rhan o gynnyrch yr un stabl. Bûm yn cyflwyno cyfres ar yrfaoedd o'r enw *Rydw i am Fod* cyn i Peter ddod i fyny gyda syniad am gêm gwis i blant o'r enw *Camau Cantamil*. Fi oedd y cwis feistr a syniad y gêm oedd rhywbeth yn debyg i *snakes and ladders*. Roedd y gêm yn lot o hwyl ac roeddwn innau wrth fy modd yn ei chwarae. Roedd y cyfan yn dibynnu ar fod y cystadleuwyr hefyd yn mwynhau eu hunain ac yn ateb yn sydyn er mwyn i'r holl beth lifo.

Roedd cwisiau fel hyn yn ffordd rad iawn i HTV gyflawni eu dyletswydd i ddarparu nifer penodol o oriau yn Gymraeg ar gyfer plant bob wythnos. Gan amlaf, byddem yn recordio tair os nad pedair rhaglen mewn diwrnod. Mantais fawr hynny i mi, gan mod i erbyn hynny'n byw yn y gogledd ac yn trio rhedeg cwmni recordiau yr un pryd, oedd mod i'n cael tair ffi rhaglen am un diwrnod o waith. Roedd hyn yn help aruthrol yn nyddiau cynnar Sain, gan olygu nad oedd yn rhaid i mi dynnu dim arian allan o Sain fel cyflog yn ystod y tair blynedd cyntaf tra roedd y cwmni'n sefydlu'i hun. Roedd yr un peth yn wir am Dafydd Iwan, gan fod ganddo yntau nifer o heyrn yn y tân.

Yn fy mlwyddyn gyntaf ar ôl gadael coleg, mi wnaeth Gwyn Erfyl roi cyfle i mi wneud gwaith ymchwil achlysurol ar ei gyfres materion cyfoes *Dan Sylw*. Gwaith diddorol iawn oedd hwn, yn ehangu fy ngorwelion. Bûm yng Nghwm Croesor yn trafod natur y gymuned pan oedd yr ysgol yno dan fygythiad i'w chau. Dro arall fe'm gyrrwyd i Ferthyr i drafod hanes yr ardal yn sgil marwolaeth yr aelod seneddol S. O. Davies. Dysgais dipyn am wreiddiau dyfnion yr iaith Gymraeg yno gan gyfarfod siaradwyr Cymraeg cynhenid yn Nowlais ac yn Heolgerrig. Cefais sgwrs hir gydag asiant S. O. Davies, a chael ar ddeall ganddo mai yn Gymraeg y byddai o ac S. O. bob amser yn trafod pan oedden nhw gyda'i gilydd.

Roedd Gwyn Erfyl yn beiriant a hanner ac yn ei breim fel darlledwr yn y cyfnod hwn. Roedd *Dan Sylw* yn cyfuno gwaith dogfennol ar ffilm gyda chyfweliadau stiwdio ac yn mynd i'r afael â phynciau pwysig y dydd – rhai diwylliannol yn bennaf. Roedd Gwyn hefyd yn dipyn o *bôn vivant*. Am ryw reswm roeddwn i mewn yn stiwdio HTV ryw fore Sadwrn ar ddiwrnod gêm rygbi pan ddois ar draws fy nghyn-gydfyfyriwr Emyr Daniel, oedd yn gweithio gyda Gwyn.

'Ti am ddod i'r Alban gyda ni?' meddai Emyr. 'Mae 'da ni awyren fach yn mynd lan i'r gêm ac mae 'na sedd wag.'

Gwyn oedd wedi trefnu. Ei westai arall oedd Philip Madoc, yr actor, ac wn i ddim hyd heddiw beth oedd y rhesymeg o ran gwaith teledu, ond fe gafwyd pnawn difyr iawn gan weld Phil Bennett yn sgorio ei gais rhyfeddol o dan y pyst i roi buddugoliaeth i Gymru. Cwpwl o beints ar ôl y gêm a hedfan yn ôl erbyn swper hwyr.

Yn ystod y deng mlynedd nesaf bûm yn cyflwyno rhaglenni a chyfresi achlysurol i'r ddwy gorfforaeth ac yn sgil cyfresi cwis HTV y dois i adnabod fy nghyfaill Wil Aaron yn dda. Roedd Wil wedi rhoi'r gorau i'w waith gyda'r BBC yn Llundain ar ddechrau'r saithdegau ac wedi symud i Lanberis ac ymhen

125

hir a hwyr, fe ddechreuodd weithio fel cyfarwyddwr *freelance* i HTV gan gynnwys cyfarwyddo'r cyfresi cwis yr oeddwn i'n eu cyflwyno. Ar un adeg roedd gennym *routine* o deithio i lawr ar y trên ar ddydd Sul ar gyfer diwrnod llawn o recordio ddydd Llun. Y pryd hynny roedd yr A470 ddeuol yn gorffen ym Mhontypridd ac roedd y gwasanaeth trên oedd yn mynd drwy Birmingham a Chaerloyw yn dipyn brafiach na'r un oedd yn mynd drwy'r Amwythig a Henffordd. Roedd angen disgwyl bron i awr wrth newid yn Birmingham a byddem yn rhuthro allan o'r orsaf i dŷ bwyta Indiaidd cyfagos i gael cyri sydyn i swper, ac yna rhuthro nôl i ddal y trên fyddai'n mynd â ni'n hamddenol ar hyd glannau'r Hafren i Gaerdydd. Nôl adre'n hwyr y noson ganlynol wedi gwneud mis o waith.

Tua chanol y saithdegau hefyd dyma gael cyfle i gyflwyno dipyn o raglenni radio o Fangor i'r diweddar annwyl Alwyn Samuel. Rhaglen o'r enw *Wyth a Hanner ar Fore Gwener* oedd hon – rhaglen gylchgrawn ysgafn a byddai'r diweddar Emrys Jones yn cyfrannu rhai eitemau iddi.

Un o sgŵps mawr Alwyn oedd cael Richard Burton i siarad ag Emrys ar ben arall y lein. Roedd Alwyn yn dod o Bont-rhyd-y-fen, yr un pentref â Richard Burton, ac roedd ganddynt lawer o gydnabod yn gyffredin. Roedd Burton, chwarae teg, yn ddigon parod i drio gwneud cyfweliad Cymraeg ond yn anffodus, pan gloffodd am ychydig wrth chwilio am ryw air neu'i gilydd, fe deimlodd Emrys, o gwrteisi, y dylai droi i'r Saesneg i wneud pethau'n haws iddo. Dwi'n siŵr y byddai Richard Burton wedi parhau yn y Gymraeg tase fo wedi cael cyfle ac y byddai gynnon ni gyfweliad hanesyddol yn yr archif.

Yn 1977 lansiwyd Radio Cymru ac fe ofynnodd Meirion Edwards, y Golygydd, i mi gyflwyno un o'r cyfresi newydd. Penderfynu wnes i y buaswn i'n hoffi cyflwyno rhaglen wythnosol o recordiau oddeutu amser cinio gan anelu at ei gwneud hi'n un mor boblogaidd â phosibl gyda'r gynulleidfa. Enw'r rhaglen oedd *Taro Deuddeg* a'r syniad oedd y byddai pob eitem yn un y gellid dweud yn wirioneddol ei bod wedi gwneud hynny yn ei dydd. Roedd y rhaglenni cyntaf yn cynnwys amrywiaeth mor eang â Tony ac Aloma, Edith Piaf a Band Pres Brighouse and Rastrick. Roedd yr ymateb yn dda iawn er y bu hi'n anodd honni fod pob eitem yn haeddu'r disgrifiad o 'daro deuddeg' erbyn i'r rhaglen fod wedi rhedeg am dair blynedd.

Daeth fy ngyrfa fel cyflwynydd i ben wedi dwy gyfres o'r enw *Taro Tant* ar gyfer S4C. Eto, y syniad oedd cyflwyno rhaglen o ganu canol y ffordd poblogaidd fyddai'n denu gwylwyr i'r sianel yn ei dyddiau cynnar. Roeddwn yn tynnu ar fy ngwybodaeth o'r byd recordiau ac am gynhyrchu'r rhaglen fy hun. Digon am y tro yw nodi mod i wedi dod i'r casgliad ar ddiwedd yr ail gyfres nad oedd cynhyrchu a chyflwyno yr un pryd yn syniad da. Pan ddaeth y gyfres yn ei hôl ychydig yn ddiweddarach, mi wnes i, y cynhyrchydd, roi'r sac i'r cyflwynydd a chael wynebau ifanc newydd i gymryd ei le.

10

Canu

MAE'N RHAID MOD i'n 13 oed pan es i i Wersyll Llangrannog am yr ail waith ac yn y fan honno y penderfynais i wneud fy ymgais gyntaf am enwogrwydd. Yn wahanol i bobl fel Emyr Wyn a Dafydd Iwan a'u tebyg, doedd neb erioed wedi awgrymu bod gen i 'eos lais' a doeddwn i erioed wedi herio'r canfyddiad mai llefaru a phethau felly fyddai fy nghyfraniad i ar y llwyfan cyhoeddus, os o gwbl. Ond erbyn dechrau'r arddegau roedd fy ysgyfaint i wedi cryfhau wrth i asthma plentyndod gilio ac mi fyddwn yn mynd o gwmpas y tŷ'n reit aml yn gweiddi rhyw ganeuon er mwyn difyrrwch i mi fy hun. Mae'n rhaid mod i wedi penderfynu rywbryd, yn y bathrwm mwy na thebyg, 'diawch, dydi hwnna ddim yn swnio'n rhy ddrwg'.

Felly pan wahoddwyd y gwersyllwyr yn Llangrannog i ddod i ddangos unrhyw ddoniau oedd ganddyn nhw gyda golwg ar berfformio yn y noson lawen rhwng y tai oedd yn cael ei chynnal ganol yr wythnos, mi fentrais innau fel canwr. Ar wahoddiad y ddau swog oedd yn gyfrifol am ddewis deunydd y noson, dyma roi perfformiad digyfeiliant iddyn nhw o 'Bugeilio'r Gwenith Gwyn'. Mae'n rhaid mod i wedi dewis honno dim ond i ddangos mod i'n gallu taro'r nodau uchel sydd ynddi. Chwarae teg iddyn nhw, nid dyna'r math o beth oedd ei angen ar gyfer noson lawen Llangrannog, ond fe gynigion nhw i mi ganu 'Bonheddwr Mawr o'r Bala' a dyna wnes i. Does gen i ddim cof i'r *première* hwnnw ddenu unrhyw sylw arbennig ond ar y llaw arall, wnes i ddim codi cywilydd ar bawb chwaith, neu mi faswn i'n cofio hynny yn sicr.

Fuodd yna ddim datblygiad pellach i fy ngyrfa fel *boy soprano*, ar wahân i gyfrannu i gôr yr ysgol, a chyn bo hir fe dorrodd y llais gan roi taw am y tro ar unrhyw fath o berfformio lleisiol.

Roedd cyfaill i mi yn yr Aelwyd, Hywel Evans, wedi prynu gitâr glasurol ac ers peth amser wedi bod wrthi'n dysgu sut i'w chwarae. Roeddwn i wedi bod yn cael gwersi piano ers yn eithaf ifanc ac er i mi gyrraedd gradd 6 yr arholiadau – rhywbeth sydd wastad wedi bod yn destun digrifwch i Hefin Elis – roeddwn wedi hen flino ar yr ymarfer diddiwedd ac roedd y syniad o chwarae'r gitâr yn hytrach na'r piano wedi dod yn ddeniadol iawn. Felly dyma fuddsoddi £5 yn fy ngitâr gyntaf a dechrau cael ychydig o wersi clasurol gan yr un gŵr ag a oedd yn rhoi gwersi i Hywel. Ar yr un pryd mi brynais lyfr enwog Bert Weedon, *Play in a Day* – oedd yn swnio'n nes ati na'r ymarferion ymdrechgar roedd yr athro clasurol yn eu rhoi i ni. Roedd yna hefyd ychydig o lyfrau i'w cael oedd yn dangos y cordiau oedd eu hangen ar gyfer cyfeilio i ganeuon gwerin Americanaidd adnabyddus. Roedd 'na gân o'r enw 'Freight Train', oedd yn un boblogaidd iawn ar y pryd, yn rhoi cyfle i rywun gael dipyn o hwyl wrth strymio sŵn y trên yn egnïol wrth roi cynnig ar yr alaw ailadroddus.

Fel roedd hi'n digwydd, fe wnaeth fy nghyfaill Huw Jenkins hefyd gael gafael ar gitâr tua'r un adeg. Nawr roedd Huw yn ganwr cydnabyddedig, wedi cynrychioli ysgol ac uwch-adran mewn eisteddfodau hyd at lefel genedlaethol. Roedd o hefyd yn gallu harmoneiddio yn rhwydd a diymdrech. Dydw i ddim yn cofio pryd a sut yn union y gwnaethon ni ganu hefo'n gilydd am y tro cyntaf, ond roedd y ffaith fod Cardiff High yn rhoi un prynhawn rhydd i ni bob wythnos i wneud iawn am y ffaith ein bod yn gorfod mynd i'r ysgol ar fore Sadwrn, yn gyfle arbennig i dreulio amser yn chwarae o gwmpas ac mae gen i deimlad mai yn nhŷ gweinidog Ebeneser, ym Mhen-y-lan, y bu Huw a minnau yn bwrw ein prentisiaeth yn bennaf.

Y cyfnod dan sylw oedd 1964-65. Ar y pryd, roedden ni wedi'n swyno gan y triawd Americanaidd Peter, Paul and Mary. Yn sgil y gorymdeithiau dros hawliau dynol yn America roedd canu gwerin a chanu protest wedi dod yn ffordd o uniaethu llawer o'r genhedlaeth ifanc gyda'r dyheadau am hawliau cyfartal i bobl dduon America. Roedd yna hefyd adwaith yn erbyn y byd canu pop masnachol yn y ffaith mai canu i gyfeiliant offerynnau acwstig oedd y canu protest newydd yma, ac yn hynny o beth yn debyg i ganu'r traddodiad gwerin Americanaidd. Roedd hi felly yn llawer haws i rywun oedd eisiau canu gael cyfle i wneud hynny gyda gitâr acwstig yn hytrach na'r unig ddewis arall sef rywsut, rywfodd cael gwahoddiad i ganu neu ymaelodi gyda grŵp gitarau trydan, drymiau ac ati.

Roedd 'na dipyn go lew o'r grwpiau hynny yn bodoli wrth gwrs. Bechgyn, bron i gyd, gydag offerynnau cyntefig yn ymarfer mewn garejys yn y gobaith o gael cyfle i berfformio mewn rhyw ddawns neu'i gilydd. Caneuon pop Saesneg ac Americanaidd y cyfnod oedd deunydd rheini. Rhaid i mi gyfaddef y baswn i wedi bod wrth fy modd pe bai 'na gyfle wedi dod i ganu gyda'r fath grŵp ac mi fûm i ar un gwyliau haf pan oeddwn i tua 16 yn treulio sawl prynhawn yng nghwmni grŵp o fechgyn yn Llanfyllin tra roedden nhw'n ymarfer. Un diwrnod roedd eu canwr heb ymddangos. Gan nad oedd 'na fawr o neb arall o gwmpas, roeddwn i ar dân yn ewyllysio iddyn nhw ofyn i mi fynd ar y meic dros dro gan mod i'n gwybod y rhan fwyaf o eiriau'r caneuon roedden nhw'n eu canu. Ond doedden nhw ddim hyd yn oed yn gwybod mod i'n meddwl mod i'n gallu canu, felly pam ddylen nhw ofyn i mi? A wnes i ddim cynnig fy hun chwaith. Gormod o swildod nid yw dda.

Roedd pethau'n llawer haws felly, ar bob ystyr, gyda gitarau acwstig. Doedd dim angen y strach o gael lle i ymarfer, cael yr offer yn iawn, ac ati. Y cyfan oedd ei angen oedd gwybod ychydig o gordiau ar y gitâr a bwrw iddi i agor eich ceg a gweld be fyddai'n dod allan. Yn achos Huw Jenkins a minnau, be ffeindion ni'n weddol fuan oedd, oherwydd dawn Huw i harmoneiddio, ein bod yn cynhyrchu sŵn reit felodaidd gyda'n gilydd a minnau'n gorfod gwneud dim mwy na chanu'r alaw. Cyn bo hir roeddem wedi rhoi trefn ar fersiynau o gryn ddwsin o ganeuon Saesneg y cyfnod. Roedd yna glybiau gwerin yn cael eu ffurfio ar hyd y lle a'r traddodiad oedd bod unrhyw un yn gallu codi ar ei draed a chynnig eitem. Fe ddechreuon ni fynychu un o'r rhain oedd yn cael ei gynnal mewn tafarn yng nghanol Caerdydd. Fe fuon ni hefyd yn perfformio rhywfaint mewn cyngherddau y byddai'r ysgol yn eu trefnu. Un uchafbwynt mawr yn ein hanes oedd cael gwahoddiad i ganu cwpwl o eitemau mewn dawns Nadolig oedd yn cael ei chynnal ar y cyd rhwng ysgol y merched ac ysgol y bechgyn. Un arall oedd cael gwahoddiad i ganu yng nghlwb gwerin Undeb Myfyrwyr Prifysgol Caerdydd. Roedd hwnna'n ddigwyddiad eithaf mawr, gan ein bod ni i fod i ganu ar yr un *bill* â chanwr enwog o America o'r enw Phil Ochs. Fe gawson ni berfformio felly o flaen cynulleidfa o rai cannoedd oedd wedi dod yno i wrando ar y seren Americanaidd. Fe fydden ninnau wedi hoffi aros i wrando ond yn anffodus, ar ôl iddo fo ganu dwy eitem, roedd yn rhaid i Huw a minnau, oedd yn dal yn yr ysgol, adael er mwyn dal y bws olaf adref. Roedd Mr Ochs wedi synnu braidd o weld pobl yn cerdded allan yn ystod ei berfformiad ac mi wnaeth bwynt o ddweud hynny wrth y gynulleidfa.

Mi dreulion ni ddiwrnod hir o wyliau yn festri Ebeneser gyda chymorth ein ffrind Penri Williams yn beiriannydd, yn recordio dwsin o'r caneuon roedden ni'n eu canu er mwyn eu gyrru at gwmni recordiau EMI mewn ymateb i hysbyseb roedden ni wedi'i weld o'r enw 'Top Ten Talent Competition'. Buom yn disgwyl yn eiddgar am ymateb ond distawrwydd llethol a fu. Roedden ni wedi anghofio'r cyfan am y tâp pan ddaeth yna lythyr fisoedd yn ddiweddarach yn diolch i ni am ein hymdrechion ond yn nodi nad oedd yr hyn roedden ni'n ei gynnig yr union beth roedden nhw'n chwilio amdano ar y pryd.

Mae'n ddiddorol mai'r ffordd roeddwn i'n meddwl y pryd hynny oedd mai'r cyfan oedd angen i ni ei wneud oedd dangos y sŵn roedden ni'n medru ei gynhyrchu ac y byddai'r cwmni recordio wedyn yn darganfod caneuon ar ein cyfer – sef y patrwm oedd yn weithredol ar gyfer sêr pop glandeg dechrau'r chwedegau, pobol fel Billy Fury a Cliff Richard, yn hytrach na'r drefn oedd erbyn hyn wedi cael ei sefydlu gan y Beatles ac eraill, sef cyfansoddi a pherfformio eich caneuon eich hun. Mae'n ddiddorol nodi hefyd bod Peter, Paul and Mary, oedd wedi gwneud enw iddyn nhw'u hunain trwy gyflwyno caneuon cynnar Bob Dylan i'r byd, yn raddol wedi cilio o amlygrwydd wrth i Bob Dylan ei hun, mewn arddull gwbl wahanol o ganu, fynd ati i sefydlu ei hun fel canwr yn ogystal ag fel cyfansoddwr.

Rywbryd yn y cyfnod hwn mae'n rhaid ein bod ni naill ai wedi cysylltu gyda'r BBC yng Nghaerdydd, neu fod 'na rywun yno wedi clywed amdanom ni drwy'r Aelwyd, oherwydd dyma gael gwahoddiad i fynd am wrandawiad ac yn sgil hynny, cael cynnig i ffurfio triawd – y ni ein dau ynghyd ag Eluned, merch Meredydd Evans, oedd hithau hefyd yn canu dipyn o gwmpas y clybiau gwerin. Derbyn wrth gwrs, gan ddewis un neu ddwy o'r caneuon roedden ni'n gyfarwydd â nhw, ynghyd â chynnig Merêd ei hun i'w cyfieithu i ni. Un ohonyn nhw oedd cân o'r enw 'Greenback Dollar' oedd yn dipyn o gamp i'w chyfieithu i Gymraeg call, hyd yn oed i athrylith fel Merêd.

Tasg arall oedd dewis enw i'r *supergroup* newydd yma ac erbyn diwrnod recordio'r rhaglen, sef *Telewele*, y rhaglen blant wythnosol, roedden ni wedi methu'n llwyr. Yn y diwedd dyma'r cynhyrchydd yn penderfynu mai 'Eluned + Huw^2' fydden ni, a dyna'r enw pur glogyrnaidd a ymddangosodd ar y sgrin yr wythnos ganlynol.

Byr fu bywyd y grŵp newydd. Fe gawson ni o leiaf un gwahoddiad arall i fod ar raglen ganu ysgafn ar y BBC ond fe ddaeth y grŵp hwnnw a'r ddeuawd Huw a Huw i ben gyda chyfuniad o ddigwyddiadau yn haf 1966.

Yr haf hwnnw oedd yr un cyntaf i mi fynd i wersyll Glanllyn. Roedd Huw Jenkins yno hefyd ynghyd â nifer o rai eraill o griw Aelwyd Caerdydd. Roeddwn wedi clywed sôn am y nosweithiau hwyliog oedd yn cael eu cynnal yn y gwersyll ac wedi cymryd yn ganiataol y byddai cyfle i Huw a minnau ganu rhywfaint gan ein bod eisoes erbyn hynny yn gwneud eitemau achlysurol yng nghyngherddau Côr Aelwyd Caerdydd. Yn sgil yr ymddangosiadau ar y BBC, roedd gennym ddau neu dri chyfieithiad Cymraeg o ganeuon Saesneg i'w canu a hefyd, yn y cyfnod hwn, doedd rheolwyr y gwersyll ddim yn mynnu fod popeth oedd yn cael ei gyflwyno ar lwyfan yn gorfod bod yn Gymraeg yn unig, er eu bod nhw'n cymell hynny.

P'un bynnag, fe darfwyd ar ein cynlluniau gan i'r swyddogion benderfynu mai ar ffurf cystadleuaeth rhwng y tai gwahanol y byddai'r nosweithiau llawen yn cael eu cynnal. Ond, och a gwae, roedd Huw a minnau wedi cael ein gosod mewn tai gwahanol. Roedd hynny'n golygu na fydden ni'n cael canu gyda'n gilydd ar y noson. Roeddwn i'n gyndyn o ganu fel unigolyn gan ei bod hi'n amlwg i mi mai'r harmoneiddio oedd y peth cryfaf oedd gennym ond mae'n rhaid bod gweddill criw Caerdydd wedi 'ngwthio, neu fod ein tŷ ni yn brin iawn o dalent, ac o'r herwydd mi ges i lwyfan am y tro cyntaf fel canwr pop unigol – yng nghystadleuaeth tai Gwersyll Glanllyn.

Fis yn ddiweddarach, roedd yr Huw arall ar ei ffordd i'r coleg ym Mangor a minnau'n aros yng Nghaerdydd i wneud arholiadau mynediad Rhydychen felly doedd 'na ddim posib i'r ddeuawd barhau p'un bynnag. Mi roddodd y profiad o berfformio yng Nglanllyn yr hyder i mi ddal ati ac i fwrw 'mlaen i ddysgu caneuon newydd ar fy mhen fy hun. Erbyn haf 1967 roeddwn wedi mynd ati i gyfieithu cryn dipyn o'r caneuon Saesneg roeddwn wedi bod yn eu perfformio, ac yng Nglanllyn ddiwedd Awst roedd yna ddau gyfieithiad oedd yn cael croeso da pan fyddwn i'n eu canu. Y naill oedd cyfieithiad o'r 'House of the Rising Sun' a'r llall oedd cyfieithiad o gân Ffrengig o'r enw 'Le Déserteur', cân oedd wedi'i sgwennu yn y 50au fel protest yn erbyn rhyfel gormesol Ffrainc yn Algeria, a chân roeddwn i wedi ei darganfod ar un o recordiau hir Peter,

Paul and Mary. Y gân honno oedd 'Y Ffoadur' y ces i gyfle i'w recordio yn ddiweddarach. Gan fod hon yn gân Ffrangeg, er mai cyfieithiad oedd hi, roedd iddi'r fantais o fod yn teimlo fel cân newydd ac er ei bod yn hen, yn hinsawdd y protestiadau yn erbyn rhyfel Fietnam roedd hi'n teimlo'n gyfoes.

Tua'r adeg yma y dechreuwyd clywed y term 'y byd pop Cymraeg' am y tro cyntaf ond yn fy meddwl i, fe anwyd y byd pop Cymraeg yn swyddogol ym Mhafiliwn Pontrhydfendigaid ym mis Gorffennaf 1968.

Roedd Y Blew wedi gwneud ymgais deg i roi cychwyn iddo flwyddyn ynghynt ond doedd Cymru rywsut ddim yn barod ar gyfer grŵp hirwallt gyda gitarau trydan. Roedd yna draddodiad hir o drefnu cyngherddau a nosweithiau llawen ar hyd a lled y wlad gan gapeli a mudiadau gwirfoddol o bob math a'r lleoliadau ar gyfer y rheini fyddai neuaddau pentref a chapeli, gyda'r gynulleidfa'n eistedd yn daclus ac yn dawel, fel arfer gyda dwy neu dair rhes o blant yn y seddi blaen. Beth oedd fwyaf addas i sefyllfa felly wrth gwrs oedd canu acwstig, heb angen yr helbul o osod drymiau, cludo *amplifiers* a'u plygio i mewn, heb sôn am yr amser y gallai gymryd i gael y sŵn yn iawn. Roedd y llwyfan pentrefol yn feithrinfa naturiol ar gyfer grwpiau â lleisiau swynol fyddai'r un mor gartrefol mewn capel ag mewn noson lawen. Roedd disgwyl fel arfer i'r grwpiau ganu yn Gymraeg ac roedd hynny'n rhoi pwysau arnynt i gyfieithu caneuon poblogaidd os oeddent am eu cyflwyno. Wrth i amser fynd yn ei flaen, daeth yn amlwg mai caneuon gwreiddiol da oedd yn gwneud yr argraff fwyaf.

Roedd yna ddau neu dri o gwmnïau recordio, y rhan fwyaf o ardal Cwm Tawe, drwy'r 50au a'r 60au cynnar wedi bod yn cyhoeddi recordiau Cymraeg a Chymreig – corau, unawdwyr, deuawdwyr fel Jac a Wil. Roedd gan gwmni Qualiton eu ffatri eu hunain ym Mhontardawe. *Pressing factory* oedd yr enw ar sefydliad o'r fath oherwydd mai gweisg recordiau oedd 'na – peiriannau oedd yn gwneud recordiau trwy wasgu lwmp o feinyl meddal a'i droi'n ddisg caled. Mae'n debyg bod yna arwydd ar wal y ffatri ym Mhontardawe am flynyddoedd yn dweud *'If in doubt press Jac a Wil'*.

Mi roddodd Qualiton enedigaeth anuniongyrchol i dri chwmni arall, sef Cambrian, Welsh Teldisc a'r Dryw, yr olaf yn rhan o Wasg Llyfrau'r Dryw. Ac roedden nhw i gyd wedi dechrau gweld bod yna fwy a mwy o brynu ar recordiau Cymraeg o wahanol fathau. Roedd papur newydd *Y Cymro* wedi dechrau cyhoeddi siart o'r recordiau Cymraeg oedd yn gwerthu orau mewn dwsin o siopau ar hyd a lled y wlad. Roedd Aled a Reg ar y rhaglen *Hob y Deri Dando* bob wythnos yn cyflwyno fersiwn o ryw gân boblogaidd; roedd yna *Sgubor Lawen* ar TWW ac roedd rhaglen newyddion TWW, *Y Dydd*, wedi dechrau rhoi llwyfan wythnosol i fachgen ifanc o'r enw Dafydd Iwan. Roedd yna grŵp o ferched (ac un bachgen) o Drawsfynydd, o'r enw Y Pelydrau wedi cael llawer iawn o sylw a gwerthu tipyn go lew o recordiau, gyda'u caneuon bywiog newydd a'u harmonïau deniadol. Roedd yna grwpiau dynion niferus yn y gogledd o'r enw Hogia rhywle neu'i gilydd. Hogia Llandegai oedd y rhai mwyaf amlwg, grŵp oedd wedi'i greu yng nghyfnod sgiffl – gitâr, *washboard* yn lle drymiau a choes brwsh a chortyn fel dwbl bas. Roedd hiwmor a hwyl yn rhan hanfodol o'r perfformiad. Yn y de yn lle'r hogia roedd gynnoch chi'r bois – Bois y Blacbord a grwpiau tebyg oedd rhyw hanner ffordd rhwng grŵp a chôr meibion ond eto gydag ysgafnder a hwyl yn greiddiol i'r apêl.

Ac mi welodd yr Urdd eu cyfle. Beth am drefnu andros o gyngerdd mawr ar batrwm y cyngherddau lleol, ond ar y llwyfan mwyaf yng Nghymru a chael pawb oedd yn canu pop yn Gymraeg ynghyd i ganu ynddo?

Mae Pafiliwn Pontrhydfendigaid yn adeilad anferth, wedi'i godi gan Syr David James i hyrwyddo eisteddfodau'r ardal. Yn 1968 roedd yn dal rhyw dair mil o bobl ac ar y 29ain o Fehefin roedd pob tocyn wedi'i werthu. Mae'r poster ar gyfer Pinaclau Pop Pontrhydfendigaid 1968 yn glasur hanner seicedelig gyda'r enwau mawr fel Dafydd Iwan, Y Pelydrau a Hogia Llandegai ar y top, ac ambell i enw llai adnabyddus ar gynffon y rhestr.

Roeddwn i'n lwcus i fod yno a dweud y gwir, oherwydd i gymharu gyda llawer o'r enwau eraill, doedd gen i ddim llawer o brofiad o berfformio – yn sicr i gynulleidfa oedd wedi talu arian i fod yno. Diolch i'r ffaith mai'r Urdd oedd yn trefnu oedd hynny, a'r ffaith mai yn eu gwersyll nhw roeddwn i wedi cael fy nghyfle cyntaf. Roedd yr un peth yn wir am Heather Jones er na fyddai neb wedi gwadu fod Heather yn gantores oedd yn haeddu ei lle ar unrhyw lwyfan.

Mi wnaeth y noson argraff fawr arna' i. Wrth gwrs roedd canu i gynulleidfa o dair mil gryn dipyn yn wahanol i ganu i ryw gant neu ddau yng Nglanllyn. Er bod y perfformiad ei hun wedi mynd yn weddol, doedd gen i ddim syniad ynglŷn â'r gwahaniaeth rhwng cynulleidfa Glanllyn a chynulleidfa oedd yn drawstoriad o bobl cefn gwlad Cymru. Mi gafodd 'Y Ffoadur', oedd wastad wedi denu ymateb gwresog iawn yng Nghlanllyn, groeso digon cwrtais gan gynulleidfa'r Bont, dim mwy, ac wedyn mi es i gefn y llwyfan i siarad hefo hwn a'r llall.

Cyn bo hir, dyma sylwi ar sŵn anhygoel oedd yn dod o'r gynulleidfa – ymateb ar raddfa hollol wahanol i unrhyw beth oedd wedi cael ei glywed cynt. A dweud y gwir, roedd y gynulleidfa'n mynd yn boncyrs.

Dyma fi'n troi'n ôl at ymyl y llwyfan i geisio gweld be ar y ddaear oedd wedi denu'r fath ymateb – a dyna pryd y gwelais i Tony ac Aloma am y tro cyntaf. Roedden nhw newydd orffen canu 'Wedi Colli Rhywbeth Sy'n Annwyl' ac roedd y gynulleidfa wedi gwirioni'n lân. Dwi'n cofio meddwl yn syn braidd – pwy ar wyneb y ddaear oedd rhain a be oedd ganddyn nhw oedd yn denu'r fath ymateb?

Doedden nhw'n sicr ddim yn cynrychioli fy syniad neu fy rhagfarn i o'r hyn oedd canu cyfoes. A dros y misoedd nesa' mi wnes i dipyn o ymdrech i ddeall be oedd sail yr apêl anhygoel yma. A doedd hi ddim yn anodd gweld, nac oedd – hogyn a hogan ddel, gwallt melyn, lleisiau'n asio'n berffaith; a chaneuon gwreiddiol syml, ie, ond celfydd iawn iawn, yn dweud stori gynnes am fywyd bob dydd, neu yn disgrifio profiadau dyfnaf bywyd mewn modd y byddai llawer i feirniad soffistigedig yn ei alw'n sentimental. Ond mi heria' i unrhyw un i ddweud i sicrwydd ble mae'r llinell yn dod rhwng sentiment a theimlad gwirioneddol sy'n cael ei fynegi gan artist. Yn sicr, er nad dyna fy math i o ganu, mi ddois i i werthfawrogi caneuon Tony Jones ac edmygu'r ddawn reddfol a naturiol oedd ganddo i lunio cân a thanio cynulleidfa.

Y noson honno, mi gymerodd oriau i'r holl geir ffeindio eu ffordd o'r Bont ar hyd y lôn gul i Dregaron ac oddi yno i bob cornel o'r gorllewin, y de a'r gogledd. Hwn oedd ein Woodstock ni, a Tony ac Aloma oedd ein Jimi Hendrix.

Un o ganlyniadau Pinaclau Pop y Bont oedd i mi gael gwahoddiad i wneud fy record gyntaf. Roedd Dafydd Iwan, oedd wedi fy nghlywed wrthi yng Nglanllyn, wedi sôn wrth Olwen Edwards, perchennog cwmni Welsh Teldisc, a Noel Kendrick y rheolwr, amdana' i a Heather Jones, ac roedd y ddau ohonyn nhw wedi bod yn y seddi gorau yn y pafiliwn yn bwrw golwg dros yr arlwy ar y llwyfan.

Yn naturiol, roeddwn wrth fy modd ac yn fuan wedyn dyma drefnu i fynd draw i neuadd bentref y Creunant yng Nghwm Tawe. Dyma'r fan lle recordiwyd caneuon cynnar Dafydd Iwan felly roeddwn yn dilyn ôl traed y ffigwr mwyaf amlwg yn y byd pop Cymraeg.

Er mai cyfieithiadau o ganeuon Americanaidd roeddwn i wedi bod yn eu perfformio fwyaf, roeddwn i wedi mentro trio cyfansoddi ambell i gân wreiddiol. Roedd Teldisc yn arbenigo ar gyhoeddi EPs, sef recordiau 7", yr un maint â record sengl, ond yn cynnwys pedair cân. Mantais y fformat hon oedd ei bod yn caniatáu codi pris uwch na phris record sengl ac felly'n gwneud cyhoeddi EPs yn fwy proffidiol (neu'n gwneud llai o golled) nag a fyddai'n digwydd fel arall. Felly roedd yn rhaid i mi gyflwyno pedair cân ar gyfer y sesiwn recordio.

Y gân oedd yn derbyn yr ymateb gorau gen i yng Nglanllyn

a llefydd cyffelyb oedd 'Y Ffoadur', ond penderfynwyd yn hytrach fynd am 'Cymru'r Canu Pop' fel y brif gân. Peter, Paul and Mary oedd yn gyfrifol am hon hefyd gan mai addasiad oedd hi o'u cân ddiweddaraf 'I dig rock 'n roll music' ond yn cyfeirio yn fy fersiwn i at amrywiaeth o enwau amlwg yn y byd canu pop Cymraeg. Roedd y record ar ei ffordd i'r wasg a'r clawr wedi'i argraffu, pan gafodd Teldisc glywed nad oedd perchnogion hawlfraint y gân wreiddiol yn fodlon iddi gael ei chyfieithu. Digwyddodd yr un peth, yn yr un cyfnod, mewn perthynas â chyfieithiad Dafydd Iwan o 'Don't think twice, it's alright', cân Bob Dylan. Yn achos Dafydd, roedd ganddo ddigon o ganeuon eraill i fedru gollwng y gân a rhoi un arall yn ei lle. Doeddwn i ddim mor lwcus. Felly, yr hyn wnes i, gyda chytundeb Teldisc, oedd ailwampio'r gân, gan newid rhywfaint ar y cordiau a'r alaw, ond nid y geiriau; recordio'r fersiwn newydd a'i chyflwyno'n ôl i'r broses gyhoeddi. Ar glawr y record, oedd eisoes wedi'i argraffu, bu'n rhaid rhoi llinell ddu dros enw cyfansoddwr yr alaw wreiddiol gan roi'r cyfan o'r clod i mi. Dwi ddim yn gwybod a fyddai'r ymgais wedi dal dŵr mewn llys barn, ond gan na wnaeth gwerthiant y record drafferthu'r siartiau na'r cyfryngau Saesneg, cawsom lonydd.

Rhyw gychwyn digon herciog felly fu i'm gyrfa fel *recording artist*. Roedd Deg Uchaf *Y Cymro* yn beth pwysig iawn yn y byd pop Cymraeg y dyddiau hynny – ein *top ten* ni'n hunain o recordiau Cymraeg. Dwi'n meddwl i'r record gyntaf yna gyrraedd rhif 5 yn y siart honno, er mawr lawenydd i mi.

Fe ddaeth 'na nifer o gyfleoedd wedyn i ganu ar y radio a'r teledu ac fe ddechreuodd gwahoddiadau gyrraedd i gymryd rhan mewn cyngherddau ar hyd a lled Cymru.

Yr un cyntaf un, yn sgil Pinaclau Pop Pontrhydfendigaid, oedd cyngerdd yn neuadd bentref Harlech rywbryd ym mis Hydref 1968 a minnau erbyn hynny yn ôl yn y coleg. Fe ges i gwmni fy nghyd-fyfyriwr, Emyr Daniel, ar gyfer y daith yn fy mini glas o Rydychen. Hwn oedd fy mhrofiad cyntaf go iawn o'r llu o gyngherddau pop 'mawreddog' fyddai'n cael eu cynnal dros y tair neu bedair blynedd nesaf. Tony ac Aloma oedd ar ben y bil ac fel yn y Bont, fe ddenon nhw ymateb gwenfflam. Ar ddiwedd y noson, roedd yna baned o de ac ambell i frechdan wedi'i threfnu ac roedd yn ddisgwyliedig i chi aros ar ôl er mwyn dangos gwerthfawrogiad o'r rhain. Ond yna roedd angen i Emyr a minnau ffeindio'n ffordd yn ôl i Rydychen a hithau erbyn hyn tua 11.00 mae'n siŵr. Rywle tua Dolgellau, fe lwyddais i roi'r car yn y gwrych. Rhoddodd hyn gyfle i Emyr gwyno am flynyddoedd wedyn fod gen i ffordd eithafol iawn o'i ddeffro. Cyrraedd Rhydychen yn yr oriau mân ac ailafael yn y gwaith coleg y bore canlynol.

Dros y flwyddyn ganlynol, mi ddilynwyd Pinaclau Pop yr Urdd gan gyngherddau mawreddog tebyg oedd yn cael eu trefnu gan bob math o gyrff mewn pentrefi a threfi ar hyd a lled Cymru. Roedd yna fwy a mwy o grwpiau a chantorion newydd yn dod i'r amlwg ac am ryw dair blynedd roedd hi'n teimlo fel petai'r wlad wedi mynd yn wallgof. Roedd pob pentref yn mynd ati i drefnu ei noson fawr o ganu pop Cymraeg.

Y patrwm digyfnewid oedd bod yna arweinydd, oedd fel arfer yn un o hen lawiau'r nosweithiau llawen lleol, yn cyflwyno pob act yn ei thro; pob perfformiwr yn cyflwyno dwy gân yn yr hanner cyntaf a dwy yn yr ail – ar wahân i'r 'top of the bill' oedd yn cael gwneud tair. Roedd yr holl beth yn mynd ymlaen yn aml tan tua 11 o'r gloch oherwydd bod pawb yn cymryd mwy o amser nag oedd wedi'i ganiatáu ar eu cyfer ac yn aml iawn roedd y gynulleidfa eisiau encôr.

Y rheswm am orlenwi'r llwyfan fel hyn oedd bod pob act yn rhad. Canu gydag offerynnau acwstig oedd pawb ac felly doedd yna ddim costau cludiant a gosod offer i fyny. Doedd yna ddim o'r fath beth â goleuadau. Os oeddech chi'n lwcus mi roedd yna feicroffon, ond ddim bob tro chwaith. Gan fod y trefnwyr wedi dod i ddeall yn fuan iawn fod y cyngherddau yma bron yn sicr o werthu allan, mi roedden nhw'n gallu gwneud arian da ar gyfer achosion lleol teilwng, ond doedd yna ddim sbardun o gwbl iddyn nhw ddewis a dethol a thorri i lawr ar y nifer o bobl oedd yn cymryd rhan. 'Pwy sydd yma heno?' fydden ni'n gofyn wrth gyrraedd, a'r ateb yn aml iawn fyddai, 'Pawb'.

'O ble mae caneuon yn dod?'

Cwestiwn diddorol iawn. Fe glywais Keith Richards o'r Rolling Stones yn dweud unwaith fod caneuon yn yr awyr o'ch cwmpas ym mhobman ac mai'r cyfan sydd raid i chi ei wneud ydi gafael ynddyn nhw wrth iddyn nhw fynd heibio. Mae'n bosib bod hynny'n wir am gyfansoddwyr rhyfeddol o gynhyrchiol fel Richards/Jagger a Lennon/McCartney. Yng Nghymru, mae gen i'r edmygedd mwyaf o Dafydd Iwan a Meic Stevens am eu gallu i barhau i gyfansoddi caneuon cofiadwy ar hyd eu hoes, trwy bob math o amgylchiadau, ar bob math o bynciau. Er i mi rannu llwyfan gyda'r ddau am nifer o flynyddoedd, roedd fy achos i yn bur wahanol. Am gyfnod o ryw chwe blynedd rhwng 1968 ac 1974, mi fues i wrthi'n cyfansoddi caneuon newydd gan gyhoeddi saith record wahanol, ac yna mi stopiais. Dwi'n cynnig fy hun felly fel pwnc gwerth ei astudio mewn perthynas â'r cwestiwn – 'o ble mae caneuon yn dod?'

Mae cân yn gyfuniad o eiriau ac alaw. Ond elfen arall bwysig iawn yn fy ngolwg i yw rhythm a thempo. O ran yr argraff y mae cân yn ei chreu, mae'r ddwy elfen yma yn rhan annatod o'r pecyn.

Dwi'n meddwl ei bod hi'n eithaf help i gyfansoddi caneuon os ydych chi'n weddol hunanol ac yn gallu mynnu'r amodau i gael llonydd i wneud hynny. Yn fy achos i, rhwng 1968 ac 1973, roeddwn yn aml iawn yn gallu manteisio ar oriau o fod mewn tŷ gwag, heb alwadau gwaith 9 tan 5, yn aml iawn gyda phiano wrth law yn ogystal â gitâr, ac heb orfod poeni am aflonyddu ar gymdogion. Yn y cyfnodau hyn, mi fyddwn yn rhydd i ffidlan – chwarae o gwmpas ar y gitâr yn bennaf, ond weithiau ar y piano, yn ceisio meistroli cyfres o gordiau, neu drio rhyw ddull arbennig o strymio. Mae symud o un cord i un arall a thrio un arall wedyn yn gallu arwain at gyfuniad sy'n plesio'r glust. Ailadrodd hynny drosodd a throsodd wedyn i brofi'r effaith bleserus ac os ydi rhywun yn lwcus mae yna syniad yn dod i'r meddwl am damaid o alaw. Efallai bod yna destun neu bwnc yn y newyddion neu ar y meddwl sydd yn sydyn yn cynnig ei hun i fynd law yn llaw gyda'r cordiau a'r alaw. Anaml iawn y byddwn i'n eistedd ac yn dweud 'mae'n rhaid i mi sgwennu cân am hyn a'r llall rwan', a phan fyddwn i ar brydiau'n gwneud hynny, doedd y caneuon byth cystal.

Un o'r caneuon cynharaf wnes i ei chyfansoddi oedd cân o'r enw 'Yr Alltud'. Roedd fy nhaith ar hyd a lled Ewrop wedi 'ngwneud i'n ymwybodol o gryfder y teimlad o fod oddi cartref ac roedd y Llen Haearn yn rhwystr real iawn i bobl o ddwyrain Ewrop ddod i'r gorllewin. Yn y gân yma, roedd rhythm y gitâr yn bwysig gyda strymio tebyg i gân gowboi ar y cord *E minor*. Roedd yn wahanol i'r rhan fwyaf o ganeuon grwpiau'r cyfnod ac roedd yn gwneud argraff ar gynulleidfa oedd heb glywed rhywbeth tebyg o'r blaen. Gan wybod hynny, gyda'r gân hon roeddwn i'n dechrau fy mherfformiadau. Mi driais i atgynhyrchu'r rhythm yma gartref yn ddiweddar ond fedrwn i yn fy myw â gwneud felly mae'n rhaid ei fod o'n rhywbeth oedd angen ystwythder bysedd ifanc i'w gyflawni.

'Dŵr' ydi'r enghraifft orau sydd gen i i'w chynnig o'r tair elfen – rhythm, alaw a syniad – yn dod ynghyd. Roedd anghyfiawnder boddi Cwm Celyn wedi treiddio'n ddwfn i ymwybyddiaeth llawer iawn o'r Cymry ac wedi arwain at gynnydd sylweddol mewn cenedlaetholdeb Cymreig o bob math ers i'r argae gael ei chwblhau yn 1965. Roedd yn rhan o'r hyn oedd wedi atgyfnerthu fy ymwybyddiaeth innau o 'Nghymreictod ac wedi fy nhroi'n genedlaetholwr ymwybodol. Yn y Senedd yn Llundain, ar gais Cyngor Lerpwl ac yn groes i bleidleisiau cynrychiolwyr Cymru, y pasiwyd y mesur i foddi'r cwm gan ddangos yn glir mai penderfyniad gormesol ac annheg oedd hwn. Ond rhywbeth yng nghefn fy meddwl yn unig oedd o pan oeddwn i gartref rhyw brynhawn yn Llanrhymni, a neb arall yn y tŷ, yn chwarae o gwmpas ar y gitâr hefo'r gyfres o gordiau ddaeth wedyn yn sail i'r gân.

Dydi'r gyfres ddim yn wreiddiol o bell ffordd ond mae 'na rywbeth grymus iawn yn rhediad ailadroddus y nodyn bas a dyna'r cyfan roeddwn i'n ei wneud sef difyrru fy hun drwy ailadrodd y gyfres gordiau drosodd a throsodd. I mi mae'n teimlo, o wneud hynny'n ddiddiwedd, fod hymio un nodyn unigol o 'alaw' a'i ddal wrth i'r cordiau ailadrodd, yn rhywbeth sy'n tyfu allan o'r cordiau eu hunain. Mae hi jest yn amlwg rywsut fod canu'r nodyn unigol yna yn beth naturiol i'w wneud.

Roedd gen i felly gyfres o gordiau ac un nodyn. O rywle – a fan hyn y mae'r dirgelwch – y daeth y gair unsill 'dŵr'. A dyna'r gân wedi'i geni. O'r fan honno, proses fwy mecanyddol oedd rhoi gweddill y gân at ei gilydd. Fel gyda chân 'Yr Alltud', dyma greu person ffuglennol a hwnnw'n byw profiad o weld cwm ei febyd wedi'i foddi – profiad dychmygol wrth gwrs i mi'n bersonol. Roedd cyfansoddi'r penillion yn fater o ddilyn y profiad hwnnw drwodd gan fynegi'r chwerwder a'r dicter yn ogystal â'r tristwch. Doedd un nodyn ddim yn ddigon i wneud cân wrth reswm ac mi gymerodd ychydig o wythnosau i'r cyfan ddod i fwcl. Wrth gerdded yng Nghwm yr Eglwys yn Sir Benfro ddiwedd yr haf y daeth yr ateb i'r cwestiwn dyrys o sut, yn gerddorol, roedd dod ag ail ran y bennill yn ôl i fan lle roedd hi'n bosib cychwyn y pennill nesaf.

Mi genais y gân am y tro cyntaf i griw bychan yn Nhŷ'r Cymry yng Nghaerdydd ym mis Medi 1968 ac o'r pryd hwnnw ymlaen, oherwydd yr ymateb iddi, hon fyddai'n cloi pob perfformiad gen i.

Roeddwn wedi bod yn aelod o Gymdeithas yr Iaith ers tua 1967 ac wedi dechrau cymryd rhan mewn nifer o brotestiadau. Yn 1969 roeddwn yn aelod o Senedd y Gymdeithas ac wedi bod yn gwneud fy rhan yn yr ymgyrch i gael arwyddion ffyrdd dwyieithog. (Mae gen i *bolt-cutter* yn dal yn y cwt garddio yn dystiolaeth i fy ymdrechion).

Ym mis Ionawr 1970 dedfrydwyd Dafydd Iwan i garchar am dri mis fel rhan o'r ymgyrch yma ac fe ddaeth y gân 'Paid

Digalonni' i'r meddwl mewn ychydig oriau. Y syniad o gael eich cloi i fyny, dwi'n meddwl, oedd y sbardun sylfaenol a thrio dychmygu sut y byddai hynny'n teimlo, ond wrth gwrs fe aeth y gân yn ei blaen i fod yn ddatganiad o gefnogaeth uniongyrchol i Dafydd ac i'r ymgyrch.

Fe drefnwyd rali brotest fawr y tu allan i garchar Caerdydd, lle'r oedd Dafydd Iwan wedi'i garcharu, gan wahodd, ymysg eraill, holl weinidogion Cymraeg y ddinas i ddod yno i ddangos eu cefnogaeth. Mi wnes innau ganu 'Paid Digalonni' ar y llwyfan dros dro y tu allan i'r waliau. Roedd yr awyrgylch yn debyg i ryw fath o gyfarfod diwygiad.

Flwyddyn yn ddiweddarach, mi ges innau flas byr iawn o fod yr ochr arall i'r waliau. Cychwyn yr ymgyrch i gael sianel deledu Gymraeg oedd hi ac roedd y Gymdeithas wedi trefnu fod yna dri chriw, un o Aber, un o Gaerdydd ac un o Fangor, yn mynd i Lundain i gyflawni gweithred fyddai'n tynnu sylw'r wasg Brydeinig i'r achos. Criw Bangor aeth gyntaf ac ar ôl creu rhwystr y tu allan i'r BBC, roedd y rhan fwyaf ohonyn nhw wedi cael eu cadw yn y ddalfa.

Mi ro'n i yno hefo criw Caerdydd a'n tasg ni y diwrnod canlynol oedd rhwystro'r traffig yn Oxford Street drwy eistedd i lawr ar *zebra crossing* gyda phosteri yn egluro'r achos. Fe dagwyd y traffig am bron i dri chwarter awr gan achosi i nifer o yrwyr diamynedd Llundain fynd yn hurt. Roedd yna rai ohonyn nhw yn wirioneddol awyddus i yrru ar draws y ffyliaid yma oedd yn creu'r rhwystr. Yr hyn oedd yn ddoniol braidd oedd bod yr heddlu yn methu â chyrraedd y groesfan i'n hel ni oddi yno – oherwydd y traffig!

Cawsom ein llusgo oddi yno yn y diwedd, ein gwthio i faniau a'n cludo i garchar Brixton. Bu'n rhaid i ni fynd drwy'r holl broses o dynnu ein dillad, cael ein harchwilio, gwisgo dillad carchar fe pe baen ni'n mynd i fod yno am fisoedd. Wrth gwrs, am a wyddem ni, efallai y bydden ni. Ond dim ond am ddwy noson y bu'n rhaid i ni fynd drwy'r profiad, felly doedd yr arhosiad hwn ddim yn dod yn uchel iawn ar restr carchariadau

Cymdeithas yr Iaith. Yn fwy felly, gan i bedwar ohonom – y tri arall yn aelodau neu ffrindiau grŵp Y Dyniadon Ynfyd Hirfelyn Tesog – gael rhannu cell gyda'n gilydd ac i ni dreulio'r rhan fwyaf o'r amser yn chwarae gemau tafarn megis 'Tafarndai yn dechrau gyda'r llythyren T' i basio'r amser. O bryd i'w gilydd byddai rhywbeth yn cael ei ddweud fyddai'n achosi bloedd o chwerthin a phan ddigwyddodd hynny am y trydydd tro, dyma'r ffenest fach yn nrws y gell yn cael ei hagor a'r *warder* yn camu i mewn ac edrych arnon ni fel tasen ni wedi colli'n pennau. Mae gen i ofn ein bod yn ymddwyn fel pe baen ni ar ein gwyliau. Efallai ein bod ni'n hyderus na fyddai canlyniad ein gweithred yn arwain at ormod o golli rhyddid ac yn hynny o beth roedden ni'n iawn. Fe'n cludwyd i Lys Ynadon ar y trydydd diwrnod lle cawsom ein rhyddhau ar amod o gadw'r heddwch am gyfnod.

Bu profiad Sian, y ferch o Lanuwchllyn roeddwn erbyn hynny yn canlyn â hi, a'r merched eraill o griw Bangor dipyn yn galetach. Nhw oedd wedi cyflawni'r weithred gyntaf ac i Holloway gawson nhw fynd. Am ryw reswm bu'n rhaid aros ddau ddiwrnod ychwanegol cyn iddyn nhw gael ymddangos o flaen yr ynadon. O ganlyniad bu'n rhaid iddi hi a'r merched eraill ddioddef rhyw bum noson yn un o'r carchardai mwyaf caled ym Mhrydain.

Cân arall a ddaeth yn uniongyrchol o ymgyrchoedd Cymdeithas yr Iaith oedd 'Daw Dydd'. I fod yn onest, doeddwn i ddim yn gyfarwydd iawn â gwaith Waldo Williams pan fu farw yn 1971 a dim ond y pryd hynny, pan glywais R. Alun Evans yn cyhoeddi'r newyddion ar y teledu am farwolaeth 'Waldo Williams, y bardd oedd yn gyfrifol am y llinellau anfarwol, "Daw dydd y bydd mawr y rhai bychain, Daw dydd ni bydd mwy y rhai mawr"' y taniwyd fy nychymyg gan y geiriau.

Mi es i'n syth at y piano a dechrau chwarae gyda gwahanol gordiau. Mae llinellau Waldo bron iawn yn mynnu'r mesur 6/8 ond mi wna'i gymryd rhyw gymaint o'r clod am ddarganfod y cyfuniad G-E-Am sy'n sail i'r alaw rois i iddi hi. Fel yn achos 'Dŵr', y peth sylfaenol ydi llinell bron ddigyfnewid o alaw tra

Ar y tractor gyda Taid ym
Mhantyno, Cemaes

Dad – Idris Jones

Gyda Dad a Mam – tua 2 oed

'Gwynfa' yn Fairwater Grove, Llandaf. Gyda fy ffrind Greg

Gyda Mam ac Alun yn yr ardd gefn yn Llanrhymni yn ein dillad dydd Sul. Eglwys Llaneirwg yn gefndir

Ysgol Bryntaf, tua 1955. Enid Jones-Davies ar y chwith, finne yn sefyll yng nghanol yr ail res

Yn Llanfyllin gyda Nain Pantyno a Taid Llanfyllin, Mam ac Alun tua 1958

Y trên o Lanfyllin yn cyrraedd Llanfechain

Tua 12 oed

Tua 15 oed – pan oedd gwallt yn bwysig

Prefects Cardiff High gyda'r prifathro newydd David Malland (ar y dde) a'r dirprwy Elwyn Williams

Y teulu'n campio ar y cyfandir, gyda'r frechdan *pâté* barhaol

Yr hogia yn Ne Ffrainc, 1966

Colonie de Vacances 'La Dune aux Loups', 1966

Strasbourg

Y *vélo solex* yn Strasbourg, 1967

Yr arwydd ffordd yng nghanol
Sofia, Bwlgaria

Cinio Gŵyl Ddewi Cymdeithas Dafydd ap Gwilym, 1968

Tîm hoci Coleg Iesu

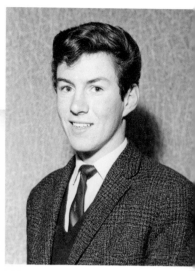

Llun gan TWW ar gyfer
Tipyn o Gamp
(ITV Cymru)

Cyflwynydd *Disc a Dawn*
(BBC)

Y Tebot Piws – un
o grwpiau mwyaf
poblogaidd
Disc a Dawn
(Raymond Daniel)

Ar lwyfan, yn un o gyngherddau pop y 60au

Poster Pinaclau Pop y Bont, 1968
(Y Lolfa)

Y tu allan i'r Majestic, Caernarfon –
'Cartref Sêr Cymru' *(Dennis Burns)*

Clawr *Dŵr*

Clawr *Dwi isio bod yn Sais*

Cartref Sain yn Llandwrog, 1971–72; 1 Tai'r Ysgol ar y chwith

10 Uchaf *Y Cymro* – Hydref 1969

DEG UCHAF "Y CYMRO"

1 (-) Dwr : Huw Jones (Sain)
2 (3) Yr Anfarwol David Lloyd (Cambrian) ...
3 (4) Safwn yn y bwlch : Hogia'r Wyddfa (Dryw)
4 (1) Dim ond ti a fi : Tony ac Aloma (Cambrian)
5 (2) Croeso Chwedeg Nain : Dafydd Iwan (Teldisc)
6 (5) Car y rhain i gyd : Perlau Taf (Teldisc)
7 (7) Cristion bychan ydwyf : Alwen ac Owain Selway (Cambrian)
8 (10) Cymru fy ngwlad : Triawd y Grug (Teldisc)
9 (9) Nant y Mynydd : Hogiau'r Deulyn (Cambrian)
10 (8) La, La, La : Perlau (Cambrian)

Desg o Abertawe i stiwdio gyntaf Sain *(Sain)*

Gyda Dafydd Iwan yn Stiwdio Gwernafalau *(Sain)*

Stiwdio newydd Sain, 1980 *(Sain)*

Y 'Roferdir' yn 1970 – Gareth Lewis, Dewi Morris, Jane Pierce, Sian Miarczynska

Priodas – Awst 1972

Noson Lawen yn Ysgubor Wen,
Y Ffôr, 1989. Charles Williams yn
arwain *(Tegwyn Roberts)*

Cerbydau cynnar Barcud
(Gerallt Llewelyn)

Gwynfor Evans
a Wil Aaron – yn
agor stiwdio
Barcud, 1990
(Gerallt Llewelyn)

Welsh Affairs Correspondent Clive Betts profiles Huw Jones, the former folk singer who has been appointed Chief Executive of S4C.

From protest singer to television boss

H
UW Jones, new chief executive of S4C, has always been somewhere in the forefront of the Welsh language battle.

His folk songs were an essential element in the language revival which began sweeping Wales in the 1960s.

But, while some marched and daubed signs with paint, they reckoned he had a different, and more practical, contribution to make.

This son of Welsh-speaking teachers from Powys, brought up in Cardiff, would be the businessman. And so it was.

THEN AND NOW: Huw Jones, below, as the young singer comparing the Welsh pop show Disc i Dawn and, main picture, yesterday after the announcement of his new post

"His folk songs were an essential element in the language revival which began sweeping Wales but, while some marched and daubed signs with paint, Huw reckoned he had a different, and more practical, contribution to make"

Pennawd adeg fy mhenodi'n Brif Weithredwr S4C

Gwleidydda – yma gyda'r Arglwydd Cledwyn (Rena Pearl)

Arwyddo cytundeb cydgynhyrchu gyda sianel La 5, Ffrainc, ar gyfer cyfres *Yr Aifft* (Reed Midem)

Fel Cadeirydd S4C o flaen Cyfarfod Gwylwyr S4C yn Rhuthun, 2014 *(Iolo Penri)*

Fy rhieni-yng-nghyfraith, Dorothy a Kazimierz ('Kazek') Miarczynski *(Nigel Hughes)*

Taith feic yn yr Almaen, 2007

Y teulu, 2020 (o'r chwith) – Siwan, Swyn, Sian, Gareth, Owain, Seren *(Iolo Penri)*

mae'r cordiau yn newid o dani. Er bod y cyfuniad mor syml, dydw i ddim yn ymwybodol o fod wedi ei glywed yn unman arall. Dyna ryfeddod unrhyw gân bop wreiddiol. Mae cymaint o apêl y gân yn dibynnu ar y rheidrwydd iddi fod yn syml a chofiadwy ond o anelu at hynny, rydych bob amser mewn peryg o ailadrodd cyfuniadau mae eraill wedi'u darganfod o'ch blaen. Pan ddowch chi o hyd i rywbeth 'dach chi'n meddwl sy'n dda, eich ymateb cyntaf bron bob tro yw meddwl – mae'n rhaid bod rhywun arall wedi gwneud hwn o'r blaen. Os na fedrwch chi ffeindio enghraifft amlwg yn eich cof, mae'n debyg bod gennych hawl i ddweud ei bod yn gân wreiddiol.

Yn achos 'Daw Dydd', taniwyd gweddill y gân gan ddigwyddiad cyfoes iawn yn hanes ymgyrchoedd Cymdeithas yr Iaith sef yr achos enwog yn Abertawe – achos o gynllwynio a ddygwyd yn erbyn arweinyddion Cymdeithas yr Iaith lle cythruddwyd y cefnogwyr gan sylwadau'r Barnwr Mars-Jones i'r perwyl – *'I have never in my life seen such black hatred expressed in court'* – sylwadau oedd yn teimlo i mi yn gwbl afresymol ac annheg. Mae'r syniad o'r gwahaniaeth rhwng cyfraith a chyfiawnder yn rhedeg drwy'r gân.

Yn 1971 roeddwn wedi symud i bentref Llandwrog ac roedd clywed dau fachgen ar y stryd ym Mangor yn gwneud hwyl am ben Dafydd Iwan yn Saesneg mewn acenion Cymreigaidd iawn wedi dod â'r geiriau 'Dwi isio bod yn Sais' i'r meddwl. Fe sticiodd y llinell ac roeddwn i ar y pryd yn dechrau dysgu tipyn am hanes Llandwrog fel pentref a grëwyd gan stad Glynllifon. Roedd gen i gymdoges oedd wedi bod yn gweini yn y plas ac yn hoff iawn o adrodd straeon am garedigrwydd yr Arglwydd a'r Arglwyddes i'r pentrefwyr tlawd; roedd Pwyllgor Bowen wrthi yn y cyfnod hwn yn ystyried a ddylid argymell arwyddion ffyrdd dwyieithog, roedd y teulu brenhinol yn y newyddion am rywbeth neu'i gilydd bob dydd, a daeth y cyfan at ei gilydd ym mhersonoliaeth ddychmygol y person yn y gân sydd am fawrygu popeth Seisnig a dirmygu'r Cymry a'r Gymraeg.

Mi wnaeth daro tant o'r funud gyntaf. Roedd pawb yn deall

yr ergyd, ond rhai yn cael trafferth â'r mynegiant. Byddem yn cael llythyrau yn Sain o'r De yn gofyn 'os gwelwch yn dda gawn ni gopi o'r gân 'Rwyf eisiau bod yn Sais". Dwi wedi clywed sawl person (er enghraifft Vaughan Roderick) yn cwyno pan glywant y ffurf 'dwi isio' yn cael ei defnyddio mor gyffredin yn y cyfryngau Cymraeg y dyddiau hyn. Wel, dwi'n meddwl mai fi wnaeth ei chyflwyno i'r genedl fel ffurf lenyddol achos mai yn llythyrau Sian ata' i yn y coleg y gwelais i'r ffurf yna gyntaf ac nid yn unlle arall.

Yng Nglanllyn yn 1970 y daeth 'Mathonwy' i fodolaeth wrth i Dewi Pws a finnau chwarae o gwmpas gyda'n gitarau rhyw brynhawn. Eto y gyfres syml o gordiau ydi'r man cychwyn. Roedd Dewi'n mynd drwy gyfnod *gothic* a fo luniodd y llinell 'Mae'r noson fel y fagddu a'r nant yn goch gan waed'. Roedd 'sŵn ei draed' yn odl amlwg ac wedyn fe gawsom dipyn o hwyl yn nadu 'aa, aa, aa'. Mae ambell un wedi tybio fod Mathonwy yn ffigwr o chwedloniaeth Gymreig ond mae gen i ofn mai cwbl ddychmygol ydi o – rhyw *zombie* cynnar oedd yn esgus i ni wneud sŵn 'fath â bwganod.

Roedd 'Gwas Bach y Peiriant Pres' ar y llaw arall yn fynegiant o'r rhesymeg oedd wedi gyrru fy mhenderfyniad i symud i fyw o Gaerdydd i'r gogledd. Mae hi'n dipyn o bregeth a braidd yn angharedig tuag at bobl y ddinas ond yn enghraifft o gryfder teimladau yn mynnu mynegiant mewn cân.

Daeth 'Dwi isio bod yn Sais' a 'Gwas Bach y Peiriant Pres' allan ar EP yn 1973 a gwerthu hyd yn oed yn fwy na'r 5,000 werthodd 'Dŵr' ond, ar wahân i'r casgliad *Adlais*, dyma oedd fy record olaf. Mi wnes i sgwennu llond dwrn o ganeuon wedi hynny a chanu ambell un yn gyhoeddus unwaith neu ddwywaith. Roedd yna gân a grëwyd i gefnogi'r ymgyrch i gael sianel deledu Gymraeg ond y gwir oedd, doedd hi ddim yn gân dda. Mi genais gân serch ar un o raglenni teledu'r BBC ond roedd hi'n amlwg i mi, fel i bawb arall, nad oedd yna fawr o werth iddi. Os bu gen i rywfaint o awen erioed, roedd hi wedi diflannu.

Erbyn 1974, roedd fy holl egni creadigol wedi cael ei

gyfeirio i'r gwaith bob dydd roeddwn i'n ei wneud gyda Sain. Roedd hyn hefyd wedi mynd yn fwy o flaenoriaeth bersonol na chymryd rhan yn ymgyrchoedd Cymdeithas yr Iaith ac er bod yr ymgyrchoedd eu hunain, yn enwedig y rhai mewn perthynas â darlledu, yn miniogi ac yn dwysáu, doedd gen i ddim byd newydd i'w ddweud na'i ganu amdanyn nhw. Roeddwn i hefyd yn ŵr priod gyda phlentyn, sefyllfa sydd yn dod â'i chyfrifoldebau a'i gofynion ei hun, heb sôn am greu amgylchiadau gwahanol ar gyfer chwarae o gwmpas gydag offerynnau swnllyd.

Roedd cyngerdd *Tafodau Tân* 1973 a drefnwyd gan Gymdeithas yr Iaith yn ystod wythnos Eisteddfod Genedlaethol Rhuthun, yn rhyw fath o ddiwedd cyfnod. Roedd rhai o enwau mwyaf amlwg y byd pop Cymraeg yno – yn enwedig y rheini oedd yn uniaethu eu hunain gydag ymgyrchoedd Cymdeithas yr Iaith; grwpiau megis Ac Eraill, Hergest a Sidan, yn ogystal â Dafydd Iwan a minnau, ond yno am y tro cyntaf hefyd y clywyd Edward H Dafis.

Er bod Y Blew wedi braenaru'r tir yn 1967 o ran creu grŵp trydanol Cymraeg, grwpiau a chantorion acwstig o wahanol fathau oedd wedi bod yn llenwi neuaddau perfformio'r Gymru Gymraeg ers hynny. Ond roedd pobl fel Hefin Elis a Dewi Pws ar dân eisiau creu grŵp trydanol Cymraeg go iawn, a dyna wnaethon nhw gydag Edward H.

Roedd y rhan fwyaf o noson *Tafodau Tân* wedi dilyn y patrwm acwstig arferol. Roedd y neuadd yn orlawn; roedd yna bobl yn trio dringo i mewn drwy'r drysau a'r ffenestri ac roedd yna gryn hwyl wedi bod wrth wrando ar Arfon Gwilym yn canu penillion gogleisiol ac Ac Eraill yn cyflwyno eu cân anfarwol 'Nia Ben Aur' am y tro cyntaf. Ac yna dyma Huw Ceredig yn cyflwyno Edward H. Mae'n werth gwrando ar 'Cân y Stiwdants' ar record *Tafodau Tân* gan ei bod, er yn amrwd iawn o ran perfformiad a recordiad, wedi dal natur hanesyddol y perfformiad. Mae egni'r perfformio a'r canu cyntefig i'w glywed yn amlwg ac mae ymateb y gynulleidfa hefyd i'w deimlo i'r byw. Cyn diwedd y perfformiad, roedd yna nifer o gyplau wedi hawlio'r gofod rhwng y llwyfan a'r rhesi blaen ac wrthi'n dawnsio eu croeso i'r chwyldro trydanol. Digwyddodd yr un peth yn Eisteddfod yr Urdd y flwyddyn ganlynol er i'r swyddogion yn y fan honno geisio tynnu'r plwg oni bai fod pawb yn eistedd i lawr – pa obaith?

Roedd y Sin Roc Gymraeg wedi cael ei geni a'r Byd Pop Cymraeg, y bûm innau'n rhan ohono, yn dechrau cilio o'r tir.

Roedd hi'n amhosib i grŵp trydan mewn gwirionedd gydfyw ar yr un llwyfan â pherfformwyr acwstig o leiaf nes bod trefniadau llawer mwy proffesiynol wedi datblygu. Ar yr un pryd, roedd yna ddatblygiad arall ar y gweill sef y Cabaret Cymraeg. Y syniad fan yma oedd y byddai tafarn yn gwahodd artist adnabyddus i ddod i berfformio, yn aml iawn ar nos Sadwrn, a bod hwnnw'n rhoi rheswm i griw o bobl ymgynnull i gael diod a bwyd. Ar ei orau, roedd hyn yn gallu bod yn brofiad digon pleserus i'r perfformiwr ac i'r gynulleidfa. Fe fu'r Cŵps yn Aberystwyth yn rhedeg cyfres o nosweithiau lle'r oedd gofyn i un perfformiwr gynnal noson gyfan. Roedd gennych chi gynulleidfa oedd wedi dod yno i wrando, ac roedd yn gallu bod yn brofiad braf i gael amser i fynd drwy raglen estynedig o ganeuon. Yn y Cŵps y gwnes i ganu 'Dwi isio bod yn Sais' yn gyhoeddus am y tro cyntaf.

Ond ar ei waethaf, roedd y cabaret yn brofiad digalon iawn i'r perfformiwr gan orfod cystadlu gyda sŵn cynyddol yn dod o'r bar a hwnnw'n mynd yn uwch ac yn uwch wrth i'r noson fynd yn ei blaen. Roedd y tâl roedd y perfformiwr yn ei gael dipyn gwell na'r hyn oedd yn cael ei gynnig mewn cyngherddau a nosweithiau llawen gan fod y trefnwyr yn gweld fod cael un enw ar y poster yn ddigon i ddenu cynulleidfa a bod elw'n cael ei wneud nid yn unig wrth y drws, ond y tu ôl i'r bar hefyd. Felly roedd hi'n demtasiwn i'r perfformiwr ddioddef a gwneud y gorau ohoni.

Mae gen i ofn mai noson felly yng ngwesty Dolbrawdmaeth, Dinas Mawddwy, wnaeth arwain i 'mhenderfyniad i roi'r gorau i fod yn ganwr. Mi fyddai hyn wedi bod rywbryd tua diwedd 1974.

Yr hyn fyddai'n rhoi fwyaf o bleser i mi wrth ganu ar lwyfan yn ystod yr holl gyfnod y bûm wrthi, oedd cyflwyno caneuon oedd naill ai'n newydd sbon neu'n newydd i'r gynulleidfa yn y lleoliad hwnnw a chael ymateb da pan fyddai'r gân honno'n plesio. Am gyfnod o ryw chwe blynedd, roeddwn wedi medru cyflwyno un gân newydd ar ôl y llall a rheini'n rhai oedd yn cydio. Erbyn diwedd 1974, roedd y caneuon newydd wedi peidio â dod ac roedd y profiad cabaret wedi mynd yn ailadroddus a diflas. Ond roedd y gwahoddiadau i berfformio yn dal i ddod i fewn. Beth i'w wneud?

Roedd hi'n arferol pan roedd grŵp yn rhoi'r gorau iddi, fel yn hanes Hogia'r Wyddfa ac ambell i ganwr y gellid ei enwi, i wneud cyhoeddiad fisoedd ymlaen llaw a threfnu cyngerdd ffarwél mawr. Fe benderfynais i nad oeddwn i am wneud hynny ond yn hytrach, o noson Dolbrawdmaeth ymlaen, fe wnes i wrthod pob cynnig newydd i berfformio. Fe wnes i gyflawni fy nyletswyddau o ran y cyngherddau yr oeddwn i eisoes wedi'u derbyn ac fe ddaeth fy ngyrfa fel canwr i ben, yn ddi-sylw, gyda noson yn neuadd Bro Dysynni yn hydref 1975.

Bob rhyw ddeng mlynedd, fe fydd Sain yn dod â'r gadair olwyn heibio pan fyddant yn dathlu pen-blwydd gyda '0' ynddo. Mi roedd perfformio 'Dŵr' yn y Babell Werin yn Eisteddfod Llanrwst yn 2019, a rhannu'r llwyfan gyda rhai o'r hen begors eraill, yn brofiad pleserus iawn. Pwy a ŵyr, hwyrach y bydd o'n rhywbeth i mi droi yn ôl ato! Ond hyd yn oed heddiw, dwi'n ei chael hi'n anodd credu fod yna unrhyw beth mewn bywyd all guro cael bod, yn 20 oed, yn ganwr pop.

11

Roferdir

AR ÔL FY nhaith ar draws Ewrop, roeddwn yn glir iawn fy meddwl y byddwn, ar ôl gorffen yn y coleg, yn prynu Land Rover, yn ei ddarparu fel stafell wely symudol ac yn mynd rownd y byd ynddi. Wnes i ddim cyflawni'r freuddwyd, ond mi ges i Land Rover, am gyfnod. Huw Ceredig, yr actor, a'i bedyddiodd yn 'Roferdir'.

Yn ystod Haf 1970, mi glywais am garej yng Ngwlad yr Haf oedd yn arbenigo mewn rhai ail-law a bod ganddyn nhw un o'r union fath roeddwn i'n chwilio amdano, sef un hir, hefo to canfas y gellid ei dynnu er mwyn creu tryc awyr agored – perffaith ar gyfer trip estynedig i rywle poeth. Penderfynwyd mai Iwgoslafia fyddai'r nod ac fe berswadiais bump o ddewrion ifanc eraill i ddod hefo mi – Dewi Pws a'r actor Dyfan Roberts yn eu plith.

Am bob math o resymau, fe gwtogwyd hyd y daith i dair wythnos – cychwyn yn hwyr a gorfod dod yn ôl yn gynt na'r bwriad gwreiddiol. Hefyd mi wrthodais wrando ar gyngor y garej, oedd yn cynghori fod yna rai o'u cerbydau eraill yn fwy addas ar gyfer y math o daith oedd gen i dan sylw. Na, roeddwn i eisiau un oedd yn gallu bod yn gerbyd awyr agored a dim ond un o'r rheini oedd ganddyn nhw a doedd dim gwahaniaeth gen i bod hwnnw'n un oedd wedi cael bywyd reit galed ar safleoedd adeiladu.

Mi dorrodd y Land Rover i lawr am y tro cyntaf wrth i ni deithio drwy Frankfurt ac fe gollwyd dau ddiwrnod a hanner yn disgwyl am bartiau i'w thrwsio. Y brêcs oedd y broblem yn y fan honno. O'r diwedd, dyma gael ailgychwyn a bwrw 'mlaen dros nos, er mwyn dal i fyny hefo amser, tua Munich a thu hwnt. Anelu am Dubrovnik roedden ni, ac fe gafwyd ambell i ddiwrnod braf ar arfordir Croatia, a diwrnod difyr yn hen ddinas Sarajevo, ond bu'n rhaid troi'n ôl cyn cyrraedd Dubrovnik oherwydd ymrwymiadau pobl yn ôl yng Nghymru.

Roedd dawn ryfeddol Dewi Pws i ddenu a diddanu cynulleidfa dan bob math o amgylchiadau, yn amlwg iawn ar y daith honno. Roeddem yn codi pabell un noson yn weddol hwyr yn y dydd mewn gwersyll yn Iwgoslafia yn llawn o deuluoedd Almaenig ar eu gwyliau. Roedden nhw wedi cael eu swper ac yn eistedd yn eu cadeiriau moethus y tu allan i'w pebyll, cwrw a gwin ar y bwrdd o'u blaenau, yn edrych ar ymdrechion y criw hirwallt yn eu cerbyd blêr i godi pabell. Ni oedd eu sioe *cabaret* y noson honno. Roedd yna lawer iawn o bryfed o gwmpas a Pws yn gwneud ffws fawr ynglŷn â'r ffaith bod rhain yn aflonyddu arno. Tra roedden ni'n codi'r babell, fe safodd Dewi yng nghanol y cae a chymryd arno wneud cylch mawr ar y llawr ac yn yr awyr o'i gwmpas gyda'r tun *spray* pryfed, ac yna sefyll fel *mime artist* yn llonydd yng nghanol y cylch yn edrych yn flin ar y pryfed. Roedd yr Almaenwyr i gyd yn eu dyblau. Doedd dim angen iaith ar Pws i ddiddanu cynulleidfa.

Wrth deithio nôl drwy'r Fforest Ddu yn yr Almaen, dyma sŵn metal melltigedig yn dod o'r injan a'r Land Rover yn stopio'n sownd yn y fan a'r lle. Galw dyn AA yr Almaen – hwnnw'n rhoi un tro i'r injan ac yn dweud 'kaput', gyda boddhad mawr. Erbyn deall, roedd y *crankshaft* wedi torri'n rhacs o dan bwysau'r teithio pell. Wrth lwc, roedd gen i yswiriant AA ac fe drefnon nhw fod y cerbyd druan yn mynd ar lori yn ôl i Gaerdydd. Aethon ninnau adref ar y trên. Ond fe arweiniodd y daith at bennill yn un o ganeuon pop mwyaf canadwy'r cyfnod sef 'Blaenau Ffestiniog' gan y Tebot Piws:

Mi es i Iwgoslafia ar fy ngwyliau yn yr haf,
Mi basiais drwy y Swistir ar fy nhaith;
Meddai dyn bach yn yr Almaen
'Ble'r rych chi'n mynd, mein fräulein?'
Mi drois yn ôl i ateb ar un waith –
'O rwy'n mynd nol i Flaenau Ffestiniog'...

Fe drwsiwyd y Land Rover ymhen hir a hwyr ac fe'i
gwerthwyd yn rhad yn ôl i'r garej yng Ngwlad yr Haf. A dyna
ddiwedd fy mreuddwyd innau am gael bod yn hipi yn crwydro'r
byd.

12

Sain

ERBYN GWANWYN 1969, roeddwn wedi dod i adnabod Dafydd Iwan yn dda, wedi cyfansoddi 'Dŵr', ac wedi dechrau dod i adnabod Meic Stevens. Roedd fy ail record, *Y Ffoadur*, wedi ymddangos yn gynnar yn y flwyddyn ond heb roi'r byd ar dân. Roedd hi'n glir mai 'Dŵr' fyddai fy record nesaf ac yn sgil perfformiadau ohoni mewn cyngherddau roedd yn amlwg y byddai yna dipyn o fynd ar unrhyw recordiad ohoni pan fyddai'n ymddangos yn y siopau. Ond doeddwn i ddim yn hapus â'r ffordd roedd cwmni Teldisc yn mynd o'i chwmpas hi o ran y trefniadau i recordio caneuon. Wrth recordio *Y Ffoadur* yng Nghlwb Cymdeithasol y Creunant, roeddwn ar ganol recordio pan grwydrodd y barman i mewn i'r neuadd, heb unrhyw ymddiheuriad, a dechrau clirio gwydrau.

Pan wnes i ei gyfarfod gyntaf mewn cyngerdd yn y Drenewydd, roedd Meic ar ôl clywed 'Dŵr' wedi dweud '*I could help you make a good recording of that, man*' (yn Saesneg roedd pawb yn tueddu i siarad efo Meic bryd hynny). Roedd Meic yn byw rhyw ddau fywyd ar y pryd – wedi treulio cyfnod yn Llundain ac yn dal â chysylltiadau yno a arweiniodd cyn bo hir at gytundeb hefo cwmni Warner Brothers. Cynnyrch y cytundeb hwnnw oedd ei albwm enwog *Outlander*. Roedd Meic wedi arfer gweithio mewn stiwdios recordio; roedd yn adnabod llawer iawn o gerddorion talentog o bob math ac roedd ei awydd i gynnig help, i rannu o'i brofiad, yn un cwbl ddidwyll.

Ar y cychwyn, doedd yna ddim bwriad i greu cwmni

recordio newydd. Syniad gwreiddiol Dafydd a minnau oedd dwyn perswâd ar gwmni Teldisc i roi mwy o reolaeth i ni dros faterion yn ymwneud â'n recordiau ni ein hunain ac fe wyntyllwyd hefyd y syniad o ddod i ryw drefniant i gymryd y cwmni drosodd.

Yn y cyfamser, roedd un o beirianwyr sain HTV, Mike Gore, wedi dod i adnabod Meic a minnau yn sgil ein hymddangosiadau mynych â'r stiwdios hynny ac roedd yntau'n awyddus iawn i'n helpu ni i symud pethau yn eu blaenau. Wrth recordio rhaglenni, byddai Mike Gore yn gwneud ymdrech i gael y sŵn gorau posibl ar ein cyfer ni, gan ddefnyddio meicroffonau ar wahân i'r gitâr ac i'r llais. Roedd hyn yn rhoi mwy o reolaeth ac yn caniatáu gwell *mix* na'r dull arferol o recordio ar gyfer teledu oedd yn seiliedig ar geisio gosod un meicroffon rywle hanner ffordd rhwng y llais a'r gitâr. Fe gynigiodd i Meic wneud sesiwn recordio gyda'r nos yn HTV ac fe gynigiodd Meic i minnau ddefnyddio'r sesiwn honno i recordio 'Dŵr'. Erbyn hynny roedd Meic wedi bod yn cyfeilio i mi ar lwyfan ar gyfer y gân honno bob tro y byddem yn digwydd bod yn cymryd rhan yn yr un noson ac felly roedd o'n eithaf cyfarwydd â'r gân. Awgrymodd y byddai lleisiau merched yn ychwanegiad da ac fe drefnwyd i Heather Jones ac un o'i ffrindiau, Ann Morgan, a aeth ymlaen i fod yn gantores opera yn yr Iseldiroedd, i ddod draw i Bontcanna ryw gyda'r nos yn y gwanwyn.

Daethom o'r stiwdio gyda fersiwn ddigon taclus o'r gân ond wrth wrando arni dros y dyddiau canlynol, fe ddois i i'r casgliad nad oeddwn yn gwbl fodlon ei bod wedi dal y cynnwrf roeddwn i'n credu oedd yn sylfaenol i'r gân. Os rhywbeth roedd yn recordiad rhy lân, rhy neis, rhy feddal a gyda rhywfaint o swildod, dyma fynegi hyn wrth y ddau Feic. Wnaeth yr un o'r ddau ddigio, chwarae teg, a dyma Mike Gore wedyn yn sôn fod ganddo gyfaill yn gweithio mewn stiwdio recordio fawr yn Llundain. Roedd ar hwnnw ffafr i Mike Gore ac fe gynigiodd ofyn i'r cyfaill a fyddai o'n fodlon trefnu sesiwn recordio am ddim i'w gyfeillion o Gaerdydd. Dyma felly drefnu i fynd i Lundain gyda Meic a Heather, gyda Geraint Jarman yn gwmni, ar gyfer sesiwn fore dydd Sul yn gynnar yn yr haf, ar ôl diwedd y tymor coleg.

Y noson cyn y recordiad roedd Meic i fod i ganu mewn clwb gwerin yn Fairford ger Caerloyw a dyma'r pedwar ohonom, a dwy gitâr, yn gwasgu i mewn i nghar i i fynd â Meic i Fairford gyda'r bwriad o godi'n fore y diwrnod canlynol a chyrraedd Llundain erbyn 10 yn unol â'r trefniant.

Wel, fe aeth hi'n noson hwyr yn y clwb gwerin a bu cryn dipyn o yfed a hyn a'r llall ar ôl y canu. Cysgu ar lawr yn rhywle wnaethon ni – dwi'n meddwl fod gen i sach gysgu barhaol yn y car y dyddiau hynny – ac er i ni i gyd gytuno y bydden ni ar ein ffordd erbyn 8 o'r gloch, nid felly y bu. Roedd fy nghar mini erbyn y cyfnod yma wedi cyfarfod â'i wneuthurwr ar ffurf lori fawr a fethodd â stopio. Roeddwn innau wedi uwchraddio i MG 1100, car bach reit handi ond bod yna rywbeth o'i le ar yr egsôst a oedd yn golygu fod yna ychydig o oglau drwg yn treiddio i'r car bob hyn a hyn. Cychwynnwyd yn y diwedd ryw hanner awr yn hwyr ond rywle tua Swindon dyma Heather yn teimlo awydd taflu i fyny. Bu'n rhaid stopio a phwyllo a gyrru ychydig yn llai cyflym o hynny 'mlaen.

Erbyn hyn, roedd y peiriannydd wedi agor ei stiwdio ac o fewn ychydig funudau wedi darganfod fod yna griw teledu yn gofyn am gael mynediad. Heb yn wybod i mi, roedd Meic wedi bod wrthi dros yr wythnosau blaenorol yn ffilmio yma a thraw gyda'r cyfarwyddwr Gareth Wynn Jones ar gyfer rhaglen ddogfen amdano fo a'i ganu. Roedd o wedi sôn wrth Gareth am y sesiwn yma oedd i ddigwydd yn Llundain, ond heb sôn wrth Mike Gore, ein dolen gyswllt gyda'r stiwdio. O ganlyniad, roedd y peiriannydd o Lundain yn sydyn reit yn cael ei wynebu, ar fore pan oedd yn disgwyl gwneud cymwynas fach dawel i ryw hogiau tlawd o Gymru, gan holl geriach arferol criw ffilmio'r BBC. Ar ben hynny, roedd yna gerddorion hirwallt yn troi i fyny bob hyn a hyn oedd wedi cael gwŷs gan Meic i alw heibio i weld a fydden nhw'n gallu ychwanegu rhywbeth neu'i gilydd at y sesiwn yma.

Pan gyrhaeddon ni yn y diwedd, rhyw dri chwarter awr yn hwyr, roedd yna gymysgedd o brysurdeb teledol ac o *laidbackness* cerddorol o gwmpas y lle yn ogystal â pheiriannydd tawel, cwrtais ond ychydig yn amheus.

Y peth cyntaf oedd angen ei wneud oedd cael y cerddorion newydd i ymgyfarwyddo â'r gân. Roedd hyn wrth gwrs yn cymryd amser, a hwnnw'n amser nad oedd neb wedi caniatáu ar ei gyfer. Roedd yna fachgen o'r enw Andy Lee yn chwarae bas – aeth hwnnw ymlaen i chwarae gyda grŵp o'r enw Spooky Tooth. Roedd yna ddrymiwr oedd wedi dod â'i tablas Indiaidd hefo fo, ac roedd yna ddyfais newydd sbon o'r enw Mellotron wedi cyrraedd hefyd. Mae 'Dŵr' yn gân pum munud o hyd, felly roedd pob rhediad ymarfer yn llyncu amser.

Yn y diwedd, dyma benderfynu fod gennym ddigon o hyder i roi'r trac sylfaenol i lawr. Un o'r pethau oedd yn arbennig am y stiwdio a'r sesiwn yma oedd y ffaith ein bod yn defnyddio peiriant 4 trac. Roedd hyn yn beth cymharol newydd ond roedd yn eich galluogi i roi gwahanol offerynnau neu leisiau ar draciau unigol a'u cymysgu wedyn i gael y sŵn gorau posibl. Dyma hanfod egwyddor recordio aml-drac sydd yn dal yn weithredol heddiw. Ond gyda dim ond pedwar trac ar gael, y dechneg oedd recordio trac offerynnol ar dri thrac, cymysgu'r seiniau yna i lawr ar un o'r pedwar trac gan adael y tri arall yn rhydd unwaith eto ar gyfer recordio pethau ychwanegol gan gynnwys y llais. A dyna a wnaed.

Ar ôl bodloni fod y *mix* cyntaf yma'n iawn, dyma ychwanegu lleisiau Heather a minnau ac wedyn rhoddwyd cynnig ar ychwanegu'r Mellotron. Erbyn hyn roedd hi'n bur amlwg fod y peiriannydd, er gwaethaf ei amynedd a'i gwrteisi, yn meddwl ein bod wedi cael mwy na'n siâr o'i amser. Roedd ei wraig a'i deulu yn disgwyl amdano ar gyfer cinio dydd Sul hwyr ac roedd hi ymhell i fewn i ganol y pnawn. Bu'n rhaid derbyn y trac Mellotron fel ag yr oedd, er bod y creadur oedd yn ei chwarae yn meddwl mai ymarfer oedd o yn hytrach na recordio ac wedyn fe aethpwyd ati i wneud *mix* terfynol cyn ffarwelio a mynd oddi yno gyda dau dâp gwerthfawr o dan fy nghesail, sef y *mix* terfynol a'r bocs mawr coch oedd yn cynnwys y pedwar trac sylfaenol.

Wn i ddim lle wnaethon ni gysgu'r noson honno. Rhyw westy rhad yn Paddington mae'n debyg, a'r bore wedyn dyma Meic yn trefnu i ni fynd i stiwdio oedd yn gwneud *acetates* o dapiau, sef disg caled y gallech chi fynd ag o adref hefo chi a gwrando arno ar eich chwaraewr recordiau. Fe wnaethon ni dri o'r rhain, ac mae un ohonynt wedi ffeindio'i ffordd i archif y Llyfrgell Genedlaethol.

Dydw i ddim yn meddwl ein bod ni wedi dangos ein gwerthfawrogiad o amynedd a chymwynas y cyfaill o Lundain ar y pryd ond rhag ofn ei fod o neu ei ddisgynyddion yn dod ar draws y llith yma, dyma ddatgan fy niolch oesol nid yn unig i Meic Stevens a Mike Gore am eu cymwynas, ond hefyd i Mr John Richards o Cine-tele Sound. Y fo, cymaint â neb, sy'n gyfrifol am y ffaith i record gyntaf Sain, pan wnaeth hi ymddangos, greu cymaint o argraff.

Gyda'r tâp yn fy meddiant, roeddwn yn fwy penderfynol fyth o geisio sicrhau rheolaeth dros amodau eraill cyhoeddi'r record – y clawr, hyrwyddo, dosbarthu sydyn, ac felly yn y blaen. Dafydd Iwan awgrymodd mai creu ein cwmni ein hunain oedd yr ateb ac mae'n rhaid ein bod wedi bod yn trafod y syniad ym mhresenoldeb pobl eraill achos fe ddaeth cynnig gan ŵr o'r enw Brian Morgan Edwards, Cymro di-Gymraeg oedd yn byw yn Llundain ac yn ŵr busnes llwyddiannus ym myd prynu a gwerthu cyfrifiaduron. Cynigiodd Brian fenthyciad o £500 i ni ar gyfer cychwyn y cwmni ac fe aeth ati hefyd i'n rhoi ar ben y ffordd mewn perthynas â phethau sylfaenol megis ffurfio a chofrestru'r cwmni, a chreu system ar gyfer cofnodion ariannol. Ein gwaith ni oedd ffeindio allan sut oedd gwneud record a dod â hi gerbron y cyhoedd.

Trwy wahanol ffynonellau, dyma ddysgu am elfennau

sylfaenol y broses. Gofynnwyd i Gareth Rowlands, ffrind i mi
o Gaerdydd oedd wedi cynllunio cloriau fy nwy record gyntaf,
i wneud cynllun ar gyfer clawr *Dŵr* ac hefyd i wneud cynllun
ar gyfer label. Mae'r ddau gynllun bellach ymhlith eiconau
Cymraeg y cyfnod, dwi'n credu. Roedd angen archebu'r nifer
angenrheidiol o labeli ar bapur arbenigol ac roedd gennym
gyfeiriad ffatri yn ymyl Llundain oedd yn gwneud hynny.
Roedd enw'r cwmni oedd yn argraffu cloriau ar gyfer cwmni
Teldisc i'w weld ar y cloriau hynny felly doedd cysylltu â'r
cwmni hwnnw ym Mhort Talbot a gofyn iddynt argraffu ein
cloriau ni ddim yn broblem. Cafwyd ar ddeall fod yna fwy nag
un ffatri yn Llundain yn gwasgu recordiau a phenderfynwyd ar
ôl cael prisiau fynd at gwmni Pye yn Mitcham.

Ond cyn hynny roedd angen gwneud y *cut*. Roedd hyn
yn golygu mynd at stiwdio arbenigol yn y West End oedd
yn trosglwyddo'r gân o'r tâp i'r *master disc*. Yn y ffatri roedd
hwnnw'n mynd trwy ddwy broses bellach cyn cynhyrchu'r
stamper oedd yn cael ei osod yn y peiriant lle roedd ei argraff
yn cael ei wasgu ar lwmp o feinyl poeth a'i droi'n ddisg.

Rywbryd yn y cyfnod hwnnw fe fûm i yn y ffatri yn Mitcham
pan oedd y shifft nos wrthi. Roedd yn brofiad eithaf arallfydol.
Wynebau duon oedd gan bob un oedd y tu ôl i beiriant. Roedd
yna ryw ddau ddwsin o beiriannau i gyd wrthi a sŵn hisian
mawr bob tro y byddai'r *stamper* yn cael ei dynnu lawr ar ben
y feinyl. Doedd neb yn dweud gair a'r cyfan glywech chi oedd
y sŵn *pwmp, hiss, pwmp, hiss* yn atseinio drwy'r adeilad a'r
oglau feinyl afiach yn llosgi eich ffroenau. Doedd o ddim yn
lle iach i fod yn gweithio, waeth beth yw'r rhamant sy'n bodoli
heddiw ynglŷn â recordiau feinyl.

Roedd yna nifer o'r penderfyniadau gymeron ni wrth
sefydlu'r cwmni yn adlewyrchu ymrwymiad Dafydd a minnau
i egwyddorion Cymdeithas yr Iaith. I ddechrau, enw Cymraeg
roddwyd i'r cwmni. Roedd hynny'n beth newydd. Fe allech chi
ddadlau fod yr enw ei hun braidd yn amlwg – ond roedd o'n
ddisgrifiad clir iawn o'r hyn roedd y cwmni am ei gynhyrchu. Y

bwriad oedd ei alw yn syml yn Sain Cyf., ond fe gawsom neges gan Dŷ'r Cwmnïau yn dweud fod yna gwmni peirianyddol o Swydd Efrog o'r enw Sayn Ltd yn bodoli eisoes. Doedd y ffaith bod ynganiad, lleoliad a natur y busnes yn hollol wahanol yn cyfri' dim wrth gwrs. 'Recordiau Sain' oedd yn rhaid iddi fod felly, ond byddai hynny'n golygu na fyddem yn dod o dan 'S' yn y llyfr ffôn, y lle allweddol i bobl fedru dod o hyd i ni yn y dyddiau hynny cyn dyfodiad y we. A dyna'r eglurhad am y ffurf gyfreithiol drwsgl sydd wedi bod ar y cwmni ers 50 mlynedd, sef Sain (Recordiau) Cyf.

Roedden ni'n benderfynol mai Cymraeg fyddai prif iaith weinyddol y cwmni. Roedd hynny'n cynnwys er enghraifft sicrhau fod y geiriad ynglŷn â hawlfraint, oedd yn ymddangos ar bob label record, yn Gymraeg yn hytrach na Saesneg. Yn sicr roedd y prif ddarn o nodiadau ar gefn y clawr i fod yn Gymraeg ond mae'n ddiddorol sylwi fod clawr *Dŵr* yn cynnwys ychydig o linellau o ddisgrifiad Saesneg hefyd oedd yn awgrymu fod gennym ymwybyddiaeth o gynulleidfa ddi-Gymraeg yn ogystal â'r un greiddiol Gymraeg roeddem yn anelu ati. Fe wnaethon ni hefyd gynnwys gyda'r recordiad gwreiddiol daflen gyda geiriau'r gân ar un ochr a chyfieithiad Saesneg ar yr ochr arall – rhywbeth efallai oedd yn fwy ymarferol gyda record sengl na gyda'r EPs a ddaeth yn rhan fwy amlwg o'r cynnyrch yn ddiweddarach. Efallai fod hyn yn adleisio'r ffaith mod i'n dal mewn prifysgol yn Lloegr ac yn ymwybodol o bobl ddi-Gymraeg fyddai â diddordeb yn y record ond mae'n biti, dwi'n meddwl, i ni beidio â pharhau gyda'r arferiad hwn gan adael i genhedlaeth ddiweddarach o arloeswyr roi mwy o bwyslais nag a wnaethon ni y pryd hynny ar gyrraedd marchnad y tu hwnt i'r Gymru Gymraeg.

Fe gymerodd yr holl broses dipyn mwy o amser nag yr oeddem wedi gobeithio ond yn y diwedd dyma bennu y 9fed o Hydref 1969 fel dyddiad lansio'r cwmni a'r record. Trefnwyd parti yn fflat Dafydd Iwan ym Mhenarth gan wahodd nifer o newyddiadurwyr a darlledwyr i gyd-ddathlu hefo ni.

Effeithiwyd rhywfaint ar lif y noson wrth i Marion, gwraig Dafydd, gyda Dafydd i'w chanlyn, gael ei chymryd i'r ysbyty lle rhoddodd enedigaeth i'w mab cyntaf, Llion, ychydig oriau yn ddiweddarach. Felly mae Llion Iwan yn union yr un oed â chwmni Sain.

Ychydig ddyddiau ynghynt roedd dwy fil o gloriau, dwy fil o recordiau a dwy fil o daflenni geiriau wedi cyrraedd naill i i dŷ fy rhieni yn Llandaf, neu i dŷ Brian Morgan Edwards yn Ninian Road, Parc y Rhath (dydw i ddim yn cofio p'run, ond mi fuodd 'na dipyn go lew o bacio recordiau yn y ddau le yn ystod y flwyddyn gyntaf). Fflat ucha'r tŷ yn Ninian Road oedd i fod yn swyddfa'r cwmni am y ddwy flynedd gyntaf ac wrth gwrs roedd yn rhaid rhoi'r recordiau a'r taflenni yn eu cloriau a'u pacio fesul bocsys o 25 ac yna, y peth pwysig, eu cael allan i'r siopau. Dafydd a minnau oedd yn gwneud y gwaith yma gan rannu'r wlad rhyngom a gwaith cynhyrfus iawn oedd cael archeb sylweddol iawn i gychwyn gan yr enwog Magi Glen oedd yn rhedeg Siop y Triban gyferbyn â'r castell yng Nghaerdydd. Oherwydd yr oedi oedd wedi bod wrth gwblhau'r broses o ffurfio'r cwmni, roedd yna gryn ddisgwyl am y record yn y siopau, ac felly roedd yr archebion yn rhai da ym mhobman bron. Roedd yna gylchdaith sylfaenol y pryd hynny, sef y cylch o siopau oedd yn cyfrannu at siart *Y Cymro*, ac roedden ni'n canolbwyntio ar gael y recordiau i'r siopau yna yn y lle cyntaf. Tŷ John Penry yn Abertawe, Eilir Davies yng Nghaerfyrddin, Siop y Pethe Aberystwyth, Gray Thomas Caernarfon ac felly yn y blaen.

Ar ôl cyflenwi'r prif siopau heb fod angen pwyso fawr ddim ar neb i gymryd y record, dyma ddechrau meddwl am y bylchau yn y map, oedd yn golygu cadw llygad yn agored wrth basio drwy'r gwahanol drefi i weld ymhle roedd yna gloriau recordiau'n cael eu dangos. Fel arfer roeddem yn cael croeso yn y llefydd yna hefyd, ond profiad ychydig yn wahanol a ges i mewn un siop lle roeddwn wedi sylwi ar glawr ambell i record Gymraeg yn y ffenest.

Siop fferyllydd yng Nghricieth oedd hon lle'r oedd y perchennog wedi gweld bod yna dipyn o alw yn lleol am recordiau Cymraeg a lle nad oedd neb arall yn eu gwerthu.

Dyma stopio'r car ac i mewn â fi i'r siop â 'ngwynt yn fy nwrn, gan fod gen i dipyn o daith ar ôl i'w chyflawni. Yn anffodus, roedd yna gwsmer yno yng nghanol sgwrs gyda'r fferyllydd ynglŷn â'i hanghenion meddygol. Ar ôl rhyw sgwrsio go hir rhwng y ddau, a chyn i'r cwsmer gael pa ffisig bynnag roedd hi'n gobeithio amdano, trodd y fferyllydd ata' i a gofyn be oedd fy musnes. Dyma egluro mod i'n cynnig gwerthu record iddo fo gan gwmni newydd.

'O' medda fo, 'ga' i gweld hi gynnoch chi?' Mi wnes innau estyn copi iddo fo a dyma fo'n edrych arni'n ofalus, ei throi drosodd, ac yna gofyn barn y cwsmer – 'Fasa'n well i ni wrando arni 'dwch?'

Tynnodd y record allan o'r clawr a mynd â hi'n hamddenol at y chwaraewr recordiau roedd o wedi'i osod y tu ôl i'r cownter at y pwrpas. Roeddwn innau erbyn hyn ar binnau isio mynd o 'na, yn rhannol am fod hyn oll yn cymryd llawer gormod o amser, ond hefyd am nad oeddwn i wir yn awyddus iawn i sefyll yn y fan honno yn gwrando ar fy record fy hun pan oedd hi'n amlwg nad oedd yr un o'r ddau wedi gwneud y cysylltiad rhwng y llun ar glawr y record a'r dyn oedd yn trio'i gwerthu.

Ond dioddef fu'n rhaid, yn enwedig felly, ar ôl disgwyl am y pum munud cyfan nes i'r gân orffen, wrth i'r fferyllydd droi at ei gwsmer a dweud

'Na, dwi ddim yn meddwl fod y math yna o beth yn mynd i werthu yng Nghricieth, ydach chi Mrs Jones?'

A chymryd y record yn ôl ganddo a sleifio o 'na â 'nghynffon rhwng fy nghoesau fu'n rhaid i mi.

Er gwaetha'r siom yma, roedd yn deimlad braf iawn yr wythnos ganlynol pan aeth *Dŵr* i ben Siart Y Cymro – *'straight in at number one'* chwedl *Top of the Pops*. Roedd pethe fel 'na'n bwysig, ar y pryd.

Y record nesaf oedd i fod i gael ei chyhoeddi gan Sain

oedd *Myn Duw, Mi a Wn y Daw* gan Dafydd Iwan. Yn ystod yr hydref, roeddem wedi clywed fod yna ddau fab fferm o Sir Fynwy wedi agor stiwdio recordio dda iawn mewn adeiladau ar eu fferm ger pentref Rockfield a dyma fynd draw i gael golwg. Mae'n siŵr fod pawb arall oedd yn mynd i Rockfield am y tro cyntaf, fel ninnau, yn ei chael hi'n anodd credu ei bod hi'n bosibl fod recordiau o safon yn cael eu cynhyrchu o dan y fath amgylchiadau, ond fel pawb arall, yn dod i sylweddoli yn fuan iawn fod yna bennau busnes da iawn yn cuddio o dan yr olwg bwgan brain a'r acenion gwledig yr oedd Kingsley a Charles Ward yn eu cyflwyno i'r byd. Roedd ganddyn nhw hefyd gydymdeimlad greddfol gydag awydd grwpiau a cherddorion i greu rhywbeth cofiadwy a'u hangen nhw i gael yr amser a'r amodau priodol i wneud hynny. Dyna oedd hanfod eu syniad gwreiddiol nhw o greu'r encil yma yng nghanol y wlad ar gyfer creu cerddoriaeth fyddai'n mynd allan dros y byd.

Rhyw wasgu i mewn i Rockfield yn ystod cyfnodau cymharol fyr rhwng sesiynau'r grwpiau mawr fyddai'n dod yno y byddem ni yn ei wneud. Yn aml iawn byddai hynny ar ddydd Sul, gan anelu at orffen cyn diwedd y pnawn pan fyddai'r grŵp preswyl oedd wrthi yn debygol o ddeffro a dechrau meddwl am roi rhywbeth i lawr ar dâp. Sawl gwaith y bu gofyn i ni gnocio'r drws yn reit galed er mwyn cael Kingsley i godi o'i wely ac unwaith neu ddwy fe fu'n rhaid i ni helpu i gael y gwartheg i'r beudy cyn cychwyn gan fod yna ryw gymaint o ffermio'n dal i ddigwydd o gwmpas y stiwdio. Roedden ni'n clywed sôn bod yna grwpiau reit adnabyddus naill ai wedi bod neu ar fin dod i'r stiwdio. Fe gerddodd y canwr Joe Cocker i mewn yn ystod un o'n sesiynau ni a bob hyn a hyn fe fyddem yn manteisio ar bresenoldeb rhai cerddorion oedd yn Rockfield fwy neu lai'n barhaol er mwyn cymryd rhan ar un o'n sesiynau ni. Efallai mai cyfraniad gitâr Dave Edmunds, oedd newydd gael hit mawr yn y siartiau gyda 'I hear you knocking', ar fersiwn newydd o 'Cân yr Ysgol' Dafydd Iwan oedd yr enghraifft amlycaf o hyn, ond hefyd fe wnaeth y drymiwr Pick Withers chwarae ar nifer sylweddol o recordiau Sain cyn mynd ymlaen i enwogrwydd fel drymiwr cyntaf y grŵp byd-enwog Dire Straits.

'Myn Duw' oedd y gân gyntaf i ni ei recordio yn Rockfield, eto gyda Meic Stevens yn cyfeilio ac yn cynnig syniadau ac roedd y record fwy neu lai yn barod i gael ei chyhoeddi pan gafodd Dafydd ei ddedfrydu i dri mis o garchar am ei ran amlwg yn yr ymgyrch i gael arwyddion ffyrdd Cymraeg.

Doeddwn i ddim wedi bwriadu gwneud record o 'Paid Digalonni' – rhyw syniad oedd gen i mai cân ar gyfer ei chanu'n gyhoeddus yn ystod carchariad Dafydd fydde hi – ond ar ôl ei chanu i griw o ffrindiau yn nhafarn y *New Ely* yng Nghaerdydd, lle byddai'r Cymry ifanc i gyd yn ymgynnull y dyddiau hynny, fe'm perswadiwyd fod angen, er mwyn yr ymgyrch gymaint â dim byd arall, ei recordio a'i chyhoeddi cyn gynted â phosibl. Dyma drefnu sesiwn frys mewn stiwdio fach yn Denmark Street yn Llundain, canol y *tin pan alley* Prydeinig, eto trwy adnabyddiaeth Meic Stevens o'r llefydd oedd ar gael. Stiwdio fach oedd hon, heb fod yn rhy ddrud i'w llogi, ond yn cynhyrchu sŵn glân ac yno roedd Meic wedi bod yn recordio traciau ar gyfer ei gyhoeddwr Saesneg. Rhuthrwyd y record allan o fewn tair wythnos a daeth *Myn Duw* allan fwy neu lai yr un pryd.

Erbyn hyn, roedd y teithiau gwerthu i'r siopau yn dal i ddigwydd, yn bennaf yn ystod gwyliau coleg, ac roedd y gwaith gweinyddol yn awr yn cael ei wneud yn Ninian Road ond roeddwn yn treulio tipyn go lew o amser yn y ciosg ffôn yng Ngholeg Iesu yn trefnu sesiynau recordio neu'n siarad gydag argraffwyr, neu rywbeth tebyg.

Efallai nad oedden ni wrth gychwyn y cwmni wedi rhoi llawer o feddwl i be fyddai'n polisi ni o ran recordio artistiaid eraill. Y ddamcaniaeth sylfaenol oedd y byddai, o bosib, bob yn ail record gan y cwmni naill ai yn un gan Dafydd neu gen i ac roeddem hefyd yn obeithiol y byddai Meic yn gwneud ei recordiau yntau ar label Sain. Ond yn fuan iawn roeddem yn sylweddoli fod yna dalentau newydd yn ymddangos yn gyson a oedd â'r un awydd â ni i sicrhau safon dda i'w recordiau.

Anfonwyd tâp atom o grŵp Y Nhw, a dyna'n cyfle cyntaf ni i ddod i adnabod Hefin Elis. Roedd y Tebot Piws wedi recordio eu record gyntaf i gwmni'r Dryw ac roedden ni'n awyddus iawn i'w cael nhw ar ein label. A chyn bo hir cafodd yr *eccentric* disglair Griff Miles y syniad o greu'r grwp rhyfeddol, ond hynod o dalentog yn gerddorol, a fedyddiwyd yn Ddyniadon Ynfyd Hirfelyn Tesog. Roedd Dafydd a minnau wrth gwrs yn dal i ganu ac yn gweld y grwpiau hyn mewn cyngherddau ac yn y stiwdios teledu. Roedd pawb yn adnabod ei gilydd yn dda ac felly yn gallu rhannu syniadau a gobeithion ynglŷn â'r hyn fyddai'n cael ei gyhoeddi.

Roeddwn i'n teimlo mod i'n cario'r cyfrifoldeb am sicrhau nad oedd y cwmni yn gwneud colledion ariannol, yn enwedig yn y cyfnod cynnar yma. Roeddem yn lwcus fod y tair record gyntaf wedi gwerthu'n dda ond hefyd wedi gweld fod yna dipyn o wahaniaeth yn gallu bod rhwng gwerthiant gwahanol recordiau a'i bod yn angenrheidiol cadw llygad barcud ar y costau, yn enwedig felly y costau sylweddol o logi stiwdio. Canlyniad hyn oedd ein bod ni'n gofyn tipyn go lew gan ein grwpiau. Recordiwyd y pedair cân ar EP y Tebot Piws *Blaenau Ffestiniog* a'r pedair ar record gyntaf Y Dyniadon, wyth cân i gyd, mewn un diwrnod hir. Gen i oedd y gwaith cas o orfod dweud weithiau 'na mi wnaiff hwnna'r tro', yn hytrach na chaniatáu pedwerydd neu bumed cynnig ar yr un gân ac os oes yna sawl brycheuyn i'w glywed ar rai o recordiau cynnar Sain, mae'n rhaid i mi gymryd y bai am hynny, am roi goroesiad y cwmni fel amcan uwch na pherffeithrwydd celfyddydol.

Er hynny, oherwydd brwdfrydedd y grwpiau a'r cantorion, cymorth ac amynedd Kingsley a'i gyfeillion yn Rockfield a'r ffaith syml fod yna dalent, brwdfrydedd a chaneuon gwych yn cael eu cyfansoddi a'u cynhyrchu, a bod y cyfan hefyd yn rhan o is-ddiwylliant hynod o fywiog oedd yn troi o gwmpas y cyngherddau a'r nosweithiau niferus a'r sylw cyson ar y cyfryngau, dwi'n credu i ni lwyddo i gynhyrchu cyfres o recordiau eithaf cofiadwy yn y cyfnod rhwng 1969 ac 1975. Erbyn 1975, roedd sawl datblygiad reit bwysig wedi digwydd.

Yn 1970, yn weddol fuan ar ôl iddo ddod allan o'r carchar, roedd Dafydd a'i deulu wedi symud i fyw i Sir Gaernarfon. Mi orffennais i yn Rhydychen tua'r un pryd a phenderfynu peidio â chwilio am swydd, o leiaf am flwyddyn, gan fod tipyn go lew o waith teledu gen i ac roedd hefyd yn gyfle i roi gweddill fy amser i wneud yr hyn roedd angen ei wneud i barhau i gyhoeddi recordiau newydd gyda Sain. Am flwyddyn gyfan ar ôl gadael y coleg, dyna ddigwyddodd, gan fynd i mewn i'r fflat yn Heol Ninian bob yn ail â theithiau gwerthu neu sesiynau recordio. Ond roedd y syniad o symud i fyw i rywle yn 'Y Fro Gymraeg' hefyd wedi gafael ynof innau. Roedd pobl wedi dechrau sylwi ar y ffaith bod tai yn yr ardaloedd hynny o'r gogledd a'r gorllewin oedd yn gadarnleoedd i'r iaith Gymraeg yn cael eu gwerthu'n gynyddol fel tai haf neu fel cartrefi parhaol i bobl ddi-Gymraeg, gan arwain at wanhau'r Gymraeg fel iaith bob dydd yn yr ardaloedd hynny. Roedd prisiau tai yn cael eu gwthio y tu hwnt i afael pobl ifanc, ac roedd diffyg swyddi ar eu cyfer yn dwysáu'r broblem.

O'r tu fewn i Gymdeithas yr Iaith i gychwyn, ac yna mewn modd mwy herfeiddiol yn enw mudiad Adfer, fe dyfodd athroniaeth yn seiliedig ar y syniad o geisio cryfhau Cymreictod cymunedau'r gorllewin trwy i bobl ifanc oedd yn poeni am yr iaith ac yn ymgyrchu drosti, symud yn ôl yno i fyw. Dyma'r athroniaeth oedd yn cael ei mynegi gan Ac Eraill yn eu cân 'Tua'r Gorllewin' a nifer o rai tebyg. Roeddwn i hefyd yn cydymdeimlo gyda syniadau pobl fel John Seymour, golygydd y cylchgrawn *Resurgence*, am yr angen i sefydlu cymunedau hunan-gynhaliol y tu allan i'r gyfundrefn economaidd arferol.

Doedden ni ddim wedi cytuno ymlaen llaw y byddai Sain ryw ddydd yn symud i'r gorllewin neu'r gogledd. Yn wir, dim ond newydd symud o Lundain i Gaerdydd yr oedd Brian Morgan Edwards felly doedd hynny ddim yn uchel ar y rhestr blaenoriaethau ar y cychwyn, ond roedd penderfyniad Dafydd i symud yn gosod her a chwestiwn i mi fy hun.

Dydw i ddim yn cofio pryd yn union i mi benderfynu fy mod i am fudo hefyd, ond mae'n siŵr fod y ffaith mod i erbyn hynny yn canlyn gyda Sian, a oedd yn fyfyrwraig ym Mangor, wedi bod yn help i droi fy ngolygon tua'r gogledd-orllewin yn benodol.

Ar ôl gwneud y penderfyniad, un o'r pethau cyntaf roedd yn rhaid i mi ei wneud oedd dweud wrth fy rhieni. Doedd o ddim yn gyhoeddiad poblogaidd. Roedd y ddau wedi cymryd yn ganiataol mai fy nyfodol amlwg ar ôl gadael coleg fyddai mynd i weithio yn llawn amser i'r BBC neu HTV. Roedd gen i eisoes droed yn y drws yn y ddau le ac yn wir roedd yna bobl o fewn y sefydliadau hynny wedi ei gwneud hi'n glir i mi eu bod hwythau'n disgwyl mai hyfforddi i fod yn gyfarwyddwr neu gynhyrchydd fyddwn i'n ei wneud maes o law. Roedd Mam a Dad yn teimlo mod i'n troi fy nghefn ar ddyfodol proffesiynol parchus er mwyn rhyw chwiw o syniad nad oedd yn ymarferol o gwbl. Mae'n siŵr eu bod yn cael eu dylanwadu hefyd gan y ffaith fod fy mrawd bach, Alun, yn sgil tröedigaeth grefyddol pan oedd yn 13 oed, yn mynnu'r hawl i fynd yn fynach, er iddo dderbyn dros dro yr amod o fynd yn gyntaf i wneud ei radd yn Aberystwyth. Roedd hi'n ymddangos iddyn nhw, oedd wedi gorfod gweithio mor galed i sefydlu eu hunain mewn swyddi ar ôl y rhyfel, ac wedi rhoi magwraeth safonol i ni, ynghyd â sicrhau cyfleoedd addysgiadol arbennig, mod i yn awr yn dibrisio hyn oll ac yn ei daflu i ffwrdd mewn modd cwbl fympwyol. Fe achosodd fy mhenderfyniad yr unig ffrae fawr a ges i yn y cyfnod yma gyda fy rhieni wrth i minnau ddweud pethau digon gwirion am ddiffyg pwrpas Cymreictod Caerdydd, os byddai'r iaith yn marw yn y gorllewin. Mi wnes i ddifaru 'ngeiriau'n syth ac ymddiheuro. Ond doedd yna ddim troi nôl i fod ar y penderfyniad chwaith ac yn ystod haf 1971 roeddwn wrthi yn chwilio am rywle i fyw gan ganolbwyntio ar Sir Gaernarfon.

Dyma glywed un noson, mewn sesiwn yn nhafarn y Gwernan wrth droed Cader Idris, bod yna dai yn cael eu gwerthu gan Stad Glynllifon ym mhentref Llandwrog ger Caernarfon. Roeddwn yn adnabod y pensaer Ifan Gwyn o Lanystumdwy, yn sgil y ffaith ei fod wedi cynllunio pabell Sain yn yr Eisteddfod Genedlaethol yn ogystal â stondinau mudiadau eraill megis Cymdeithas yr Iaith. Roedd Ifan hefyd yn chwilio am droedle yn y gogledd a dyma gytuno i'r posibilrwydd o rannu tŷ pe baem yn gallu ffeindio un.

Fe ddechreuais dderbyn y *Caernarfon & Denbigh Herald* yn rheolaidd ac o fewn pythefnos roeddwn wedi gweld hysbyseb ar y dudalen flaen yn cynnig bwthyn ar rent ym mhentref Llandwrog am bris oedd yn swnio'n rhesymol i mi, sef £6 yr wythnos. (Clywais wedyn fod ein cymdogion yn ei ystyried yn bris uchel ofnadwy.) Cyd-ddigwyddiad llwyr oedd bod enw Llandwrog felly wedi ymddangos ddwywaith ar fy *radar* o fewn ychydig wythnosau ac mae'n siŵr mod i'n teimlo fod hyn yn rhyw arwydd.

Bachodd Ifan a minnau'r bwthyn a symud yno i fyw yn ystod haf 1971. Roeddwn innau'n benderfynol y byddai Sain yn symud hefyd. Dim ond rhyw saith neu wyth o recordiau oedd Sain wedi'u cyhoeddi erbyn hynny ac felly doedd hi ddim yn anodd gwasgu hynny o stoc oedd gennym i mewn i'r llofft roeddwn yn cysgu ynddi. Fe brynais soffa a dwy gadair gan bobl leol ac ar yr unig fwrdd oedd yn y stafell lawr grisiau gosodwyd y peiriannau allweddol hynny, sef y peiriant adio trydanol anferth a'r teipiadur bach. A dyna i chi swyddfa Sain yn 1971. Am y flwyddyn nesaf, y cyfeiriad ar gloriau recordiau Sain oedd 1 Tai'r Ysgol, Llandwrog a'r rhif ffôn oedd Llanwnda 640 – delwedd gartrefol a gwledig oedd yn wrthgyferbyniad braidd i'r hyn roedd y cwmni yn ceisio'i wneud yn gerddorol.

Nid Sain wrth gwrs oedd yr unig gwmni oedd wedi ymsefydlu yn y gorllewin dan ddylanwad yr un math o ddelfrydiaeth ac roedd hynny'n bwysig o ran cynnal yr ysbryd a dysgu oddi wrth ein gilydd. Roedd Gwasg y Lolfa oedd wedi'i sefydlu gan

Robat Gruffudd ym mhentref Talybont yn fodel i lawer o bobl gan roi enghraifft ddu a gwyn o flaen ein llygaid o be oedd yn bosibl. Roedden nhw'n cyhoeddi ac yn argraffu cylchgronau a phosteri a phob math o waith argraffu ar gyfer busnesau a chymdeithasau. Roedden ninnau'n archebu ein gwaith papur ni gan y Lolfa – anfonebau, cyfrifon i'w hanfon i siopau ac ati. Gyda'n gilydd roedden ni'n datblygu ieithwedd a thermau newydd ar gyfer busnes trwy gyfrwng y Gymraeg. Roedd ymgyrchoedd i wrthod talu treth oni bai fod yr awdurdodau'n darparu gofynion yn Gymraeg, yn cael eu trefnu ar y cyd. Daeth gweisg eraill i fodolaeth yn fuan iawn yn Sir Gaernarfon – Gwasg Gwynedd, Gwasg y Tir, Argraffdy Arfon ac yn y blaen. Sefydlwyd Theatr Bara Caws ac am gyfnod byr mi fuon nhw'n defnyddio ein bwthyn ni yn Llandwrog fel eu swyddfa hwythau. Roedd yna ryw syniad sylfaenol o gydweithredu ar droed, gan gwmnïau a sefydliadau oedd yn rhannu'r un amcan o droi llanw'r mewnlifiad yn ei ôl trwy adeiladu cestyll o Gymreictod – ac hefyd wrth gwrs trwy gyflogi pobl, sef yr hyn y dechreuodd Sain ei wneud yn ofalus a graddol dros nifer o flynyddoedd.

Mae'r ddadl sy'n cymharu gwerth ceisio gwarchod Cymreictod cefn gwlad gyda phwysigrwydd datblygiad y Gymraeg yn yr ardaloedd diwydiannol, yn dal yn fyw. Yn ystod y saithdegau fe fu yna rwygiadau digon cas o fewn y mudiad cenedlaethol yn enwedig wrth i Adfer dueddu i gymryd safbwynt puryddol ynglŷn â'r mater, gydag unigolion a chriwiau mewn dawnsfeydd ac ati yn gallu bod yn ddilornus ac ymosodol tuag at unigolion oedd yn cael eu cysylltu â'r ddinas.

Hoffwn i feddwl na syrthiais i erioed i'r trap hwnnw ar ôl y ddadl gyda fy rhieni. I mi, mae ffyniant y Gymraeg yng Nghaerdydd a llefydd eraill yn y de a'r gogledd-ddwyrain yn fater o lawenydd eithriadol. Mae llwyddiant addysg Gymraeg yn rhyfeddol ac hyd yn oed os nad yw'r disgyblion oll yn parhau i'w siarad ar ôl gadael yr ysgol, mae'r profiad o ddwyieithrwydd ynddo'i hun yn un llesol. Mae digon o'r rheiny sy'n mynd drwy'r system addysg Gymraeg yn cael budd uniongyrchol ohono ac yn cyfrannu at barhad a datblygiad y diwylliant Cymraeg fel nad oes raid i neb ei amddiffyn na gor-glodfori ei rinweddau. Maent yn amlwg.

Ond mae cyflwr yr iaith yn y gogledd a'r gorllewin yn fater o bryder enfawr i unrhyw un sy'n poeni am ei dyfodol. Mae gweld y straen a'r newid mewn ysgol fach ac ardal os bydd canran y disgyblion sy'n dod o gartrefi Cymraeg yn mynd yn llai na 50%, yn brofiad poenus. Bob tro mae 'na sôn am dŷ yn cael ei werthu i bobl 'o ffwrdd', mae rhywun yn holi 'pam fod cwpl o Bolton yn gallu gweld hwn fel cartref eu breuddwydion, ac nid Cymry Cymraeg?' Onid oes yna le i bryderu fod llawer o ffyniant addysg a bywyd cymdeithasol Cymraeg Caerdydd yn deillio o'r llif mawr o dalent ifanc sydd wedi symud yno o'r gogledd a'r gorllewin dros y blynyddoedd? A fydd y Cymreictod hwnnw yr un mor ffyniannus os bydd y llif o'r gorllewin yn lleihau, fel y bydd os mai parhau i ddisgyn yn sylweddol fydd nifer y siaradwyr Cymraeg yn yr ardaloedd hynny?

Yn bersonol, rydw i am ddal i glodfori a chanmol Cymreictod y ddinas ond byddai'n braf cael cydnabyddiaeth gan ei thrigolion o'r pwysau aruthrol sy'n wynebu'r Gymraeg yn y gorllewin a bod yna angen am gymorth ymarferol o bob math i gryfhau'r frwydr dros y Gymraeg yn yr ardaloedd hynny. Mae ymgyrchu ar y cyd a chefnogi cynlluniau ymarferol i ganiatáu i bobl leol fedru prynu tai yn eu cynefin yn rhan bwysig o hynny.

Er bod yr angst yma o golli tir yn gefndir parhaol i fywyd yn y gorllewin, dydw i ddim chwaith yn ei gweld hi'n fuddiol treulio oes yn gweld y problemau a bod yn ddigalon am bethau. Yr hyn sy'n rhaid ei wneud yw parhau i adeiladu sefydliadau, cymdeithasau, digwyddiadau a chymunedau sy'n gwneud bywyd trwy gyfrwng y Gymraeg yn lliwgar, yn gyfoethog, yn hwyl ac yn werth ei fyw. Fy newis i, gydag eithriad un cyfnod amlwg wedyn, oedd gwneud hynny yn Llandwrog.

Fe briododd Sian a minnau ym mis Awst 1972. Fe gynigiodd Ifan Gwyn yn fonheddig iawn symud allan o 1 Tai'r Ysgol ac fe benderfynwyd fod angen i Sain gael cartref newydd. Euthum i weld Prif Weithredwr Cyngor Arfon, D. L. Jones, a, chwarae teg, fe gynigiodd rentu adeilad i ni ym Mhen-y-groes oedd wedi arfer bod yn gantîn i'r ffatri fawr drws nesaf a oedd bellach yn wag. Roedd yna rywfaint o wrthwynebiad gwleidyddol lleol, ar y sail fod angen cadw'r cantîn ar gael yn y gobaith o gael tenant newydd i'r ffatri. Efallai fod y ffaith fod Sain yn cael ei weld fel cwmni o eithafwyr yn cyfrannu at hyn. Wrth lwc, ni chymerwyd sylw o'r gwrthwynebiad hwn ac roedd yn ffodus hefyd fod busnes newydd wedi dod i lenwi'r ffatri fawr maes o law heb iddyn nhw fod angen cantîn ar wahân.

Ym Mhen-y-groes, cawsom gartref wrth ein bodd. Digon cyntefig oedd o ar lawer ystyr ond roedd yno ddigon o le i'r stoc o recordiau oedd yn tyfu'n fwy ac yn fwy bob mis ac i ninnau gael gofod ar gyfer y gwaith gweinyddol angenrheidiol – er, ar y cychwyn, ar hen feinciau'r cantîn yr oeddem yn eistedd, nes i ni fentro buddsoddi mewn dodrefn mwy pwrpasol.

I mi, fe fu hefyd yn gyfle i ddod i adnabod rhywfaint ar ddiwylliant un o hen ardaloedd y chwareli. Roedd nifer o gyn-chwarelwyr yn gweithio yn ffatri Pikrose y drws nesaf i ni, lle roedden nhw'n gwneud *props* ar gyfer pyllau glo ac fe ddaeth yn draddodiad achlysurol i fynd i dafarn yr Afr amser cinio ddydd Gwener i gyfarfod â mwy o'r cymeriadau lleol yn y fan honno. Rhyw bethau dipyn bach yn egsotic a rhyfedd oedden ni iddyn nhw dwi'n tybio, ond roedd yn rhan bwysig o fy addysg i, yn sicr.

Yn y cyfnod yma y dechreuodd Sain gyhoeddi recordiau hir gan gychwyn gyda chasgliad o ganeuon gwerin gyda Meredydd Evans, Myron Lloyd ac eraill – wedi'i recordio yn Rockfield o bob man – a'r ail un oedd y casgliad o hen ganeuon Dafydd Iwan – yr un oedd yn cynnwys Dave Edmunds ar 'Cân yr Ysgol', dan y teitl *Yma Mae Nghân*.

Newidiodd recordiau hir seiliau economaidd y cwmni. Roedd albwm, sef casgliad o ryw 14 o ganeuon, yn costio mwy i'w gynhyrchu na record sengl neu EP, ond unwaith roeddech chi wedi pasio pwynt gwerthiant penodol, rywle rhwng 800 a

1000, roedd yn dod â llawer mwy o arian i mewn. Roedd hi'n costio tua 23c i wneud un copi (pan oeddech chi'n archebu 1000), ac roedd Sain yn derbyn dros bunt wrth eu gwerthu i'r siopau. Y gamp felly oedd cadw'r costau sylfaenol dan reolaeth a gweithio'n galed i drio cynyddu'r gwerthiant y tu hwnt i'r pwynt 'torri'n wastad'.

Fe ddechreuodd y polisi recordio fod yn un hyblyg dros ben. Er enghraifft, y drydedd record hir oedd ail-recordiad gan Driawd y Coleg o gasgliad o'u caneuon gorau. Recordiwyd hon yn stiwdios y BBC yn Neuadd y Penrhyn, Bangor. Fe gafwyd yr hawl gan y BBC hefyd i gyhoeddi record hir o bigion o'r hen *Noson Lawen* radio o'r pumdegau. Gwnaeth Dafydd Iwan ac Edward y casgliad cyntaf o ganeuon *Cwm Rhyd y Rhosyn*, sef *Fuoch Chi Rioed yn Morio*, a hynny yn stiwdio Selwyn Davies ym Mlaenau Ffestiniog. Dechreuodd rhai o gorau meibion amlyca'r gogledd ddod atom gyda chais i gyhoeddi record, yn eu plith Côr Meibion Trelawnyd dan arweiniad Goronwy Wynne, a Chôr Meibion y Brythoniaid, dan arweiniad Meirion Jones. Ac yn 1974 dyma fentro gyda'r record hir gyntaf o ganeuon pop newydd, sef record Heather Jones *Mae'r Olwyn yn Troi*. Rockfield oedd cartref hon, ac o'r herwydd roedd y gost ariannol dipyn trymach nag unrhyw un o'r lleill. Roedd hefyd yn uchelgeisiol o ran y cyfeiliant oedd yn cael ei gynnig, gan ddefnyddio'r grŵp trydanol James Hogg o Gastell-nedd oedd wedi bod yn rhoi cyfeiliant cerddorol i gynhyrchiad *Sachlian a Lludw* yn yr Eisteddfod Genedlaethol ym Mangor.

Fe gawsom ein plesio'n fawr gan safon record hir Heather. Roedd y caneuon yn dda, y sŵn yn dda, a'r derbyniad beirniadol hefyd yn dda. Ond cael a chael oedd hi i'r record dalu'i ffordd. Daeth Endaf Emlyn atom yn fuan wedyn gan gynnig i ni gyhoeddi tâp o record hir roedd o eisoes wedi'i recordio gyda'i gyfaill Mike Parker, yng nghartref y gŵr hwnnw yn Llundain. Y record honno oedd *Salem*. Y tro hwn, doedden ni ddim wedi gorfod talu costau llogi stiwdio ac fe brynwyd yr hawl i'r tâp oddi wrth Endaf am swm penodol o arian. Dull gwahanol o

171

weithredu ac un oedd ond yn gynaliadwy oherwydd, yn yr achos hwn, fod Endaf a Mike Parker wedi cyfrannu pob un o'r elfennau cerddorol eu hunain. Llafur cariad go iawn oedd o iddyn nhw ond fe gyfiawnhawyd eu hymdrechion wrth i'r record gael ei chydnabod, fel y mae hyd heddiw, fel un o glasuron y byd pop Cymraeg ar hyd y blynyddoedd. Yn yr achos hwn felly, doedd yna fawr o glod yn ddyledus i Sain, ar wahân i'r ffaith ein bod wedi gweld gwerth y tâp ac wedi cytuno i'w gyhoeddi.

Roedd Edward H Dafis wedi ymddangos am y tro cyntaf yn *Tafodau Tân* yn Eisteddfod Rhuthun 1973. Cyhoeddwyd un neu ddwy record 7" ganddynt yn syth ond cyn bo hir roeddynt yn awyddus iawn i fynd i stiwdio recordio i wneud eu record hir gyntaf. Yn yr achos hwn, trefnwyd i logi stiwdio yn Fulham yn Llundain gan roi'r cyfrifoldebau cynhyrchu i Mike Parker. Y canlyniad oedd *Hen Ffordd Gymreig o Fyw* – clasur arall o record, yn cynnwys caneuon fel 'Pishyn', 'Tŷ Haf', a 'Mistar Duw', sy'n dal i gael eu chwarae heddiw.

Wrth recordio'n casgliad cyntaf o ganeuon gan Hogia'r Wyddfa wedyn, roeddem wedi mentro i stiwdio fach oedd yn newydd i ni yn Llundain. Y broblem yn y fan honno oedd bod sŵn y neuadd bingo yn yr adeilad drws nesa yn dod drwy'r wal. Mae'r *two fat ladies* i'w clywed ar y ddisg os gwrandwch chi'n ofalus iawn. Erbyn hyn felly, rhwng popeth, roedd yn amlwg fod angen i ni gael gafael ar ein hadnoddau ein hunain. Byddai hynny'n caniatáu i ni wneud recordiau heb fod drwy'r amser yn teimlo pwysau'r cloc oherwydd bod £15 neu £20 yn mynd o'r coffrau am bob awr y byddem yn ei dreulio yn y stiwdio. Roedd Rockfield wedi mynd tu hwnt i'n cyrraedd ar gyfer gwneud recordiau pop hir. Doedden nhw ddim yn gallu caniatáu digon o amser i ni, am bris rhesymol, heb i hynny dorri ar draws eu gwaith bara menyn o recordio pethau fel *Bohemian Rhapsody*. Roedd yr ateb yn amlwg, ond sut ar wyneb y ddaear oedden ni'n mynd i gael gafael ar ein stiwdio ein hunain, yn y dyddiau hynny pan oedd technoleg bwrpasol yn costio mor ddrud?

Ond mi roedd Kingsley Ward yn dal i fod yn gyfaill da i ni. Roedd hi'n amlwg iddo fo bod gennym angen ein stiwdio ein hunain. 'Os oedden ni yn gallu'i wneud o, dwi'n siŵr y gallwch chi hefyd' oedd ei gyngor. Ac wrth ddisgwyl i grwpiau ymbaratoi yn ystod nifer o sesiynau, dyma fo'n dechrau dweud am y pethau penodol roedd o a'i frawd wedi'u gwneud wrth godi stiwdio mewn sied fferm.

Yn Llandwrog, roedd ein cymdogion a'n ffrindiau Osborn a Glesni Jones yn berchen ers rhyw bum mlynedd ar ffermdy Gwernafalau ac roedd ganddyn nhw hen feudy nad oedd yn cael ei ddefnyddio. Mewn sgwrs un noson, dyma nhw'n cynnig y gallai Sain ddefnyddio'r adeilad ar gyfer codi stiwdio, pe byddem yn dymuno. Dydw i ddim yn siŵr os oedden nhw wir wedi ystyried be fyddai hynny'n ei olygu iddyn nhw, ond fe benderfynwyd cymryd y cam, manteisio ar eu caredigrwydd, a bwrw iddi i weithredu, gan ddilyn patrwm Rockfield hyd y gallem.

Elfen ganolog unrhyw stiwdio yw'r ddesg sy'n rheoli'r sain. Fe benderfynon ni fynd am stiwdio 8 trac gyda desg allai recordio hyd at 16 o elfennau sain unigol yr un pryd, a mynd ati i archebu honno gan gwmni Rosser Electronics o Abertawe, a oedd wedi adeiladu desg Rockfield. Roedd Doug Rosser, y perchennog, yn dipyn o athrylith technolegol a oedd wedi bod yn gyfrifol am ochr dechnegol ffatri recordio Qualiton flynyddoedd ynghynt ac roedd y ddesg yma'n cael ei hadeiladu yn unswydd ar gyfer Sain. Tra roeddem yn disgwyl iddi gael ei chwblhau, aethom ati i glirio'r beudy a gosod *soundproofing* yn y to ynghyd â waliau mewnol o blasterbôrd arbennig. Job afiach oedd mynd i ben ysgol a stwffio'r slabiau oren *rockwool*, fyddai'n gwneud i chi gosi drosoch am oriau wedyn, i bob twll a chornel o'r to a'r bondo er mwyn gwneud yn siŵr ein bod yn cael llonydd gan yr adar a'r awyrennau. Doedd gennym ni ddim contractwyr fel y cyfryw. Fe fu Selwyn Davies, y peiriannydd sain o Flaenau Ffestiniog wrthi'n ddyfal a daeth y canwr Morus Elfryn hefyd i wneud gwaith saer angenrheidiol.

Un o'r pethau pwysig yn ôl Kingsley oedd cael drysau trwchus iawn rhwng y stiwdio a'r ystafell reoli fel na fyddai sain yn llifo o'r naill i'r llall yn ddamweiniol. Y cynllun ar gyfer y prif ddrws yma oedd llenwi ffrâm o bren, 4" o drwch, gyda thywod a'i bacio'n dynn. Er mwyn ei gau yn iawn roedd angen cael gafael ar ddolen drws *fridge* ddiwydiannol, a dyma gael pâr o'r rheini ym Mochdre.

Wrth i'r gwaith adeiladu ddod i'w derfyn, roedd y meddwl yn troi at rai o'r elfennau mwy cerddorol. Helpodd Geraint Griffiths, y canwr, oedd ar y pryd yn nyrs yn Llundain ac yn ffrind da i Hefin Elis, ni i ddewis set o ddrymiau yn Soho; buddsoddwyd mewn piano *baby grand* newydd sbon a thrwy dudalennau'r *Exchange & Mart* (rhyw fath o ragflaenydd cynnar i ebay), fe gafwyd hyd i organ Hammond ail-law. Roedd Hefin wedi ein hargyhoeddi fod hwn yn ddarn angenrheidiol o offer unrhyw stiwdio.

Y darn olaf ond efallai'r pwysicaf yn y jig-so ar gyfer yr hyn oedd gennym dan sylw, oedd y peiriant tâp 8 trac. Eto, drwy ein cysylltiadau yn Rockfield, roeddem wedi clywed fod Roger Daltrey, canwr yr Who, yn dymuno gwerthu'r peiriant oedd ganddo fo yn ei stiwdio bersonol yn ei dŷ yng Nghaint. Fi gafodd y job o fynd â fan goch Sain i lawr i'r fan honno i'w nôl. Ches i ddim cyfarfod y gŵr ei hun, yn anffodus, ond roedd lleoliad y tŷ, yng nghanol parc bychan, gyda llyn a gardd hyfryd fel rhywbeth allan o lun gan Turner, yn eithaf gwahanol i ddelwedd gyhoeddus canwr The Who.

Fe gafodd agoriad y stiwdio dipyn o sylw gan y cyfryngau Cymraeg a thrwy gyd-ddigwyddiad llwyr, Morus Elfryn ei hun gafodd y fraint o fod y person cyntaf i recordio yno.

Yn ystod hyn oll, doedd gwaith recordio arferol Sain ddim wedi stopio. Roedd Hefin Elis wedi ymuno â'r cwmni ychydig fisoedd ynghynt fel cynhyrchydd llawn amser ac roedd wedi bod wrthi'n ddyfal yn recordio albwm *Nia Ben Aur* yn stiwdio T.W. yn Llundain, ond roeddem wedi cadw'r gwaith o gwblhau'r record honno yn ôl ar gyfer gwneud hynny yn y

174

stiwdio newydd. Felly ym mis Mehefin 1975, yr oedd yna gryn fynd a dod wrth i bawb oedd wedi bod yn cymryd rhan yn yr opera roc droi i mewn i Gwernafalau i gwblhau'r record.

Roedd yna frys aruthrol wedyn i gael pob dim yn barod ar gyfer yr Eisteddfod – union flwyddyn ar ôl iddi gael ei pherfformiad cyntaf yn Eisteddfod Caerfyrddin. Yn y diwedd, roedd angen taith dros nos i ffatri EMI yn Aylesbury i gasglu'r mil copi cyntaf ac yna yn ôl ar draws gwlad trwy Gaerwrangon a Rhaeadr ac i faes yr Eisteddfod yng Nghricieth. Roedd pob siop lyfrau ar y maes yn awchu i gael copïau, a stondin Sain ei hun wrth gwrs, yn ogystal â siopau ar hyd a lled y wlad. Bryd hynny roedd gan Sain fagiau plastig oren lliwgar oedd yn ffit perffaith ar gyfer record hir 12 modfedd. Erbyn diwedd yr wythnos, roedd yn ymddangos fel pe bai pob yn ail berson ar faes yr Eisteddfod yn cario un o'r bagiau yma ac roedd 'na siawns dda mai *Nia Ben Aur* oedd y tu mewn.

Dros y pum mlynedd nesaf, daeth Gwernafalau yn gyrchfan i'r don o dalent newydd oedd yn ymddangos – grwpiau fel Mynediad am Ddim, Brân a Sidan yn ogystal â rhoi cyfle i bobl fel Hergest ac Edward H Dafis dreulio amser sylweddol yn creu casgliadau newydd o ganeuon cofiadwy. Hefin oedd y prif gynhyrchydd gyda'r peirianwyr Selwyn a Bryn wrthi am yn ail wrth ei ochr. Ymunodd Gareth Jones (Nerw) fel cynhyrchydd hefyd – yntau yn rhoi'r gorau i swydd dda fel pennaeth adran ysgol uwchradd er mwyn gwneud hynny. Yn ogystal â'r criwiau ifanc, roedd Hogia'r Wyddfa yn dal wrthi, tra roedd Rosalind a Myrddin hefyd yn gwneud marc fel deuawd yr un pryd, ac i'r hen feudy, yn addas iawn, y daeth Trebor Edwards i wneud ei record gyntaf, *Yr Hen Shep*.

Mae'n debyg mai'r person sy'n gwybod fwyaf am hanes stiwdio Sain rhwng 1975 ac 1980 ydi Ioan Prys, mab Glesni ac Osborn, perchnogion Gwernafalau, a dyfodd i fyny yn llythrennol yn sŵn canu roc a phop Cymraeg y cyfnod. Fo ydi'r un ddylai sgwennu llyfr am fynd a dod a chastiau'r grwpiau yn y cyfnod yma. Roedd gan y teulu afr oedd yn pori'r glaswellt ar hyd y lôn fach oedd yn mynd i lawr at Gwernafalau. John Breimar oedd enw'r afr, ar ôl cymeriad yn un o ddramâu Wil Sam ac roedd mynd heibio'r afr yn un o'r tasgau cyntaf oedd yn wynebu'r artistiaid wrth iddynt ddod i recordio. Roedd John Breimar yn *omnivore* – yn bwyta pob dim. Os oedd yna damed o ddefnydd neu rwber yn rhydd ar eich car, roedd hi'n debyg iawn y byddai John Breimar yn gafael ynddo a byddai wedi diflannu cyn diwedd y sesiwn recordio. Aros mewn tai haf ar hyd a lled yr ardal oedd y trefniant ar gyfer y grwpiau gyda thafarn Ty'n Llan yn Llandwrog yn dipyn o atyniad amser cinio hefyd. Roedd ffrâm drws y stiwdio yn denu pob ymwelydd i adael ei neges a'i lofnod, rhai ohonynt yn fwy parchus na'i gilydd, a bu'r ffrâm drws yn gofnod byw o'r cyfnod hyd heddiw.

Wrth edrych yn ôl, mae'n dipyn o ryfeddod bod yr adeilad bach gwledig yma, ym mhen draw lôn ffarm gyffredin a digon cul, wedi ennill rhyw statws eiconig yn hanes y genedl. Dwi ddim yn gwybod beth oedd argraff gyntaf grwpiau fel Crys, bechgyn o gymoedd y de oedd wedi dechrau gwneud argraff ar y sîn Gymraeg, o gael eu llusgo i fyny o brysurdeb y de i'r lle diarffordd yma – eu taith gyntaf i'r gogledd o Rydaman synnwn i ddim, – ond dwi'n meddwl erbyn diwedd eu hymweliad eu bod nhw wedi ymserchu yn y lle fel pawb arall.

Erbyn diwedd y ddegawd, fodd bynnag, roedd profiad, dawn ac uchelgais y gwahanol gerddorion oedd yn rhan o'r sîn, yn chwilio am hyd yn oed gwell adnoddau. Stiwdio fach oedd Gwernafalau, wedi'r cyfan; dim ond 8 trac oedd ar gael ac erbyn 1980, 24 trac oedd y safon, ac er na wnaethon nhw erioed gwyno, roedden ni'n teimlo bod y mynd a dod parhaol, o bobl newydd o bob math, yn siŵr o fod yn dipyn o straen ar Glesni ac Osborn a'u teulu.

Roedd O. P. Huws, gŵr busnes o Nebo, wedi dod yn aelod o Fwrdd Sain ochr yn ochr â Hefin erbyn hyn, ac wedi sylwi ar hen gytiau'r RAF, a godwyd yn ystod y rhyfel fel rhan o faes awyr Dinas Dinlle. Roedd un rhan o'r safle tan yn ddiweddar wedi bod yn cael ei defnyddio fel storfa ar gyfer gwerthu blawd anifeiliaid ond bellach wedi cau a'r perchnogion yn awyddus i werthu. Tarodd O. P. fargen fanteisiol iawn gyda'r cwmni a dyna Sain, am y tro cyntaf, yn cael y cyfle i ddod yn berchennog ar ei safle ei hun.

Penderfynwyd mai codi stiwdio newydd oedd y flaenoriaeth gyda'r bwriad maes o law o symud y swyddfa a'r stordy yno hefyd. Roedden ni'n awyddus iawn i'r stiwdio newydd yma fod yn *state of the art* ond roedd *state of the art* yn y byd stiwdios yn golygu cytundebu cwmni o arbenigwyr o'r enw Eastlake o Galiffornia i'w chynllunio. Roedd ganddyn nhw dechnegau arbennig ar gyfer rheoli'r sain mewn stiwdio ac ystafell reoli ac roedd hi'n teimlo fel pe bai pob stiwdio newydd oedd yn cael ei chodi'r dyddiau hynny ar draws y byd yn gorfod defnyddio Eastlake ar gyfer y gwaith. Roedden ninnau'n ymwybodol iawn o'r datblygiadau yma trwy golofnau'r cylchgrawn *Studio Sound* a thrwy ein hymweliadau mynych â'r ffeiriau technegol oedd yn cael eu cynnal bob rhyw chwe mis yn Llundain. Fe aethon ni i siarad ag Eastlake yn un o'r ffeiriau yma a dod oddi yno wedi'n dychryn gan y ffioedd oedd yn cael eu gofyn a'r gost adeiladu debygol. Roedd gennym gynllun busnes oedd yn dangos y budd fyddai'n dod i'r cwmni o gael adnoddau o'r math, ac ar ôl mynd trwy broses arholi go ddofn, fe lwyddom i gael cyfuniad o grant a buddsoddiad gan Awdurdod Datblygu Cymru, ond roedd yn rhaid ceisio gweithredu o fewn y gyllideb roeddem wedi'i chlustnodi ar gyfer y prosiect.

Yn y diwedd, trwy rwydwaith cysylltiadau Rockfield eto, daethom o hyd i Sais ifanc hyderus iawn o'r enw Bruce Elliott – un o'r bechgyn ysgol fonedd yna sy'n gymharol brin o brofiad ond â hyder anhygoel o fod yn gallu cyflawni unrhyw beth. Fe gawsom ein hargyhoeddi gan Bruce bod yr egwyddorion acwstics yr oedd Eastlake yn eu dilyn ymhell o fod yn gyfrinachol ac yn wir gan ei fod wedi gweithio ar rai o'r stiwdios roedd Eastlake wedi'u codi, roedd yn hyderus y gallai gynllunio ein stiwdio newydd i ni – am bris llawer mwy rhesymol.

Doedd Bruce ddim ymhell o'i le. Roeddem yn awyddus iddi

fod yn bosibl yn y stiwdio newydd i ni gael ardal 'fyw' fyddai'n addas ar gyfer recordio corau, yn ogystal ag ardal 'farw' – hynny yw, heb eco – fyddai'n fwy priodol ar gyfer recordio grwpiau. Gan nad oedd prinder lle yn broblem bellach, roedd hyn yn bosibl. Roedd Bruce wedi'i swyno gan waliau cerrig nodweddiadol Sir Gaernarfon ac fe awgrymodd ddefnyddio crefftwyr lleol i godi wal gerrig a gosod llawr llechi i greu'r rhan fyw o'r stiwdio. Archebwyd carped o wlân cyflawn gan gwmni arbenigol o ogledd Lloegr. Rhoddwyd corcyn i amsugno'r sain ar waliau'r rhan farw, ochr yn ochr â llenni a gorchudd o frethyn Cymreig o ffatri brawd Dafydd Iwan, Arthur Morus, yn Drefach Felindre.

Mae'n rhaid dweud fod safon yr elfennau yma i gyd wedi bod yn aruthrol o uchel, gan fod y cyfan, hyd yn oed y carped, yn dal i fodoli, ac yn dal i edrych yn arbennig o dda, yn y stiwdio yma heddiw 40 mlynedd yn ddiweddarach.

Un o wendidau stiwdio Gwernafalau oedd nad oedd modd i'r peirianwyr a'r artistiaid weld ei gilydd gan fod yna wal dew rhwng y ddwy ystafell. Felly yn y stiwdio newydd, roedd yn rhaid cael ffenest, a honno'n un fawr ac o wydr triphlyg. Roedd gosod y tri phaen mawr yma yn eu lle yn berffaith yn dipyn o dasg.

Un o'r cwestiynau mawr oedd penderfynu pa offer y byddem yn ei ddefnyddio yn y stiwdio newydd – y peiriannau recordio, ac, yn enwedig, y ddesg reoli fawr. Roedd cwmni Americanaidd MCI yn trio'n galed i dorri i mewn i'r farchnad Brydeinig ar draws y cwmnïau mwy cydnabyddedig megis Studer o'r Swistir, a mynd am yr Americanwyr wnaethon ni. Roedd 'na dipyn o gystadleuaeth ym maes y desgiau gyda rhyw dri neu bedwar o gwmnïau yn arwain y farchnad. Ymhob achos, byddai'r cwmni yn adeiladu desg arbennig ar gais y cwsmer, gan amrywio yn ôl faint yn union o adnoddau, sianeli ac ychwanegiadau roedd y cwsmer yn dymuno eu cael. Cyfraniad defnyddiol Hefin Elis i'r drafodaeth honno oedd ei fod o isio desg hefo 'lot o nobs'.

Wel, mi archebwyd desg hefo 'lot o nobs' gan gwmni

adnabyddus iawn o Loegr o'r enw Cadac. Hon fyddai coron a chanolbwynt y datblygiad newydd. Ond rhyw ddeufis cyn iddi fod yn barod, daeth y cyhoeddiad fod y cwmni wedi mynd i ddwylo'r derbynwyr – a ninnau wedi talu cyfran uchel iawn o'r pris eisoes. O fewn dyddiau roeddwn yn fy nghar ar y ffordd i lawr i ffatri'r cwmni y tu allan i Watford. Roedd y lle fel y bedd – pobman yn lân ac yn daclus, a nifer o ddesgiau ar hanner eu hadeiladu, ond dim gweithwyr. Yn yr ystafell uwchben y gweithdy, mi wnes i gyfarfod â'r gŵr o Ganada roeddwn wedi trefnu i'w weld, sef y person oedd am fentro i brynu'r cwmni a cheisio rhoi bywyd newydd iddo. Er mawr ryddhad i mi, cefais ar ddeall mai ei fwriad oedd ceisio cwblhau ein desg ni gydag ond ychydig o gostau ychwanegol. Roedd yn awyddus i fedru dangos i fyd y stiwdios recordio, oedd yn ymwybodol iawn o ffawd y cwmni, y byddai llewyrch eto ar enw Cadac, a chwblhau desg Sain yn sydyn oedd y ffordd orau iddo fedru dangos hynny. Yn groes i bob disgwyl, fe lwyddodd i gael y maen i'r wal a'r pres i'r banc ac ymhen ychydig wythnosau roedd pedwar ohonom ar ein ffordd i lawr i Watford eto gyda fan Sain y tro hwn er mwyn hebrwng ein tegan newydd yn ôl i Landwrog.

Nid dyna'r unig dro i'r broses o adeiladu'r stiwdio roi dychryn i mi oherwydd arian. Er bod y gwaith ar y stiwdio o safon uchel, roedd yr angen i gyflogi seiri arbenigol wedi gwthio'r gost ymhell y tu hwnt i'r gyllideb wreiddiol. Roedden ni wedi taro'r terfyn yn y banc a doedd pethau ddim yn edrych yn dda. Y gwir oedd, roedd y cwmni mewn trafferth ariannol. Un diwrnod, a minnau ar daith rywle yn y De, gwyddwn fod yna sawl bil angen ei dalu a dim sicrwydd o ble roedd y pres yn mynd i ddod i'n galluogi ni i wneud hynny. Ond roeddwn yn disgwyl siec am ryw gymaint o arian i ddod i mewn oddi wrth PPL, y corff oedd yn dosbarthu breindal i gwmnïau recordio am ddarllediadau o'u recordiau. Yn y blynyddoedd cyn hyn, sieciau cymharol fach fyddai'n dod i Sain am hawliau darlledu. Gwerthiant y recordiau a'r casetiau eu hunain, a hynny heb unrhyw nawdd gan unrhyw gorff cyhoeddus, oedd yn cynnal y cwmni. Roedd yn gwmni masnachol go iawn oedd wedi llwyddo i wneud elw cymedrol bron bob blwyddyn ers ei sefydlu. Ond rŵan, roeddem mewn trafferth.

Fe ffoniais Gareth Mitford, yr athrylith cerddorol a'r cyfaill clos oedd yn cyfuno cynhyrchu ein recordiau gwerin a chlasurol gyda rhywfaint o waith yn y swyddfa, a'i holi tybed oedd o wedi gweld llythyr ag enw PPL arno. Oedd, roedd hwnnw wedi croesi ei ddesg y bore hwnnw ac roedd 'na siec hefo'r llythyr. Gydag ochenaid o ryddhad, dyma finnau'n gofyn – siec am faint oedd hi? Un o ryfeddodau'r system hawlfraint oedd nad oedd gennym fyth syniad faint o arian oedd yn mynd i ddod o'r ffynhonnell honno. Aeth Gareth i chwilio am y darn papur hollbwysig, a rhoi ffigwr i mi o ddegau o filoedd a oedd o leiaf ddwywaith yr hyn roeddwn wedi gobeithio'i gael. Roeddem wedi ein hachub ac roedd y stiwdio a'r cwmni yn saff.

O'r cyfnod hwnnw ymlaen, daeth y sieciau hawlfraint i fod yn rhan bwysicach a phwysicach o incwm Sain ac yn wir o incwm cerddorion unigol. Ymhen rhai blynyddoedd, byddai cyfansoddwyr a cherddorion yn mynd ati i greu a chyhoeddi cerddoriaeth yn ôl yr hyn roedden nhw'n meddwl y byddai'r darlledwyr, a Radio Cymru yn arbennig, fwyaf tebyg o'i ddarlledu, yn hytrach nag yn ôl asesiad o be fyddai fwyaf tebyg o werthu'n dda. Wrth gwrs, yn ystod y ddegawd ddiwethaf, mae holl seiliau economaidd y diwydiant recordio wedi eu newid yn llwyr gyda'r gostyngiad anferth yn y galw am ddisgiau a'r arferiad o dalu (neu beidio talu) am lawrlwytho ar-lein wedi troi'n brif ddull o ddosbarthu cerddoriaeth. Mewn byd felly, roedd penderfyniad yr MCPS a'r PRS yn 2011, i ostwng y graddfeydd roeddynt yn eu talu am ddarlledu cerddoriaeth Cymraeg, yn ergyd anferth i'r holl fyd cerddoriaeth gyfoes Gymraeg, oedd wedi mynd yn ddibynnol iawn arno.

Ond yn haf 1980, roedd yn achubiaeth i Sain. O'i chychwyn cyntaf, roedd y stiwdio'n brysur. Dechreuwyd ar batrwm o ofyn i'r grwpiau roc weithio dros nos – gan fod yn well gan nifer ohonyn nhw wneud hynny p'un bynnag, neu o leiaf gellid dweud nad oedd y shifft fore yn apelio rhyw lawer atynt. Yn ystod oriau'r dydd, byddai'r artistiaid mwy syber a rhywfaint yn hŷn – Trebor Edwards a'i debyg – yn dod i mewn a rhywle rhwng y ddau byddai angen rhywfaint o amser i'r tîm glanhau gael trefn ar bethau.

Yn ystod y ddwy flynedd nesaf, recordiwyd cyfres o recordiau hir yn y stiwdio newydd yma y gallai Sain fod yn falch iawn ohonynt – a rheiny ymhob maes. Mae'n annheg i enwi, mi wn, ond roedd gweld Geraint Jarman a'r Cynganeddwyr yn adeiladu *Fflamau'r Ddraig* drac wrth drac ac yna Myfyr, Caryl a gweddill Bando yn creu'r gampwaith o albwm, *Shampŵ*, yn rhoi gwefr i mi er nad oeddwn ag unrhyw ran i'w chwarae yn y broses o'u recordio. Roeddwn yn tueddu i alw heibio'r stiwdio ddiwedd y bore ac ambell i gyda'r nos i gael blas o'r hyn oedd yn mynd ymlaen.

Un noson, roedd Myfyr a Caryl yn y stiwdio ar eu pennau eu hunain cyn i weddill y criw gyrraedd. 'Eistedd lawr a dweud beth wyt ti'n feddwl o hon,' meddai Myfyr a dyma nhw'n chwarae fersiwn fras o 'Chwarae Troi'n Chwerw' i mi. Mae clywed cân fel yna a gwybod o'r cychwyn un bod ynddi ddeunydd hit anferthol, yn gynhyrfus iawn.

O'r holl recordiau a wnaed yn y cyfnod yma tra roeddwn i'n dal yn Sain, yr un fwyaf gorffenedig, y cyfuniad mwyaf uchelgeisiol o ddawn gerddorol a gallu technegol, oedd *Dawnsionara* gan Endaf Emlyn sydd i mi yn dal i fod yn un o uchelfannau cerddoriaeth gyfoes Gymraeg.

Ond rhaid cyfaddef hefyd ei bod yn rhoi boddhad mawr i mi fel un o gyfarwyddwyr y cwmni i weld y ffermwr gwylaidd Trebor Edwards yn troi'n seren anferthol o boblogaidd. Fe wyddom erbyn hyn mai Trebor yw'r artist a werthodd fwyaf o recordiau i Sain erioed a'r record fwyaf llwyddiannus o'r cyfan, dwi'n tybio, oedd y casgliad oedd ag 'Un Dydd ar y Tro' yn brif gân.

Fy mhrif gyfrifoldeb i erbyn hyn oedd ceisio sicrhau bod Sain yn llwyddo fel busnes, tra'n cynhyrchu ystod eang o recordiau y gallem ymfalchïo ynddyn nhw. Er bod gan y cwmni bellach system ddosbarthu gynhwysfawr gyda dau werthwr mewn ceir coch lliwgar ar y lôn, y naill yn y de a'r llall yn y gogledd, yn cludo'r nwyddau'n barhaol i rwydwaith o siopau oedd yn llawer mwy eang erbyn hyn, roeddwn yn dal i fynd ar y lôn ar adegau prysur megis y Nadolig ac roedd cael archeb sylweddol gan siopau yn dal i roi cic i rywun.

Un Nadolig, roeddem wedi cynhyrchu record o ganu corau meibion a chynulleidfaol wedi'i recordio ym Mharc yr Arfau i gyd-fynd â phen-blwydd Undeb Rygbi Cymru. *Gwlad Gwlad* oedd ei henw ac roeddem wedi'i hysbysebu'n drwm ar HTV yn Gymraeg ac yn Saesneg. Yn yr un cyfnod, roedd *Un Dydd ar y Tro* wedi ymddangos hefyd. Roeddwn yn dod i ddiwedd fy nhaith werthu ychydig cyn y Nadolig a ddim yn siŵr a oedd gen i amser i alw heibio siop W. H. Smith ym Merthyr – nid un o'r canolfannau Cymraeg arferol, mae'n rhaid cyfaddef. Dyma benderfynu gwneud yr ymdrech. Roedd y siop yn brysur iawn ac yn anffodus doedd y wraig oedd yn rhoi'r archebion ddim ar gael. 'O wel', meddwn innau, 'o leia dwi wedi trio', a dyma'i throi hi am y drws allan. Wrth i mi groesi'r trothwy fe ddaeth 'na lais o rywle yn fy ngalw i'n ôl. Roedd y rheolwraig newydd ddod nôl at ei desg, wedi clywed fy mod wedi galw ac wedi rhuthro ar f'ôl. Roedd yn rhaid iddi gael cant o *Gwlad Gwlad* a hanner cant o Trebor Edwards yn y fan a'r lle. Mewn siop lle byddwn fel arfer yn cyflenwi recordiau fesul dwy a thair, roedd honno'n archeb anferth.

Yn y cyfnod yma hefyd dyma sylweddoli ein bod yn colli cyfle wrth beidio darparu ar gyfer y farchnad ymwelwyr. Roedd siopwyr yn gyson yn sôn wrthym pa mor dda oedd record gan gwmni Decca o Lundain, o'r enw *Land of My Fathers*, yn gwerthu yn yr haf a dyma benderfynu y gallen ni gystadlu â hi. Roedd gan Sain erbyn hynny ddigon o gatalog o gerddoriaeth Gymraeg o bob math i fedru teilwra casgliad oedd yn debyg o apelio at yr ymwelwyr, ac a fyddai'n adlewyrchiad eang ond dilys o elfennau traddodiadol y canu Cymraeg. Cynlluniwyd clawr fyddai'n sefyll allan ar y stondinau yn y siopau a'i galw yn *Cân Cymru/The Song of Wales*. Aeth hon ymlaen dros y blynyddoedd i fod y record wnaeth werthu fwyaf erioed ar label Sain – yn agos at 100,000 o gopïau.

Dros y blynyddoedd hefyd buom yn gweithio'n galed i ehangu gwerthiant a chyrhaeddiad y cwmni mewn sawl ffordd. Lansiwyd wythnos recordiau Cymraeg yn y gwanwyn, yn rhyw fath o bartner i'r wythnos llyfrau Cymraeg fyddai'n digwydd bob hydref. Cyhoeddwyd tocynnau recordiau Cymraeg; prynwyd raciau troellog i'w gosod mewn siopau crefftau; curwyd ar ddrysau'r archfarchnadoedd mawr megis Asda i geisio cael troed yn y drws pan ddechreuodd rheiny werthu recordiau. Trefnwyd taith i Lydaw i'r grŵp Mynediad am Ddim, gyda Dewi Llwyd fel *roadie/cyfieithydd* a'r flwyddyn ganlynol es innau ar daith werthu rownd y siopau yno am wythnos.

Buom hefyd yn brysur iawn yn datblygu marchnad ar gyfer recordiadau o gorau – corau meibion yn arbennig. Prynwyd catalog Cwmni Teldisc a gwnaeth hynny hi'n bosibl i ni ailgyhoeddi casgliadau megis eiddo Jac a Wil, a Bob Roberts Tai'r Felin.

Mae catalogau lliwgar Sain o'r cyfnod hwn yn dyst i weithgarwch ac uchelgais y criw diwyd oedd yn ymwneud â'r cwmni, ac er na fedraf hawlio perchnogaeth ohono, mae'r llyfryn hwnnw, a'i gynnwys, yn rhywbeth y mae gen i falchder mawr o fod wedi bod yn gysylltiedig ag o.

Ond erbyn diwedd 1980, roedd yna ddatblygiad chwyldroadol ar fin digwydd o ran cyfathrebu a diwylliant trwy gyfrwng yr iaith Gymraeg. Roedd y Llywodraeth wedi cyhoeddi fod Cymru'n mynd i gael ei sianel deledu ei hun, ac roedd yna sôn fod yna le'n mynd i fod ar hon i raglenni gan 'gwmnïau annibynnol'. I rywun oedd wedi meddwl ers amser y byddai'n braf medru cynhyrchu rhaglenni teledu heb weithio i'r corfforaethau mawr, roedd hynny'n swnio'n ddiddorol iawn.

13

Caru, priodi a byw

TRA ROEDD Y canu a'r recordio yn mynd yn ei flaen, roedd yna'r fath beth â bywyd personol yn digwydd hefyd.

Mae yna ambell i gyfeiriad wedi bod gen i at ryw Sian ddirgel, felly gwell i mi egluro mai merch o Lanuwchllyn oedd Sian Miarczynska ac roeddem wedi cyfarfod ar faes pebyll Eisteddfod y Fflint 1969. Roedd gen i ddwy babell wedi eu gosod yno ddechrau'r wythnos. Roedd Heather Jones a Geraint Jarman yn rhannu'r un fawr hefo fi, ac roedd Meic Stevens wedi cael benthyg yr un fach oedd wedi bod gen i ar fy nhaith o gwmpas Ewrop. Ar ddydd Iau'r Eisteddfod roeddwn wedi eu gadael i fynd i briodas Huw Jenkins yn Llambed a phan ddois i'n ôl roedd y lleill wedi mynd adre.

Roeddwn ar fy mhen fy hun felly y bore canlynol ac ar fy ffordd i olchi fy nannedd pan ddois i ar draws Elfed Lewis, y gweinidog a'r canwr gwerin, yn siarad ar ryw batshyn o wair gyda merch ifanc. Roeddwn yn adnabod Elfed gan ei fod yn weinidog yn Llanfyllin ac yn adnabyddus i bawb yn y dref honno ac roedd o'n adnabod Sian oherwydd ei bod hi, fel holl bobl ifanc Llanuwchllyn, yn mynychu twmpathau dawns gwyllt y cyfnod yn Ninas Mawddwy a Dolgellau, lle byddai Elfed yn 'galw'.

Dyma Elfed yn ein cyflwyno i'n gilydd a chyn bo hir penderfynodd y tri ohonom y byddai'n syniad da mynd am bwt o frecwast i gaffi cyfagos. O fewn rhyw hanner awr, fodd bynnag, roedd Elfed yn cyhoeddi bod yn rhaid iddo'n gadael i fynd i gynnal angladd yn ôl yn Sir Drefaldwyn ac i ffwrdd â fo. Dwi wastad wedi meddwl y dylwn i fod wedi tsiecio i weld a oedd yna angladd go iawn yn Sir Drefaldwyn y diwrnod hwnnw, ond rydw i'n dal heb wneud.

Canlyn o hirbell oedd hanes Sian a minnau wedyn wrth ddod i adnabod ein gilydd a'n teuluoedd. Un o wlad Pwyl a ddaeth i Gymru ar ôl chwe blynedd fel carcharor rhyfel yn yr Almaen oedd ei thad ac mae ei stori yntau'n un ryfeddol.[3] Roedd ei mam, Dorothy, yn un o gymeriadau'r fro ac yn enwog am ei hadrodd, ei hactio a'i dawn fel cynhyrchydd dramâu ac athrawes telyn. Ces groeso cynnes ar yr aelwyd yng Ngwern-y-Lôn a dechrau dod i adnabod yr ardal a'i phobl. Ym mis Awst 1972, roedd y ddau ohonom yn teimlo ei bod ond yn addas i Elfed Lewis gael gwahoddiad i wasanaethu yn ein priodas yng Nghapel Glanaber, Llanuwchllyn.

I Ysgol Llandwrog yr aeth ein plant, Owain a Siwan, a anwyd yn 1973 ac 1977 ac mae'r pentref bach yma 5 milltir o Gaernarfon wedi bod yn rhan ganolog o'n bywydau ni o'r diwrnod yr ymunodd Sian hefo fi yno. Pentref amaethyddol ar gyrion ardal y chwareli yw Llandwrog a phan gyraeddsom ni roedd yna ddwy siop, yn ogystal â thafarn Ty'n Llan. Dros y blynyddoedd, fe fuom yn rhan o ymdrechion i sefydlu a chynnal Aelwyd a siop gymunedol ac er nad yw'r rheiny'n bodoli heddiw, mae yma genhedlaeth ifanc weithgar Gymraeg unwaith eto'n ymlafnio i gynnal gweithgareddau cymdeithasol amrywiol a difyr.

Yn 1975, cafodd Sian a minnau'r profiad arteithiol o golli plentyn. Ganwyd Llinos gyda diffyg *chromosome* oedd yn golygu mai ond ychydig fisoedd fyddai hi'n debyg o fyw. Chafodd hi ddim dod o'r ysbyty. Teithiau anodd iawn oedd y rheiny bob dydd Sul am bum mis i ymweld â'r eneth fach yn y ward gofal dwys. Bron nad oeddem wedi dygymod â'r drefn newydd wythnosol drist yma, pan ddaeth yr alwad

---

[3] Cyhoeddwyd fy nheyrnged i Kazek Miarczynski ym mhapur *Y Cyfnod* yn dilyn ei farwolaeth ym mis Hydref 2016.

185

ffôn yn gynnar rhyw fore, i ddweud wrthym fod Llinos wedi mynd.

Roedd y gofal a gafodd yn ysbyty C&A yn arbennig ac yn y fan honno, pan aethom yn ôl i ddiolch i'r staff am eu cariad tuag ati, y cawsom y cyngor doeth gan y sister i edrych ymlaen a pheidio ag oedi rhag ceisio am blentyn arall. Er y nerfusrwydd naturiol ynglŷn â'r hyn allai ddigwydd eto, flwyddyn a hanner yn ddiweddarach fe gyrhaeddodd Siwan yn iach ac yn afreolus i'n cadw ni'n brysur.

Os yw tudalennau'r llyfr yma'n brin o gyfeiriadau at gartref, teulu a pherthynas, rhaid i mi ofyn maddeuant. Maen nhw'n llawer mwy na chefndir i'r stori arall rwy'n ceisio ei dweud, ond maen nhw hefyd yn stori wahanol ac yn stori sy'n eiddo i bobl eraill yn ogystal ag i mi. Felly mi wna' i fodloni ar nodi bod y stori honno'n dal i redeg, nad ydi'r lleoliad wedi newid, ac er i ni ffarwelio â'r aelodau hŷn – gyda thri ohonynt yn cyrraedd eu 90au hwyr – bod yna dri arall, Gareth, Seren a Swyn, wedi ymuno â'r teulu, sydd bellach â changhennau ym Mhen Llŷn ac yng Nghaerdydd. Mae'r ddeuoliaeth ddaearyddol yn parhau.

14

Tir Glas a Barcud

MAE GAN FY nghyfaill da Wil Aaron bôs sy'n mynd rhywbeth tebyg i hyn:

Cwestiwn: P'run ydi'r cyfnod gorau yn hanes y byd i fod wedi byw ynddo?

Ateb: *Ail hanner yr ugeinfed ganrif*

Cwestiwn: Beth oedd y diwydiant mwyaf cynhyrfus yn y cyfnod?

Ateb: *Y diwydiant teledu*

Cwestiwn: Ym mha wlad yr oedd y teledu gorau yn y byd?

Ateb: *Prydain*

Cwestiwn: Pa gyfnod oedd yr un mwyaf cynhyrfus?

Ateb: *Dechrau'r 80au*

Cwestiwn: Pa sector o'r diwydiant oedd yn torri tir newydd?

Ateb: *Y sector annibynnol*

Cwestiwn: Ym mhle y tyfodd y sector annibynnol gyflymaf?

Ateb: *Cymru*

Cwestiwn: Ym mha ran o Gymru oedd y sector annibynnol fwyaf bywiog?

Ateb: *Y Gogledd*

Cwestiwn: Pa gwmni oedd yr un gorau yn y gogledd?
Ateb: *Ffilmiau'r Nant*
Cwestiwn: Pwy oedd bos Ffilmiau'r Nant?
Ateb: *Wil Aaron*

Mae hyn yn profi, yn ôl Wil, mai fo oedd â'r job orau yn hanes y ddynoliaeth.

Faswn i ddim yn mynd mor bell â Wil, yn sicr ddim yr holl ffordd i lawr y rhestr, ond mi roedd dechrau'r 80au yn gyfnod a hanner i fod yn rhan o'r byd teledu yng Nghymru. Ers peth amser, roeddwn wedi teimlo'r awydd i roi cynnig ar gynhyrchu rhaglenni teledu, ond roedd yr awydd i fod yn rhydd o hualau sefydliadau, yn ogystal â'r penderfyniad i fyw a gweithio yn y gogledd, wedi golygu nad oedd unrhyw bosibilrwydd o wneud hynny o dan yr hen drefn lle'r oedd pob rhaglen deledu Gymraeg yn cael ei darparu naill ai gan y BBC neu HTV.

Roedd y sylw cyhoeddus o gwmpas bygythiad Gwynfor Evans i ymprydio, yr ymgyrchu cyn ac ar ôl y cyhoeddiad hwnnw, a'r teimlad o fuddugoliaeth a gafwyd pan gyhoeddodd y Llywodraeth ei bod am newid ei meddwl a chytuno i sefydlu sianel deledu Gymraeg, oll wedi canolbwyntio ar elfen sylfaenol y frwydr honno, sef sefydlu sianel, ac ar yr alwad i sicrhau 'amodau teg i'r sianel', sef digon o gyllid.

Rywle yn isel i lawr y penawdau newyddion y gwelwyd fod yna fwriad, fel yn achos Channel 4, i roi darpariaeth yn y ddeddf fyddai'n sefydlu 'Sianel Pedwar Cymru' i ganiatáu i'r sianel newydd gomisiynu rhaglenni gan gynhyrchwyr annibynnol.

Roedd yna gryn amheuaeth ar y pryd, yn enwedig o du'r BBC ac HTV, a oedd yna'r fath beth â chynhyrchwyr annibynnol yn bodoli yng Nghymru. Ac yn wir, rhyw gasgliad digon amrywiol o enwau a ddechreuodd ymddangos dros y misoedd nesaf fel enghreifftiau o'r bobl allai syrthio i'r categori hwn. Roedd yna ddau enw roedd pawb yn derbyn oedd yn enwau dilys oherwydd eu profiad y tu fewn a'r tu allan i'r BBC ac HTV, sef Wil Aaron a Gareth Wynn Jones. Roedd Bwrdd Ffilmiau Cymru, oedd yn cael ei reoli gan Gwilym Owen, cyn-bennaeth Newyddion HTV, yn enw parchus arall. Roedd yna sôn efallai fod Alan Clayton, cynhyrchydd drama profiadol, am gynnig ei hun ac roedd yna ddyfalu, ond dim mwy na hynny, a fyddai enwau mawr Cymraeg oedd yn gweithio ar raglenni rhwydwaith yn Lloegr, fel Pennant Roberts a Geraint Morris, yn ateb yr alwad.

Yr enw arall amlwg iawn oedd Euryn Ogwen Williams a oedd wedi cymryd y penderfyniad *quixotic* ychydig yn gynharach i adael ei swydd ddiogel yn HTV er mwyn sefyll etholiad yn enw Plaid Cymru ym Mro Morgannwg. Y fo, yn anad neb, oedd yn gweld y gallai sector annibynnol amrywiol ac egnïol dyfu'n gyflym i gynnig cystadleuaeth wirioneddol i'r ddau brif sefydliad. Mi benderfynais innau'n fuan iawn yn y cyfnod hwn mod i am gynnig fy hun fel cynhyrchydd annibynnol, er nad oedd gen i brofiad o gynhyrchu na chyfarwyddo rhaglen deledu o unrhyw fath, gydag un bwriad yn unig ar y cychwyn, sef cynnig rhaglenni o ganu poblogaidd fyddai'n anelu at ddenu trwch o wylwyr i'r gwasanaeth newydd.

Ymhlith y dadleuon oedd wedi cael eu cynnig ar hyd y blynyddoedd yn erbyn sefydlu sianel Gymraeg oedd (a) na fyddai neb yn gwylio a (b) nad oedd yna ddigon o dalent. Roedd fy mhrofiad i o sylwi'n fanwl ar werthiant gwahanol fathau o recordiau dros y blynyddoedd yn dweud wrthyf fod y ddwy ddadl yn anghywir, ond roeddwn hefyd wedi dod i deimlo'n rhwystredig nad oedd y BBC nac HTV, fel ag yr oeddynt, yn deall pa mor boblogaidd oedd pobl fel Rosalind a Myrddin a Trebor Edwards ar lawr gwlad. Teimlwn fod yna elfen o sarhad yn cael ei ddangos tuag at y fath berfformwyr ar sail canfyddiad nad oeddynt yn ddigon 'proffesiynol' i haeddu eu lle ar y cyfryngau Cymraeg. Pe bawn i'n cael y cyfle felly, fy mlaenoriaeth oedd sicrhau llwyfan ar y sianel newydd i'r perfformwyr hynny oedd wedi profi eu poblogrwydd trwy werthiant eu recordiau.

Roedd yna dipyn o ddadlau wedi bod ynglŷn â hawl artistiaid nad oeddent yn berfformwyr llawn amser i fod ar y teledu, gydag Equity, undeb yr actorion a'r perfformwyr, yn cymryd lein galed. Daeth enw'r ffarmwr Trebor Edwards yn rhyw fath o symbol o'r ddadl ond yn fuan ar ôl cael ei benodi'n Gyfarwyddwr cyntaf y sianel cyhoeddodd Owen Edwards y byddai Trebor Edwards yn cael ei gyfres ei hun. Roedd hyn yn newyddion i Trebor ac i minnau ond dyma ffordd Owen o wneud datganiad grymus i'r perwyl y byddai pethau'n wahanol ar y sianel newydd.

Yn gynnar yn 1981, cynhaliwyd cyfarfod o ryw hanner dwsin o'r darpar gynhyrchwyr annibynnol yn swyddfa Wilbert Lloyd Roberts yng Nghwmni Theatr Cymru ym Mangor, gydag Euryn Ogwen y pen arall i'r ffôn. Un o'r bwganod yn y cyfnod hwn oedd bod HTV yn awyddus iawn i sicrhau mai trwyddyn nhw y byddai'r mwyafrif llethol o'r rhaglenni ar gyfer y sianel newydd yn cael eu gwneud – ar ben y 10 awr o raglenni roedd y BBC eisoes wedi cytuno i'w darparu bob wythnos. Rhan o dacteg HTV oedd ceisio argyhoeddi'r cyhoedd ac Awdurdod S4C nad oedd modd disgwyl i'r cynhyrchwyr annibynnol newydd honedig yma wneud yr hyn y gallai HTV ei wneud sef sicrhau cyflenwad cyson a diogel o raglenni bob wythnos i lenwi'r oriau angenrheidiol.

Euryn Ogwen yn y cyfnod cynnar hwn oedd llais amlycaf y cynhyrchwyr annibynnol. Cynhaliwyd yr Ŵyl Ffilm Geltaidd am yr eildro yn 1981, yn Harlech, ac roedd Jeremy Isaacs, Prif Weithredwr newydd Channel 4 ac Owen Edwards ymysg y siaradwyr. Roedd yna dipyn o gynnwrf ynglŷn â'r digwyddiad gyda'r rhan fwyaf o enwau amlwg y byd teledu Cymreig yn bresennol. Gwnaeth Euryn araith rymus yn enw'r sector annibynnol gan gloi gyda'r geiriau, 'Rydan ni'n barod ar gyfer y gwaith – rhowch yr offer yn ein dwylo i fwrw 'mlaen.'

Roedd nifer o'r cynhyrchwyr mwy profiadol yn gwybod y gallen nhw gyflenwi mwyafrif y rhaglenni roedden nhw'n ysu i gael y cyfle i'w gwneud, trwy gyflogi pobl camera llawrydd a saethu ar ffilm 16mm. Dyma oedd y cyfrwng traddodiadol ar gyfer gwneud rhaglenni dogfen, eitemau allanol ar gyfer rhaglenni newyddion, a dramâu ar leoliad. Ond proses araf yw saethu a golygu ar ffilm – rhyw bedwar munud o ddeunydd gorffenedig fyddai'n cael ei gynhyrchu gan bob diwrnod o ffilmio. Os oedd y sector annibynnol i wneud cyfraniad sylweddol i'r sianel, byddai'n rhaid i rywfaint, o leiaf, o'i gynnyrch gael ei saethu ar fideo aml-gamera. Dyma'r dull o wneud rhaglenni teledu roeddwn i wedi arfer hefo fo wrth gwrs – yn stiwdios y BBC ac HTV, lle'r oedd hi'n arferol cynhyrchu hanner awr y diwrnod, neu, yn achos cwisiau, hyd at ddwy awr y dydd, o raglenni gorffenedig. Euryn Ogwen, mewn sgwrs ryw noson, wnaeth ddisgrifio'r math o gerbyd recordio teithiol ysgafn, yn cael ei wasanaethu gan dri chamera ac offer sain, a fyddai'n galluogi grŵp o gynhyrchwyr yn y gogledd i wneud rhaglenni heb fod yn ddibynnol ar adnoddau'r BBC ac HTV. Dyma hedyn y syniad a dyfodd i fod yn Barcud.

Syniad ar gyfer rhyw fath o endid cydweithredol oedd hwn ar y cychwyn ac, fel cysyniad, roedd yn bwysig gan ei fod yn egluro'n ymarferol sut y gallai cynhyrchwyr annibynnol y tu allan i Gaerdydd wneud cyfraniad sylweddol i'r sianel. Rhyw ddisgyn ar fy 'sgwyddau i wnaeth hi o ran symud y syniad yn ei flaen. Yn un peth, roedd Euryn erbyn hyn wedi cael ei benodi i fod yn Gyfarwyddwr Rhaglenni'r sianel, ond roedd hi hefyd, mae'n debyg, yn bwysicach i mi nag i'r lleill i sicrhau fod yna uned fel hyn ar gael, gan fod y math o raglenni oedd gen i dan sylw yn mynd i ddibynnu ar ei bodolaeth.

Es ati i ddechrau creu cynllun busnes a chasglu manylion am y cwmnïau fyddai'n gallu adeiladu cerbyd o'r math oedd ei angen. Roedd y frwydr gydag HTV yn poethi wrth i'r cwmni a rheolwyr newydd S4C fethu'n lân â chytuno ar bris ar gyfer eu cyflenwad rhaglenni. Roedd y cloc yn dechrau tician gan fod Tachwedd y 1af, 1982 wedi cael ei osod fel dyddiad lansio'r sianel a phawb yn gwybod y byddai angen tomen enfawr o raglenni yn eu lle ar gyfer y misoedd cyntaf.

Roedd y comisiynau cyntaf eisoes yn cael eu rhoi allan i bobl fel Gareth Wynn Jones ac roeddwn innau yn cael nifer o gynghorion doeth gan bobl fel y gŵr camera Alwyn Roberts a oedd, er yn aelod o staff HTV ar y pryd, yn awyddus i weld y fenter newydd yn llwyddo.

Roedd Wil Aaron yn rhan o'r fenter o'r cychwyn, er ei fod wrthi fel lladd nadroedd yn gosod y seiliau ar gyfer ei gwmni cynhyrchu ei hun, Ffilmiau'r Nant. Ganol 1981 dyma gylchlythyru pawb oedd wedi dangos unrhyw ddiddordeb mewn sefydlu cwmni annibynnol, i gynnig iddynt y cyfle i ddod yn rhan o'r fenter newydd – ar y ddealltwriaeth wrth gwrs y byddai hyn yn golygu buddsoddi eu harian personol yn y fenter. Roedd y cynllun busnes yn dangos y byddai angen codi rhyw hanner miliwn o bunnoedd – tua £350k ar gyfer y cerbyd a'r offer a £150k ar gyfer cyfalaf gweithredol. Roedd yna debygrwydd y gallem ddisgwyl rhywfaint o grant gan Awdurdod Datblygu Cymru; roedd y banc yn debyg o roi benthyciad da a gallem lesio camerâu a pheiriannau recordio gwerth tua £150k, ond roedd angen i gyfranddalwyr y fenter ffeindio £100k rhyngddynt. Ar ôl gosod dyddiad pendant ar gyfer derbyn penderfyniadau, pedwar ohonom, ar ddiwedd y dydd, wnaeth ymrwymo'n derfynol i'r fenter sef Wil Aaron, Alan Clayton, Gwilym Owen a minnau.

Doedd dim amser i'w golli bellach gan y byddai'n cymryd chwe mis i adeiladu'r cerbyd; roedd angen mynd trwy broses o hysbysebu a phenodi ar gyfer staff a byddai'n rhaid anelu at gychwyn cynhyrchu deunydd, fel stoc ar gyfer misoedd cyntaf y gwasanaeth, o Ebrill 1982 ymlaen.

Ym mis Gorffennaf 1981, aeth Alwyn Roberts a minnau ar daith o gwmpas y tri chwmni yn Lloegr oedd yn arbenigo mewn adeiladu tryciau OB (*Outside Broadcast* – y term arferol am y fath gerbyd). Cwmni o Reading oedd y cwmni mwyaf, ac roedden nhw'n bur amheus o'r criw gwledig yma gyda'u cyfeiriad ym mhen draw Gwynedd, oedd yn mentro honni eu bod am archebu OB. Roeddem yn cael ein croesholi'n reit ddilornus nes i mi awgrymu yn y diwedd mai ni oedd wedi dod yno i'w holi nhw, nid fel arall. Nid y cwmni yna gafodd yr archeb, fel mae'n digwydd, ond daethom i gytundeb gyda chwmni arall oedd yn ymrwymo i gyflwyno'r cerbyd i ni erbyn diwedd mis Mawrth, gyda chymal cosbi pe na bydden nhw'n llwyddo i wneud hynny.

Doedden ni ddim eto wedi cael enw i'r cwmni newydd ond ryw gyda'r nos roedd Wil Aaron a minnau yn teithio i lawr Western Avenue yng Nghaerdydd, ar ein ffordd i ryw gyfarfod neu'i gilydd, a rhywbeth fel hyn aeth y sgwrs:

A: Beth am enw rhyw anifail?

B: Ie, un sy'n gallu gweld yn dda.

A: A gyda rhyw gysylltiad Cymreig.

B: Neu beth am dderyn falle?

A: Wrth gwrs – y Barcud Coch.

B: 'Sdim angen y coch, jest 'Barcud'.

Cafwyd nifer o awgrymiadau ar gyfer logo gan artistiaid lleol ac am y chwarter canrif nesaf bu logo a lliwiau brown a hufen Barcud yn olygfa amlwg ar lonydd Cymru. Mae'n dal i'w weld ar dalcen Canolfan Ddringo Beacon ar stad Cibyn yng Nghaernarfon.

Roedd yr Awdurdod Datblygu wedi bod wrthi'n codi ffatrïoedd parod ar y stad ddiwydiannol yma ac fe gawsom rentu uned fel canolfan weinyddol a garej. Cyn i unrhyw staff eraill gael eu penodi, roedd Ann Carrington wedi ymuno â ni'n syth o'r cwrs busnes ym Mangor i roi cymorth gweinyddol ar waith cychwynnol Barcud a Tir Glas. Yn yr adeilad newydd ond plaen yma yr oedd y ddau ohonom gyda dau fwrdd, dwy gadair, teipiadur, ffôn a chwpwrdd am ryw dri mis tra roedd gweddill y darnau yn cael eu gosod yn eu lle.

Roedd y misoedd nesaf yn rhai tyngedfennol wrth hysbysebu a cheisio denu'r technegwyr allweddol oedd yn rhaid eu cael fel aelodau staff llawn amser os oedd y fenter i lwyddo. Roedd y ffaith mai yng Nghaernarfon yr oedd pencadlys y cwmni i fod yn creu sefyllfa unigryw – rhywbeth oedd yn ddeniadol i ambell un, fel Tudor Roberts o Borthmadog ond yn golygu newid byd i eraill, fel Mike Griffiths, y golygydd fideo – y naill yn gweithio i'r BBC a'r llall i HTV, ond y ddau yng Nghaerdydd. Roeddem hefyd yn chwilio am brif weithredwr ac aeth hynny â ni i drafodaethau gyda nifer o enwau amlwg yn y maes ond roedd perswadio pobl ar y lefel yna i wneud y naid yn fwy anodd.

Ar yr un pryd roedd yna fwy a mwy o bobl yn rhoi gwybod i'r byd eu bod hwythau am adael sicrwydd eu swyddi a throi'n gynhyrchwyr annibynnol – pobl fel Endaf Emlyn a Siôn Humphreys oedd am adael HTV i ymuno ag Alan Clayton i greu cwmni newydd, Norman Williams a Dennis Jones am greu cwmni Eryri a chriw amrywiol oedd yn cynnwys Dafydd Wyn Jones, Toby Freeman, O. P. Huws a Dafydd Iwan yn mynd ati i sefydlu cwmni Na-Nog gyda phwyslais ar gyflwyno canu gwerin (a, maes o law, reslo) i'r sgrin Gymraeg.

Roeddwn innau wedi perswadio Ifan Roberts a Richard Morris Jones (Moi) i adael eu swyddi yn y BBC i ymuno â mi yng nghwmni Teledu'r Tir Glas, ac roedd S4C yn trafod hefyd gyda chwmnïau o'r tu hwnt i'r ffin oedd yn gweld bod yma gwsmer newydd, dim ond iddyn nhw fedru trosi eu syniadau'n llwyddiannus i'r Gymraeg. Enwau eraill a ddaeth i'r amlwg yn y cyfnod hwn oedd Paul Turner, oedd yn olygydd gyda'r BBC ac a aeth ymlaen i wneud cyfresi dogfen a drama difyr, gan goroni ei ymdrechion ddegawd yn ddiweddarach gyda'r ffilm *Hedd Wyn*. Hefyd, Gwenda Griffith a ffurfiodd gwmni Fflic er mwyn cyflwyno'r byd ffasiwn. Roedd yna wir amrywiaeth yn dechrau datblygu, yn ogystal â bwrlwm a chynnwrf wrth i'r comisiynau ddod drwodd ac i'r gwaith ffilmio ddechrau.

Roedd y ddadl fawr am arian rhwng S4C ac HTV yn parhau. Roedd y ffrae'n wybodaeth gyhoeddus ac yn cael sylw ar y cyfryngau Cymraeg a Saesneg.

'*Who are these independents anyway? Catchpennies all.*'

meddai Syr Alun Talfan Davies, un o gyfarwyddwyr HTV, ar *Week In Week Out*, rhaglen faterion cyfoes y BBC. Wedyn cafwyd dameg gan Reolwr Gyfarwyddwr y cwmni:

Siop Howell's yn gwerthu llieni, a dyn bach yr ochr arall i'r stryd yn gwerthu rhai tebyg yr olwg am hanner pris. Wedi cyrraedd adre, mae 'na nam ar y llian. Ewch nôl i Howell's ac mi gewch lian newydd yn ei le, ond welwch chi ddim golwg o'r dyn bach. *'Put not your faith in fly-by-nights!'*

HTV oedd Howell's wrth gwrs a'r annibynwyr oedd y dyn bach.

Roedd HTV yn awyddus iawn i godi stiwdio newydd sbon yng Nghroes Cwrlwys ar gyrion Caerdydd. Roedd y cynlluniau'n barod, y tir wedi'i brynu ond roedd angen taro'r fargen, a honno'n fargen am gyfnod hir, gydag S4C cyn bwrw 'mlaen. Eisoes roedd y dyddiad pan oedd disgwyl i'r cytundeb fod wedi ei arwyddo wedi hen basio ac Euryn Ogwen yn gwneud popeth o fewn ei allu, roedd hi'n ymddangos, i gryfhau braich S4C yn y ddadl trwy sicrhau bod y sector annibynnol yn ddigon cryf a chredadwy fel y gellid cyflenwi oriau digonol i'r sianel heb gyfraniad gan HTV, pe bai raid.

Fe ges i fy ngalw i weld Syr Goronwy Daniel, Cadeirydd yr Awdurdod, ac Owen Edwards a'r cwestiwn sylfaenol gan y Cadeirydd oedd nid pa fath o raglenni y bydden ni'n eu cyflenwi i'r sianel ond 'faint o oriau o raglenni bob wythnos ydych chi'n meddwl y bydd eich uned newydd chi yn gallu eu cyflenwi pan fydd hi ar gael?'

Doeddwn i erioed wedi meddwl am waith Barcud yn y termau yna ond dyma oedd y cwestiwn allweddol i S4C. Fy amcangyfrif i ar y pryd oedd uchafswm o ryw ddwy awr yr wythnos. 22 awr o raglenni Cymraeg oedd S4C i fod i'w darlledu ar y cychwyn ac am fod y BBC yn cyflenwi 10 awr ac HTV yn ôl telerau eu trwydded yn gorfod cynhyrchu 7 awr, roedden nhw'n chwilio am 5 awr arall o rywle. Roedd eu cyfyng gyngor yn amlwg ac efallai nad oedd yn ormod o syndod i'r drafodaeth fynd yn ben set yn y diwedd ac i'r

Awdurdod benderfynu peidio â mentro'r cyfan ar y sector annibynnol ond yn hytrach ddod i delerau gyda HTV. Yn ôl y sôn, roedd telerau darparu bron i 10 awr yr wythnos yn ddigon hael i ganiatáu i'r cwmni hwnnw adeiladu stiwdios Croes Cwrlwys ar gost y sianel.

Roeddwn innau erbyn hyn wedi derbyn fy nau gomisiwn cyntaf. Roeddwn i gyflwyno cyfres fyddai'n rhoi llwyfan i ddeuddeg o artistiaid neu grwpiau unigol poblogaidd, megis Hogia'r Wyddfa, Dafydd Iwan a Trebor Edwards dan yr enw *Yng Nghwmni*... a'r bwriad oedd y byddai honno'n un o'r pethau cyntaf fyddai'n cael eu recordio gydag offer Barcud pan fyddai'r uned yn barod i fynd ym mis Ebrill '82.

Ond roeddwn hefyd wedi cynnig gwneud fersiwn deledu o gynhyrchiad Cwmni Theatr Maldwyn *Y Mab Darogan*, oedd wedi gwneud argraff fawr ar y gynulleidfa yn Eisteddfod Machynlleth 1981.

Yn y dyddiau cyntefig hynny, y broses o gael comisiwn oedd galwad ffôn neu lythyr at Euryn, taith i Gaerdydd i drafod y syniad wyneb yn wyneb ynghyd â chyllideb syml. Cwpwl o gwestiynau efallai ynglŷn â'r dull o recordio, yr amserlen a'r prif bersonél, ac os oedd y syniad yn ffitio i mewn i weledigaeth Euryn o sut oedd y sianel i fod i edrych, yna yn fuan iawn fe fyddai yna lythyr a hyd yn oed siec yn dilyn.

Fe wnaeth Euryn Ogwen benderfyniadau mentrus, o ran eu cynnwys ac o ran y bobl roedd yn gorfod ymddiried ynddyn nhw i'w gwireddu. Roedd yn benderfynol o agor y drysau i syniadau newydd o bob math gan gredu'n wirioneddol mai dyma fyddai'n dangos i'r genedl fod y sianel newydd yn wahanol i'r hyn oedd wedi bod o'r blaen. Ac wrth gwrs roedd yr oriau yr oedd angen eu llenwi yn sylweddol fwy na'r hyn oedd arfer cael ei ddarparu ar sianeli'r BBC ac HTV dan yr hen drefn. Roedd hefyd yn awyddus i anelu at safonau rhwydwaith ac i wneud hynny, yn rhannol, trwy agor y drws i gynhyrchwyr a chyfarwyddwyr di-Gymraeg a hyd yn oed rhai o'r tu allan i Gymru. Fe weithiodd hyn yn dda mewn rhai achosion – *Joni*

Jones ydi'r enghraifft amlwg – ond yn llai llwyddiannus mewn achosion eraill.

Roedd trosi'r *Mab Darogan* i'r teledu yn golygu wynebu'r holl gwestiynau ynglŷn â sut oedd cynhyrchu rhaglen deledu aml-gamera heb fod gennych stiwdio barod, ac yn yr achos hwn, gyda chast o bron i gant o bobl ifanc, llawer ohonynt yn yr ysgol neu'r coleg. Penderfynwyd anelu at recordio dros wyliau'r Pasg gyda phenwythnos ymlaen llaw yn stiwdio Sain i recordio'r trac sain ar gyfer yr offerynnau a'r côr. Byddai'r unawdwyr yn canu'n fyw. Llogwyd Theatr Hafren, Y Drenewydd am bedwar diwrnod dros y Pasg. Cytunodd Wil Aaron i gymryd seibiant o'i waith gyda Ffilmiau'r Nant er mwyn cyfarwyddo a chytunodd dyn o'r enw Malcolm Harrison oedd wedi bod yn gwneud gwaith goleuo llawrydd yn HTV, ac a oedd ag enw arbennig yn y maes, i ddod yno i gael trefn ar y goleuadau. Roedd angen llogi'r holl adnoddau teledu o Loegr. Roedd yna dri chwmni oedd yn berchen ar faniau OB tebyg i'r hyn oedd yn cael ei baratoi ar gyfer Barcud a phenderfynwyd mynd am y mwyaf newydd o'r rhain sef Molinare. Roedd y goleuadau i gyd yn cael eu darparu gan gwmni o Fanceinion.

Roedd rhyfel y Falklands newydd dorri pan gychwynnodd Wil a minnau am ddiwrnod o ymarfer ymlaen llaw yng Nghanolfan Glantwymyn ac mae'r rhyfel hwnnw a'r dyddiau cynnar yna o baratoi deunydd ar gyfer S4C yn gymysg â'i gilydd yn fy meddwl hyd heddiw. Nid lleiaf oherwydd y ffaith fod yna gryn wahaniaeth barn ar y mater yn enwedig rhwng cast *y Mab Darogan* a rhai o'r Saeson oedd yn gweithio i ni. Fe fûm innau'n aros yng Ngwesty Bodfach Hall yn Llanfyllin un noson, yn chwilio am leoliadau ar gyfer eitem i raglen *Yng Nghwmni Plethyn* – y grŵp gwerin o'r ardal honno. Hwn oedd y gwesty lle cafodd fy mam a 'nhad eu gwledd briodas 35 mlynedd ynghynt ond doeddwn i ddim wedi deall mai asiant yr Aelod Seneddol Torïaidd asgell dde lleol oedd perchennog presennol y gwesty. Ar ôl swper digon derbyniol, a dim ond dau neu dri cwsmer ar ôl, fe drodd y sgwrs at faterion y dydd – ac mi aeth yn ffrae. Ar y cyfan, dwi'n meddwl mod i'n berson gweddol bwyllog, ond bob hyn a hyn mae yna ryw fatsien yn cael ei thanio a'r pryd hynny, does yna ddim dal yn ôl. Dwi'n cofio cymharu hawl pobl o'r Ariannin i fynd i fyw i'r Malvinas gyda hawl Saeson i ddod i fyw i Gymru! Mae'n debyg i'r gwestywr fod yn sôn am y ffrae o gwmpas Llanfyllin am ddyddiau wedi hynny, gan i mi gael y stori'n ôl gan fy modryb y tro nesaf i mi ymweld.

Roedd y gwaith o recriwtio ar gyfer Barcud wedi bod yn mynd yn ei flaen dros fisoedd y gaeaf gan gynnal cyfweliadau yn Llandrindod a'r Amwythig yn ogystal â Chaerdydd a Chaernarfon. Un o'n hamcanion oedd ceisio sicrhau fod cymaint o'r criw technegol â phosibl yn medru siarad Cymraeg. Dros y blynyddoedd, er bod nifer dda ohonynt yn ddymunol a chefnogol, roedd gan rai o'r technegwyr y dois i ar eu traws yn y BBC ac HTV agwedd ddigon sarhaus tuag at y Gymraeg. O fewn y ddau sefydliad roedd yna ryw fath o ddealltwriaeth, os oedd y prif swyddi rheoli a chynhyrchu yn gorfod cael eu dal gan siaradwyr Cymraeg, mai pobl ddi-Gymraeg fyddai'n cael y mwyafrif o'r swyddi technegol ac roedd y rhaniad yma yn un eithaf amlwg. Roedd y 70au wedi bod yn gyfnod lle'r oedd yr undebau teledu â dylanwad mawr iawn ar sut roedd pethau'n cael eu gwneud gan fynnu parch deddfol i rotas ac oriau gwaith. Arweiniodd hyn un diwrnod yn HTV at sefyllfa lle roeddem o fewn munudau i orffen recordio rhaglen a oedd yn cynnwys plant a rhieni oedd wedi teithio'r holl ffordd o'r gogledd ar ei chyfer. Gyda rhyw ddau funud o'r rhaglen i'w chwblhau, dyma'r siop stiward yn torri ar draws y recordiad gan ddweud 'dyna ni – mae'n 5 o'r gloch, mae'n rhaid dod â'r sesiwn recordio i ben'. Roedd hyn yn golygu y byddai'n rhaid i'r gogleddwyr fynd adref a dod yn ôl yr wythnos ganlynol dim ond er mwyn recordio'r ddau funud oedd yn brin.

Roedd yna hefyd ormod o achlysuron pan oedd rhyw sylw gwamal gan ŵr camera neu drydanwr, mewn perthynas â pherfformiwr nerfus, wedi codi 'ngwrychyn. Ar ben hynny, rhaid dweud bod agwedd rhai o'r Cymry Cymraeg, y rhai uchaf eu cloch fel arfer (ac nid pawb o bell ffordd, wrth gwrs) oedd yn gweithio i'r ddwy gorfforaeth ac oedd wedi penderfynu mai Saesneg oedd yr iaith gymdeithasol i fod, yn mynd o dan fy nghroen. Pan oedd *Disc a Dawn* newydd orffen recordio rhaglen yn Birmingham un tro, roeddwn wrthi'n siarad gyda'r Cymry o Birmingham oedd yn dod i'r stiwdio i fod yn gynulleidfa i'r rhaglen, pan ddaeth un o'r criw cynhyrchu Cymraeg i fyny ataf a dweud mewn llais uchel – '*You don't have to speak to these people darling*'.

Roedd y math yna o agwedd yn gwneud i mi ferwi ac roeddwn yn benderfynol, os yn bosib, y byddai agwedd criw technegol Barcud tuag at y gwaith y byddem yn gofyn iddyn nhw ei wneud, a'r gynulleidfa roedden nhw yn ei gwasanaethu, yn wahanol. Er mwyn i hynny ddigwydd, byddai angen i gyfartaledd uchel o'r criw technegol fod yn siaradwyr Cymraeg ac aethom ati o'r cychwyn i roi blaenoriaeth i'r agwedd yma. Wrth gwrs fe wnaethon ni hefyd gyflogi nifer o dechnegwyr di-Gymraeg galluog, rhai ohonynt fel Mike Griffiths, sefydlydd cwmni Antena yn ddiweddarach, aeth ymlaen wedyn i wneud cyfraniad eithriadol o bwysig i deledu Cymraeg.

Fe brofodd Mike ei werth i Barcud yn y dyddiau cyn i'r cwmni wneud ei raglen gyntaf yn Theatr Ardudwy Harlech. Roedd y cerbyd wedi cyrraedd ac roedd pawb ar binnau braidd – popeth yn newydd: y tîm technegol, y timau cynhyrchu ac wrth gwrs y cerbyd ei hun a'r holl offer technegol.

Roeddem wedi cymryd y risg o archebu peiriannau tâp gan gwmni ag enw mawr o Japan, fe'u galwn ni nhw'n gwmni 'H', oedd am dorri mewn i'r farchnad gyda pheiriant newydd sbon. Ddau ddiwrnod cyn y rhaglen gyntaf, roedd y ddau beiriant wedi cyrraedd ac wedi cael eu gosod yn y tryc. Roedd Mike wrthi'n eu rhoi ar waith ac roedd wedi bod yng nghefn y tryc am rai oriau heb ddweud dim. Roedd cyflenwr H ym Mhrydain yno hefyd ac roedd hi'n amlwg bod pethau wedi mynd yn bur dynn rhyngddynt. Ar ôl amser maith, gwthiodd Mike ei ben allan a chyhoeddi – *'It won't edit.'*

Roedd Barcud, y cwmni bach Cymreig di-brofiad ar leoliad yn Harlech, yn dweud wrth H, y cwmni enfawr o Japan, nad oedd eu peiriant newydd yn gweithio. Doedd y cynrychiolydd ddim yn gallu gwrthbrofi Mike; roedd yn amlwg ei fod wedi trio gwneud hynny ac wedi methu. Roedd o wedi trio dadlau hefyd nad oedd y diffyg yn un pwysig, ond roedd Mike yn gwbl gywir wedi dadlau fel arall.

Ym mhen diwrnod roedd H wedi hedfan peiriannydd profiadol o Japan ac roedd o wrthi'n ffidlan efo'r peiriant diffygiol tra roedd peiriant wrth gefn yn cael ei osod yn ei le. Fe fu yno am bron i wythnos cyn hedfan yn ôl i Japan. Ni welwyd peiriant H ar y farchnad byth.

Rhan bwysig o bolisi craidd Barcud oedd hyfforddi a dros y misoedd nesaf roedd gweld nifer o bobl ifanc leol yn dysgu crefft, fel rhedwyr, gyrwyr, trydanwyr, a phobl camera, yn galondid mawr. Wyth mlynedd yn ddiweddarach, pan gafodd consortiwm o'r gogledd y cyfle i ddarlledu Eisteddfod yr Urdd am y tro cyntaf, dwi'n cofio syndod y cyflwynydd Huw Llywelyn Davies pan gynhaliwyd y sesiwn briffio gyda'r criw cynhyrchu a'r tîm technegol ar ddechrau'r wythnos – yn Gymraeg. Yn ei holl flynyddoedd gyda'r BBC, doedd o erioed wedi gweld hynny'n digwydd.

Erbyn mis Mawrth, roedd y recriwtio'n mynd yn dda, y cerbyd, yn ôl pob golwg, ar amser a'r gwaith o baratoi rhaglenni yn mynd ei flaen ffwl sbid gan y gwahanol gwmnïau cynhyrchu. Rhaid cofio mai nid Barcud oedd yn rheoli'r cwmnïau annibynnol. Fel arall yr oedd hi. Gwasanaethu'r cwmnïau annibynnol oedd gwaith Barcud, ond er mwyn gwneud y defnydd gorau o'r adnoddau costus, roedd angen elfen sylweddol o gydweithio rhwng y cwmnïau o ran cytuno ar amserlen waith. Roedd Alan Clayton yn paratoi cyfres ddrama uchelgeisiol i'w saethu yn Nhrefor yn seiliedig ar lyfrau Eigra Lewis Roberts ac a fyddai'n cael ei galw'n *Minafon*. Roedd hon yn arbennig yn nhermau teledu oherwydd y byddai'n cael ei saethu ar leoliad ar dâp fideo, hynny yw, yn yr un dull ag y byddai opera sebon mewn stiwdio yn cael ei saethu, gyda dau neu dri camera yn cael eu defnyddio'r un pryd.

Roedd y rhaglen waith yn ei lle felly ond roedd Barcud yn dal yn brin o Brif Weithredwr. Roedd Gwilym Owen, un o'r pedwar ohonom oedd â siâr gyfartal yn y cwmni, wrthi'n paratoi cyfres o raglenni cwis ar gyfer wythnosau cyntaf Barcud ond fe benderfynwyd, oherwydd ei brofiad fel Pennaeth Adran Newyddion HTV ac wedyn fel Rheolwr gyda'r Bwrdd Ffilmiau Cymraeg, gynnig i Gwilym gymryd y swydd, ac fe gytunodd. Mae hanes yr hyn ddigwyddodd yn y ddeufis canlynol yn un poenus – i Gwilym yn bersonol, ond hefyd i bob un ohonom oedd yn ymwneud â'r sefyllfa.

Yn gyntaf, cyhoeddwyd adroddiad yr oedd S4C wedi'i gomisiynu ynglŷn â'r hyn oedd wedi mynd o'i le gyda'r ffilm *Madam Wen* gafodd ei saethu'r haf blaenorol gan y Bwrdd Ffilmiau dan oruchwyliaeth Gwilym. Roedd y ffilm wedi mynd ymhell dros ei chyllideb ac roedd yna gryn dipyn o hanesion wedi ymddangos yn y cyfryngau ac ar lafar gwlad oedd yn awgrymu diffyg rheolaeth neu waeth. Roedd S4C wedi comisiynu cynhyrchydd profiadol o Iwerddon i ymchwilio i'r hyn oedd wedi digwydd ac i ddweud ei farn. Barnodd y cyfaill hwn fod *Madam Wen* yn ffilm safonol a bod y cynnyrch, drwyddo draw, yn teilyngu'r hyn a wariwyd gan S4C, ond roedd yna feirniadaeth eithaf hallt o'r ffordd yr oedd y cynhyrchiad wedi mynd allan o reolaeth yn ariannol. Roedd yn bwysig i S4C i fod wedi medru dangos nad oedd y sianel yn afradu'r arian oedd yn cael ei roi iddi ond roedd yn anodd osgoi'r canfyddiad fod yna farc cwestiwn wedi cael ei osod yn erbyn sgiliau Gwilym fel rheolwr ariannol.

O fewn wythnosau i'r penodiad gael ei wneud, roeddem yn dechrau clywed pryderon gan dechnegwyr mwyaf profiadol Barcud ynglŷn â'r math o arweiniad, neu ddiffyg arweiniad, yr oeddent yn ei dderbyn gan y Prif Weithredwr. Roedd y tri ohonom hefyd wedi cael ein synnu gan y fargen sydyn roedd Gwilym wedi'i tharo gyda'r undeb ynglŷn â thelerau gwaith – goramser ac ati. Lle roedden ni wedi disgwyl y byddai yna dipyn go lew o fargeinio er mwyn gwella ar y telerau hynod o hael oedd yn arferol mewn llefydd fel HTV, yn lle hynny roedd Gwilym wedi derbyn bron iawn y cyfan o ofynion yr undeb a doedd dim mynd yn ôl ar hynny.

Daeth yr ergyd olaf ryw fis ar ôl i Barcud gyflawni ei sesiwn recordio gyntaf yn Theatr Ardudwy Harlech, lle recordiwyd dwy neu dair rhaglen o'r gyfres gwis roedd Gwilym wedi bod yn eu paratoi fel cynhyrchydd.

Roedd Wil a minnau ar fuarth fferm Tyddyn 'Ronnen yn Llanuwchllyn ryw fore braf o fis Mehefin yn paratoi i recordio'r *Noson Lawen* gyntaf un pan ddaeth galwad ffôn gan Emlyn Davies, Dirprwy Bennaeth Rhaglenni S4C, i roi gwybod i ni nad oedd yna gomisiwn yn bodoli ar gyfer y rhaglen gwis. Yn ôl Emlyn, roedd Gwilym wedi bwrw 'mlaen â'r holl drefniadau heb sicrhau cytundeb na chydsyniad o unrhyw fath.

Cawsom afael ar Alan Clayton ar y ffôn ac erbyn y bore canlynol roeddem wedi penderfynu na fedrai Gwilym barhau i fod yn Brif Weithredwr Barcud gan fod perthynas dda gyda'r Sianel, yn ogystal â rheolaeth ariannol a gweinyddol, yn elfennau allweddol o'r swydd. Aeth Wil i gyfleu'r newyddion yma i Gwilym a chrëwyd pwyllgor o reolwyr technegol i gymryd gofal am oruchwylio gweinyddiad y cwmni nes y byddai ateb arall i'r cwestiwn o brif weithredwr yn cael ei ddarganfod.

Un o ganlyniadau uniongyrchol yr helynt oedd y rheidrwydd wedyn i Wil, Alan a minnau brynu siâr Gwilym rhyngom. Doedd hyn ddim yn hawdd, oherwydd ein bod eisoes wedi morgeisio ein cartrefi er mwyn dod o hyd i'r £25,000 yr oeddem oll wedi gorfod ei fuddsoddi yn y cwmni'n wreiddiol. Bellach roedd yn rhaid cael caniatâd gan ein banciau i roi £8,333 pellach i mewn bob un. Ar ben hyn oedd y ffaith fod Gwilym fel cynhyrchydd i fod i dalu rhai miloedd am ei ddefnydd o'r adnoddau ar gyfer y cwis yn Theatr Ardudwy. Doedd Barcud ddim yn derbyn yr un ddime o arian yn uniongyrchol gan S4C. Roedd y cyfan yn dod ar ffurf tâl gan y cwmnïau annibynnol yn ôl eu defnydd o'r uned. Os nad oedd S4C wedi awdurdodi Gwilym i wneud ei raglen, roedd hi'n debygol y byddai yna fwlch sylweddol yn yr incwm roedd Barcud wedi'i ragweld yn ei gynllun busnes ar gyfer wythnosau bregus cyntaf ei fodolaeth. Ceisiwyd pwyso ar Gwilym i fynd ar ôl S4C gan ei fod yntau'n honni fod yna ddealltwriaeth ganddynt mewn perthynas â'r cwis, ond ddaeth dim byd o hynny, yn anffodus, a bu'n rhaid anghofio'r ddyled. Wrth lwc, roedd rhaglen waith Barcud ar gyfer gweddill y flwyddyn yn weddol lawn a llwyddodd y cwmni i oresgyn yr ergyd.

Fe gredodd Gwilym am weddill ei fywyd ei fod wedi cael cam gennym a bu'n gyson feirniadol o S4C ac o'r sector annibynnol yn gyffredinol, yn ei golofnau a'i raglenni newyddiadurol. Roedd Gwilym yn feistr geiriau, yn newyddiadurwr praff iawn gyda thrwyn arbennig am stori, ac yn ôl tystiolaeth y rhai fu'n gweithio iddo, roedd yn gallu bod yn arweinydd newyddiadurol ysbrydoledig. Roedd yn beth da iawn felly iddo gael y cyfle rai misoedd yn ddiweddarach i ymuno â'r BBC i lenwi hen swydd Emlyn Davies fel Rheolwr Newyddion Radio Cymru, ac yn ddiweddarach i fynd yn Bennaeth Newyddion Cymraeg BBC Cymru. Yn y maes hwnnw yr oedd ei gryfder, ac roeddem ninnau ar fai na fyddem wedi holi'n ddyfnach ynglŷn ag union natur ei ymwneud â rheolaeth ariannol, cytundebau ac ati cyn ei benodi i'r swydd. Roedd hynny mae'n siŵr oherwydd natur y cyfnod, gyda'r cyfleoedd yn codi ym mhobman, a phenderfyniadau pellgyrhaeddol yn cael eu gwneud mewn amser byr. Ar y dechrau, roedd Gwilym yn gredwr yn y sector annibynnol; fe aeth yn ddwfn i'w boced ei hun i fentro i gyd-sefydlu Barcud. Ond ar ddiwedd y dydd fe welodd mai un o'r sefydliadau mawrion fyddai'n cynnig y llwyfan mwyaf priodol i'w ddoniau digamsyniol ac fe aeth ymlaen i wneud cyfraniad pwysig i newyddiaduraeth Gymraeg.

Noson Lawen

Ar ddiwrnod yr alwad ffôn dyngedfennol gan Emlyn, roedd faniau Barcud wedi'u parcio y tu allan i sied wair ar fferm Tyddyn 'Ronnen yn y bryniau uwchben Llanuwchllyn.

Roeddwn i wedi clywed trwy gysylltiadau teuluol ei bod hi'n arferiad cynnal noson lawen draddodiadol bob haf ar fferm rywle yn yr ardal, gyda bêls gwellt i'r gynulleidfa eistedd arnynt a threlar yn llwyfan. Y syniad oedd recordio'r noson fwy neu lai fel y byddai'n digwydd pe na bai'r teledu yno a'i chynnwys yn rhan o 'nghyfres ar gyfer perfformwyr poblogaidd, dan yr enw *Yng Nghwmni Pobl Penllyn*. Roeddwn am geisio cyfleu'r teimlad o fod yn rhan o'r gynulleidfa ac am i'r gynulleidfa anghofio fod yna gamerâu yn bresennol.

Roeddwn wedi trafod ymlaen llaw gyda'r trefnwyr a chyfnewid syniadau am bobl i gymryd rhan – artistiaid lleol yn bennaf – plant, y côr merched lleol, canwr penillion lleol adnabyddus, gyda'r triawd o Ruthun, Triawd Menlli, fel artistiaid gwadd. Roedd Trefor Selway wedi ei wahodd i fod yn arweinydd ac roedd yna rywun arall i fod yno hefyd i wneud eitem gomedi. Y diwrnod cyn y recordiad, fe dynnodd y person hwnnw allan oherwydd salwch a bu'n rhaid mynd ati i geisio dod o hyd i rywun yn ei le. Awgrymwyd enw Elfed Thomas o Lanfair Caereinion. Doeddwn i ddim yn gyfarwydd â'r enw, ond mi ges i ar ddeall ei fod wedi arfer cyflwyno nosweithiau llawen ar hyd a lled y canolbarth ers rhai blynyddoedd, a'i fod yn dda iawn, ond gan iddo golli ei wraig ryw flwyddyn ynghynt, doedd o ddim wedi bod yn ymddangos ar lwyfan ers hynny. Dyma godi'r ffôn ar Mr. Thomas a'i berswadio, gyda pheth trafferth, i gamu i'r bwlch y noson ganlynol.

Roedd hi'n noson braf yn Nhyddyn 'Ronnen y noson honno. Ffilmiwyd y gynulleidfa'n cyrraedd ac yn cael paned ymlaen llaw ar y buarth, yn ôl yr arfer yn Llanuwchllyn, cyn i bawb setlo i lawr ar y bêls. Wrth edrych ar y recordiad o'r rhaglen heddiw, mae golwg y peth yn gyntefig iawn. Doeddwn i ddim wedi cynllunio'r llwyfan na'r lleoliad mewn unrhyw ffordd –

roeddwn i jest yn derbyn yr hyn roedd y trefnwyr lleol arfer ei wneud sef gosod baner Draig Goch y tu ôl i'r trelar a dyna ni.

Ond roedd gen i ffydd yn yr hyn roedd fy mam-yng-nghyfraith wedi'i ddweud wrtha' i sef bod y rhain yn nosweithiau lle'r oedd pobl yn gwirioneddol fwynhau eu hunain, a dyna roeddwn am ei ddal ar dâp os medrwn i.

Aeth pethau yn reit hwylus o'r cychwyn. Triawd Menlli yn creu sŵn dymunol a chynnes, Trefor Selway yn cyflwyno'n daclus, plant y pentref yn cael hwyl efo Caradog y Cawr, Einion Edwards yn athrylithgar gyda'i ganu penillion ac wedyn daeth Elfed Thomas ymlaen.

Gan ymddiheuro am ei nerfusrwydd, a gyda phapur yn ei law i'w atgoffa o ba stori oedd yn dod nesaf, dyma fo'n cychwyn ar gyfres o straeon, rhai yn hen a rhai'n newydd, ond pob un yn cael ei ddweud gyda'r amseru doniolwch mwyaf perffaith. Fe fesurodd y tymheredd i'r dim, gan wthio ffiniau chwaeth yn reit bell ar brydiau, ond gan gario'r gynulleidfa hefo fo'n llwyr. Roedd pobl yn eu dagrau, a ninnau yn y tryc recordio yr un modd. Yn yr ail hanner, cafwyd cyfres arall o straeon eto yn taro deuddeg yn y modd mwyaf rhyfeddol cyn i Driawd Menlli ddod ymlaen i gloi'r noson. Emyn oedd ganddynt i gloi; 'Mi glywaf dyner lais' ac heb unrhyw ymarfer na chymhelliad gan arweinydd na rheolwr llawr, dyma'r gynulleidfa gyfan yn ymuno yn y gân – pawb yn gwybod y geiriau, ac yn rhannu'n naturiol yn bedwar llais. Roeddwn i'n gwybod ein bod ni wedi dal rhywbeth arbennig ar dâp oedd yn wahanol iawn i'r sglein a'r proffesiynoldeb roedd teledu'n arfer anelu ato, ond a oedd yn naturiol, yn real, ac yn wirioneddol Gymreig.

Ym mis Hydref, rhyw dair wythnos cyn y dyddiad lansio, fe godod Euryn Ogwen y ffôn i ofyn tybed oedd gen i rywbeth y gallwn i ei gynnig ar gyfer wythnos gynta'r Sianel. Ar y pryd, y bwriad oedd dangos y gyfres *Yng Nghwmni* yn y flwyddyn newydd, ar ôl i gyfres newydd arall, *Taro Tant*, sef amrywiaeth o ganu pop ysgafn, gael ei ddarlledu o fis Tachwedd ymlaen, ond roedd Euryn yn chwilio am rywbeth gwahanol i'r hyn oedd wedi'i amserlennu ar y pryd ar gyfer yr wythnos gyntaf. Rhywbeth i dynnu sylw ac i ddangos fod y sianel yn mynd i fod yn wahanol. Doedd o ddim yn gwybod ar y pryd am y rhaglen oedd gen i o Lanuwchllyn ond mi feddyliais efallai y gallai hon gyflawni'r hyn roedd o'n chwilio amdano. Fe gytunodd yn syth a bu'n rhaid mynd ati wedyn, yng nghanol prysurdeb paratoi *Taro Tant*, i olygu *Yng Nghwmni Pobl Penllyn*. Rywle yng nghanol y gwaith hynny daeth yn glir bod angen anghofio ei bod yn perthyn i'r gyfres honno ac yn hytrach ei chyflwyno dan y teitl amlwg sef *Noson Lawen*.

Dydi hi ddim yn ormodedd i ddweud ein bod wedi cael ymateb gwych i'r rhaglen. Dwi'n meddwl fod yr ymarferwyr teledu traddodiadol yn gwaredu o weld y diffyg sglein, y ffaith nad oedd yr arweinydd yn siarad i'r camera ac yn y blaen, ond fe welodd y gynulleidfa gartref fod y rhaglen yn arwydd o rywbeth gwirioneddol wahanol. Roedd yr awyrgylch gartrefol, a'r holl siots o'r gynulleidfa yn mwynhau eu hunain, yn plesio'n fawr, a doniolwch Elfed Thomas yn disgleirio ar y sgrin, llawn cystal ag yn y sied wair. Roedd y *Daily Post* yr wythnos ganlynol yn llawn o ymatebion i wythnos gynta'r Sianel ac roedd y *Noson Lawen* yn amlwg yn un o'r rhesymau dros ymateb gwresog y mwyafrif o'r llythyrwyr i'r lansiad.

Y flwyddyn ganlynol trefnwyd i recordio *Noson Lawen* arall adeg Eisteddfod Llangefni, mewn ysgol y tro hwn, ond erbyn 1984 roeddem yn ôl yn y bêls gyda phedair arall, dwy yn y de a dwy yn y gogledd, ac o'r flwyddyn honno ymlaen, cafwyd cyfres bob blwyddyn o chwech, wyth neu ddwsin o raglenni, hyd at ddiwedd y ddegawd.

Yr amcan oedd gen i bob tro oedd ceisio gwarchod be roeddwn i'n ei weld fel hanfod y rhaglen, sef y berthynas glos rhwng y perfformwyr a'r gynulleidfa. Roedd y lleoliadau'n allweddol ar gyfer cyflawni hyn. Roedd angen dewis ardal lle byddem yn debyg o fedru denu cynulleidfa dda; roedd angen sied fawr heb bileri yn ei chanol a gyda ffarmwr cymwynasgar i'n croesawu. Roeddwn yn benderfynol o osgoi'r teimlad y mae cynulleidfa i raglen deledu bron yn anochel yn ei gael o fod yno at wasanaeth y cwmni teledu, yn hytrach na bod yno i fwynhau eu hunain. Er mwyn cyflawni hyn, roedd angen peidio amharu ar y noson er mwyn ail-wneud pethau; roedd angen i'r noson redeg am amser rhesymol yn hytrach na dim ond cyflawni anghenion y rhaglen deledu; roedd angen i'r camerâu gael eu gosod mewn mannau lle na fyddent yn tynnu sylw gydag un ohonynt yn gallu cael y llun allweddol o berfformiwr a chynulleidfa o fewn yr un siot; ac roedd angen i'r symud nôl a mlaen ar y llwyfan ddigwydd heb amharu ar rediad y noson.

Roedd yr eitemau comedi – p'un ai'n standyp neu'n sgetsys, yn allweddol i'r syniad o noson LAWEN, hynny yw, hwyliog. Dros y blynyddoedd fe dreuliais lawer o amser yn cynnal gwrandawiadau ar hyd a lled y wlad i roi cyfle i bobl nad oedd yn adnabyddus yn genedlaethol i ddod ymlaen i gynnig eu hunain. Byddwn yn holi cysylltiadau lleol yn fanwl iawn ynglŷn â phwy oedd yr enwau lleol roedd pobl yn sôn amdanynt ac yn y blynyddoedd cynnar mi wnes yn siŵr bod perfformwyr yn ymddangos oedd wedi diddanu cynulleidfaoedd yn eu bröydd ers blynyddoedd lawer, grwpiau megis Bois y Ferwig o waelod Sir Aberteifi, a Dilwyn Edwards, Maenclochog, heb sôn am y pro's fel Charles Williams a Gari Williams, a oedd, yn fy meddwl i, ar eu gorau'n perfformio'n naturiol ar lwyfan y *Noson Lawen*.

Fe berswadiwyd Triawd y Coleg i roi perfformiad yn ystod y noson yn 1983 a dwi'n credu mai dyma'r unig enghraifft o berfformiad teledu gan y Triawd sydd ar gael, ar wahân i'r ffilm *Noson Lawen* a wnaed yn yr 1940au. Jac a Wil hefyd – fe'u perswadiwyd i gymryd rhan mewn noson yn Nhrewyddel ger Aberteifi yn 1984 – eto, o bosib, yr unig *footage* ohonynt yn canu'n fyw sydd ar gael. Byddai eu perfformiad wedi bod hyd yn oed yn fwy cofiadwy efallai tasen nhw heb fynd i'r dafarn leol rhwng yr ymarfer a'r recordiad, a threulio awr neu ddwy yn y fan honno yn diddanu'r *locals* hefyd. Erbyn deall, dyna oedd eu harferiad ar hyd y blynyddoedd. Hunllef cynhyrchydd, ond arwyr y dorf.

Yn 1984, wrth chwilio am artistiaid ar gyfer noson oedd i'w chynnal ar fferm y canwr Dafydd Edwards yn Sir Aberteifi, dyma glywed am fachgen ifanc oedd yn tynnu'r lle i lawr gyda'i berfformiad fel plismon ym mhantomeim Nadolig blynyddol Theatr Felinfach. Roedd perfformiad teledu cyntaf Ifan Gruffydd (Ifan Tregaron), ar lwyfan fferm Penybryniau, yn gofiadwy, a dweud y lleiaf. Mae Ifan yn un o'r digrifwyr yma sy'n adnabod eu cynulleidfa mor dda fel nad oes raid iddynt ond sefyll yno a braidd ddweud dim ac mae pobl yn dechrau chwerthin. Ond fe wnaeth lawer mwy na hynny wrth gwrs. Ar ôl mynd yn ôl i'r swyddfa y diwrnod canlynol, fedrwn i ddim stopio chwarae'r tâp i bawb oedd yn galw heibio. Roedd gen i ugain munud o aur comedi pur gan un a aeth ymlaen i wneud enw a gyrfa iddo'i hun ar y sgrin ac ar lwyfan am ugain mlynedd a mwy – ac sy'n dal i fynd.

Wrth i'r blynyddoedd fynd yn eu blaenau, roedd uchelgais y rhaglen yn mynd yn fwy ac yn fwy. Pan fyddem yn cyhoeddi ein bod yn mynd i ryw ardal, byddai galw gwyllt am docynnau. Aethom i batrwm o gydweithio gydag achosion da lleol gan ganiatáu iddyn nhw godi pris rhesymol am ddocyn a chadw'r elw yn gyfnewid am ddarparu stiwardiaid. Deuthum i adnabod Cymru unwaith yn rhagor yn sgil y teithio i ddod o hyd i siediau a pherfformwyr ac er mai lleoliadau gwledig oedd y rhan fwyaf, roedd yna hefyd dynfa fawr pan fyddem yn ymweld â chymoedd diwydiannol y de-orllewin. Cawsom rai o'n nosweithiau gorau ar ffermydd yn y Garnant a'r Felindre.

Yn y Garnant un noson, roedd Roy Noble wrthi'n adrodd hanesion doniol am ei ddyddiau yn yr ysgol a sut roedd un o'r athrawesau yn cael effaith ryfeddol ar y bechgyn wrth ddysgu iddyn nhw sut i wneud y *gipsy tango*. Yn raddol, dyma hi'n dod yn amlwg bod y ddynes roedd o'n sôn amdani yn bresennol yn y gynulleidfa, ac wrth gwrs roedd mwyafrif llethol y gynulleidfa yn sylweddoli hynny. Aeth y don o chwerthin o gwmpas yr adeilad fel *mexican wave* nes i Roy ei hun sylweddoli be oedd wedi digwydd a gweiddi 'O, mae hi 'ma, mae hi 'ma'. Ninnau yn y tryc recordio yn despret i un o'r dynion camera ffeindio'r ddynes dan sylw, er wrth gwrs nad oedden nhw yn ei hadnabod, ac roedd un ohonyn nhw'n ddigon sydyn i weld ble roedd canolbwynt yr holl chwerthin ac fe gafwyd siot hyfryd ohoni'n cochi ond yn chwerthin hefyd. Roedd y digwyddiad rywsut yn crisialu'r cyfan roeddwn i'n chwilio amdano.

Yn y blynyddoedd cynnar pwysig yna i S4C, fe wnaeth y rhaglen gyntaf honno, a'r cyfresi a ddilynodd, gyfraniad pwysig o ran sicrhau canfyddiad o'r sianel fel un oedd yn deall y gynulleidfa draddodiadol, wledig ac yn fodlon darparu deunydd oedd yn apelio ati, hyd yn oed pan oedd beirniaid yn ei dilorni fel enghraifft o bopeth oedd yn hen ffasiwn ynglŷn â'r diwylliant Cymraeg. Bu ffigyrau gwylio'r gyfres yn rheolaidd ymysg rhai gorau'r sianel ar hyd y blynyddoedd. Mae yna wastad le i adolygu, i wella ac i arbrofi gyda rhaglenni teledu, ac mae'n siŵr nad yw'r gynulleidfa wledig honno groesawodd y rhaglen yn 1982, mor niferus heddiw ag y bu. Mae rheolau diogelwch wedi golygu cael gwared â'r bêls gwellt, ond tra bydd perfformio byw, o flaen cynulleidfa, yn gallu cynhyrchu sbarc unigryw, fe fydd gofyn i deledu ffeindio'r ffordd orau o'i ddal a'i rannu. Yn 1982, doedden ni ddim yn rhy falch i gydnabod fod cymunedau Cymraeg wedi bod yn diddanu eu hunain yn llwyddiannus iawn ers blynyddoedd lawer ac y gallem wneud yn waeth na cheisio dod â pheth o'r diddanwch hwnnw i'r sianel deledu newydd.

Degawd o deledu

Cafodd y *Noson Lawen* a'r *Mab Darogan* eu darlledu felly yn ystod wythnos gyntaf S4C ac fe gychwynnwyd darlledu *Taro Tant* yn yr ail wythnos. Un rhaglen yr wythnos o *Pobol y Cwm* oedd yna'r pryd hynny a honno'n cael ei darlledu am 7 o'r gloch. Roedd *Taro Tant* yn ei dilyn am 7.30 ac roedd y dilyniant a'r cyfuniad yn un poblogaidd. Gan mai fy mhrif amcan oedd i'r rhaglenni roeddwn i'n eu gwneud gyfrannu at lwyddiant y sianel o ran ffigyrau gwylio, roedd y disgwyl er mwyn cael gweld beth oedd y ffigyrau hynny yn creu tensiwn bob wythnos.

Roedd S4C eu hunain yn derbyn ffigyrau dros nos ac yn yr wythnos gyntaf roedden nhw'n hapus iawn i rannu'r newyddion am be oedden nhw'n ei ystyried oedd yn llwyddiant. A dweud y gwir, doedd neb yn gwybod be'n union i'w ddisgwyl o ran ffigyrau gwylio, gan nad oedd rhaglenni Cymraeg wedi cael eu mesur o dan drefn BARB o'r blaen. Mi soniodd Euryn rywbryd mai un o'u gobeithion oedd y byddai S4C yn gwneud yn well na BBC2 yng Nghymru ac mae'n debyg eu bod wedi llwyddo yn hynny o beth yn y cyfnod cynnar. Cyn belled ag yr oedd gwybodaeth gyhoeddus am y ffigyrau yn bod, fodd bynnag, y lle roeddwn i'n cael gafael arnyn nhw oedd ym mhapur newydd y *Times* a oedd yn cyhoeddi ffigyrau'r prif sianelau bob dydd Mawrth ac am ddwy neu dair blynedd fe fuon nhw'n cynnwys S4C yn eu plith. Ar fore Mawrth fedrwn i ddim disgwyl rhag rhuthro i mewn i'r siop bapur newydd ar fy ffordd i'r swyddfa i fachu copi o'r *Times* a gweld sut oedd rhaglenni Tir Glas wedi gwneud. *Cefn Gwlad* a *Pobol y Cwm* oedd yn tueddu i fod ar ben y rhestr ond yn y blynyddoedd cynnar hynny, roedd y rhan fwyaf o raglenni adloniant Tir Glas yn agos atyn nhw yn rhestr y pump uchaf. A dweud y gwir, mi fyddwn i'n poeni os na fydden nhw.

Mae ffigyrau gwylio ar gyfer rhaglenni S4C wastad wedi bod yn destun trafod ac yn dipyn o asgwrn cynnen. Mae'n wir i ddweud mai sampl cymharol fychan o gartrefi sy'n creu'r ffigyrau sy'n cael eu cyhoeddi ac felly dydyn nhw ddim yn llythrennol gywir, ond rydw i wastad wedi credu fod cymryd sylw o'r hyn mae'r ffigyrau yn ei ddweud wrthon ni, ar sail y tueddiadau cyffredinol maen nhw'n eu dangos, yn ddisgyblaeth bwysig i'r darlledwr ac i wneuthurwyr rhaglenni. Does dim rhaid mesur llwyddiant pob rhaglen yn ôl y ffigyrau gwylio. Mae 'na lawer o raglenni – rhaglenni plant ydi un o'r enghreifftiau mwyaf amlwg – sydd â phwrpas gwahanol, ond os ydi comisiynydd a chynhyrchydd yn creu rhaglen yn y gred ei bod hi'n mynd i fod yn boblogaidd, yna mae angen cymryd sylw o'r hyn mae'r gynulleidfa yn dweud amdani, a'r cwestiwn mwyaf sylfaenol ydi 'Oes yna rywun wedi ei gwylio ai peidio?'

Drwy'r 11 mlynedd y bûm i'n cynhyrchu rhaglenni drwy Deledu'r Tir Glas, anelu at gyflenwi llif cyson o raglenni adloniant oedd yn apelio at drwch y boblogaeth o siaradwyr Cymraeg ar draws Cymru, oedd y nod. Roedd un rhaglen yn aml yn agor y drws i un arall. Arweiniodd llwyddiant Ifan Gruffydd ar y *Noson Lawen* i gyfresi poblogaidd *Ma' Ifan 'Ma* ac wedyn i'r gomedi sefyllfa *Nyth Cacwn*. O *Taro Tant*, daeth rhaglen arbennig i ddod â *Tony ac Aloma* yn ôl at ei gilydd ar ôl blynyddoedd o fwlch, ac arweiniodd y rhaglen honno at gyfres afaelgar gan y ddeuawd a gyfarwyddwyd yn fedrus iawn gan Endaf Emlyn. Roedd yna dipyn go lew o gydweithio rhwng gwahanol gwmnïau a chynhyrchwyr annibynnol. Cydweithiodd Endaf a minnau eto ar gyfresi gan Bryn Fôn a Geraint Griffiths. Yn y flwyddyn a hanner gyntaf mi ges i rywsut amser i gyd-gynhyrchu cyfres oedd yn cael ei gwneud gan gwmni o Sweden ar gerddoriaeth boblogaidd mewn gwledydd bychain – cysylltiad oedd wedi deillio o 'nghyfnod yn Sain. Yn sgil hyn, ces gyfle i ymweld am gyfnodau byr â Sri Lanka, Jamaica, Tanzania, Tunisia a Sweden a dysgu llawer am be oedd yn digwydd ym maes cerddoriaeth yn y gwledydd hynny.

Fe wnaeth Ffilmiau'r Nant a Tir Glas gydweithio i ennill y cytundeb i ddarlledu Eisteddfod yr Urdd o Barc Glynllifon yn 1990 gan gael gwared â'r traddodiad marwaidd o ail-recordio enillwyr cystadlaethau mewn stiwdio deledu ar y maes. Yn hytrach, roedden ni'n benderfynol o gyflwyno blas o enillwyr pob cystadleuaeth yn y rhaglen uchafbwyntiau gyda'r nos yn ogystal â darlledu am rai oriau yn ystod y dydd, ac er i ni ddod yn agos iawn at fethu'r cwch yn llwyr ar y noson gyntaf, erbyn canol yr wythnos roedd y llong wedi sadio ac mae'r traddodiad yna o adlewyrchu holl gystadlaethau'r dydd yn y rhaglen nos wedi parhau.

Tra roeddwn i'n chwifio baner adloniant canol y ffordd, roedd fy mhartneriaid yn Tir Glas, Ifan Roberts a Richard Morris Jones yn agor drysau eraill. Cydweithiodd y ddau ar addasiad o lyfr Harri Parri, *Hufen a Moch Bach*; aeth Moi ati i wneud cyfresi dogfen ac ambell un grefyddol tra roedd Ifan yn gyfrifol am y gyfres ddychanol *Plu Chwithig*, cartref y Dyn Sâl. Cyn hir, fodd bynnag, cafodd y ddau eu dwyn oddi arnom wrth i Ifan gael ei benodi'n Gomisiynydd Adloniant i S4C ac i Moi ymuno gyda'r tîm yn Ffilmiau'r Nant wnaeth sefydlu *Sgorio*, y rhaglen bêl-droed boblogaidd.

O fewn ychydig roedd yna wynebau eraill, rhai yn newydd a rhai'n fwy cyfarwydd, yn ymuno â staff y cwmni. Byw o'r llaw i'r genau braidd roedd y cwmnïau'r dyddiau hynny gan ddibynnu ar lif cyson o raglenni gan S4C i'w cadw i fynd. Syniad da ar ran S4C felly oedd ariannu cynllun i ganiatáu i gwmnïau hyfforddi talent newydd.

Dan y cynllun hwn, ymunodd Hefin Elis â ni fel cynhyrchydd, gan fynd ymlaen yn fuan i gymryd cyfrifoldeb llwyr am y *Noson Lawen* a rhaglenni eraill o gerddoriaeth boblogaidd. Daeth Nest Griffith, oedd wedi bod yn dorrwr lluniau gyda Barcud, i fod yn gyfarwyddwr dan hyfforddiant. Ymunodd Siân Wheway fel ymchwilydd ac yn fuan iawn roedd hi'n trefnu ac yn cynhyrchu'r gyfres *Penblwydd Hapus*, syniad a gyflwynwyd i'r cwmni gan Peter Hughes Griffiths ac a roddodd noson gofiadwy dros y blynyddoedd i nifer fawr o enwau adnabyddus megis Huw Ceredig a Ray Gravell. Yn olaf, ymunodd Siân Teifi â'r cwmni gyda'r bwriad o gyflwyno cynigion i adran Addysg y BBC ac adran Blant S4C. Bu hithau'n llwyddiannus iawn yn hyn o beth gan fynd â'r cwmni i gyfeiriad newydd eto.

Roedd y gweithgarwch yma i gyd yn digwydd mewn cwt *prefab* mawr y tu ôl i stad dai cyngor Maesincla yng Nghaernarfon. Roedd yn gartref clyd am y rhan fwyaf o'r 80au gyda hanner dwsin o swyddfeydd unigol, stafell ar gyfer paratoi'r gwaith golygu, lolfa fawr ganolog oedd yn lle cyfleus i gynnal sgwrs a rhannu syniadau a digon o le parcio.

Yn fuan iawn, roedd y Sianel wedi cynhyrchu pecynnau cyllideb manwl oedd yn rhaid eu llenwi i nodi'n union yr arian roeddech chi'n bwriadu'i wario ar unrhyw raglen neu gyfres. Roedd rhain yn cynnwys 24 o adrannau a phob adran â 30 llinell yr oedd angen eu llenwi. Un peth oedd yn gwneud i bob cynhyrchydd wingo oedd gorfod mynd gerbron Phil O'Leary, Pennaeth Cyllid Rhaglenni profiadol S4C, i drafod y gyllideb.

Roedd Phil yn ddyn hynod o gwrtais na fyddai byth yn codi'i lais na cholli'i dymer ond roedd ganddo o'i gwmpas ryw naws na fyddai wedi bod allan o'i lle yn y Spanish Inquisition neu'r Gestapo. Ei arferiad oedd mynd drwy bob llinell a'ch holi'n fanwl ynglŷn â'r rhesymeg dros bob elfen:

'Efallai y byddai pedair awr o ymarfer yn ddigonol yn hytrach na'r wyth rydych chi'n gofyn amdano' neu, 'Pam yn hollol fod Tir Glas am dalu £100 y dydd i John Jones, pan mae hi'n ymddangos fod cwmni arall yn medru cael Siôn Dafis am £80?' Ydi hi wir yn angenrheidiol i chi aros y nos yn Llangollen yn hytrach na theithio adref ar ôl recordio'r rhaglen?' ac felly yn y blaen drwy'r 24 adran.

Roedd y cyfweliadau yma'n gryn brawf ar amynedd rhywun ac wrth gwrs roedd pob cynhyrchydd yn ymladd yn galed i warchod y gyllideb roedd o'n teimlo roedd ei hangen ar y rhaglen. Gwaith Phil oedd ceisio sicrhau nad oedd pres y sianel yn cael ei wastraffu. Er y byddai pob cynhyrchydd yn tueddu i ddadlau fod y gyllideb roedd o neu hi wedi'i chyflwyno yn un gwbl resymol, yn anochel, gan nad oedd yr un cynhyrchydd eisiau gorfod mynd yn ôl i ofyn am fwy o bres, roedd yna duedd i chwarae'n saff ym mhob adran o'r gyllideb a gwaith Phil oedd amlygu hynny. Ar y cyfan roeddwn i'n cysuro fy hun, os oedd Phil yn trin cyllideb pob cynhyrchydd gyda'r un manylder ag yr oedd o'n trin ein cyllidebau ni, yna fe fyddai yna fwy o arian gan y Sianel a gennym ninnau i wneud rhaglenni ar ddiwedd y dydd.

Roedd Phil felly yn dipyn o fwgan, ond roedd gan Tir Glas ei draig ei hun, o'r enw Jean Hefina. Dod atom ni o Gymdeithas Tai Gwynedd wnaeth Jean i gadw'n llyfrau ariannol ac fe wnaeth hynny gyda manylder a gofal tra bu Tir Glas mewn bod. Dull traddodiadol o gadw llyfrau oedd un Jean a doedd hi ddim yn ddynes roeddech chi eisiau ei chroesi, fel y dysgodd sawl un dros y blynyddoedd, yn enwedig y rheini fyddai'n trio gwasgu rhyw dâl allan o'r cwmni nad oedd wedi'i gytuno. Roedd ei thafod a'i phensel mor finiog â'i gilydd. Un o fethiannau mawr fy ngyrfa, fodd bynnag, oedd cael Jean i ddefnyddio system gyfrifiadurol i gadw'r llyfrau. Erbyn diwedd yr 80au, roedd systemau cyfrifiadurol i gadw llyfrau yn bethau pur gyffredin. Roedd gennym deipiaduron trydan ar gyfer paratoi'r sgriptiau ond i Jean roedd hi'n 'my way or the highway' go iawn. Flwyddyn neu ddwy ar ôl i mi adael Tir Glas, fe ges i ar ddeall fod Jean, oedd erbyn hynny wedi mynd i weithio i gwmni Tonfedd Eryri, wedi llwyddo i feistroli'r cyfrifiadur wedi'r cyfan.[4]

Erbyn canol yr 80au, roedd Barcud wedi dechrau tyfu. Roedd wedi profi ei allu i ennill gwaith y tu allan i Gymru hefyd, gydag uchafbwyntiau megis cyngerdd gan y grŵp Moving Hearts yn Nulyn, a drama hanesyddol am frenhinoedd Lloegr yn Twickenham Studios. Roedd dwy gyfres adloniant ganol y ffordd ar gyfer Channel 4 wedi cael eu recordio mewn tŷ bonedd ysblennydd y tu allan i Lundain, ac roedd John Lloyd, cynhyrchydd *Spitting Image*, wedi bod yn Cibyn yn golygu.

Am gyfnod, gweithredodd Alan Clayton fel Prif Weithredwr dros dro ond o fewn ychydig, fe ddaethpwyd i'r casgliad fod y cyfuniad o Tudor Roberts, y Prif Beiriannydd erbyn hynny, John Gwynedd Jones fel Rheolwr Cyllid a Mike Griffiths fel Pennaeth Ôl-gynhyrchu, yn berffaith abl i redeg y cwmni heb fod angen Prif Weithredwr fel y cyfryw. Roedd y tri wedi dod yn Gyfarwyddwyr ac yn aelodau'r Bwrdd ac o fewn ychydig o

---

4   Yn drist iawn, bu farw Jean wrth i'r llyfr hwn fynd i'r wasg. Byddai wedi mwynhau'r disgrifiad.

flynyddoedd estynnwyd gwahoddiad i'r Dr Iwan Edgar hefyd ymuno. Roedd Iwan wedi cael ei daflu allan o Brifysgol Bangor yn sgil gwahanol brotestiadau. Pan ymgeisiodd am swydd Trefnydd Amserlenni Staff gyda Barcud, doedd ganddo ddim profiad o unrhyw fath o'r byd teledu ac roedd perswadio un neu ddau o'r lleill y byddai Iwan yn medru dygymod â'r fath waith, yn hytrach na rhoi'r swydd i rywun di-Gymraeg o Gaerdydd oedd wedi arfer yn y maes, yn dipyn o dasg. Y gwir wrth gwrs oedd bod Iwan yn fwy nag abl i redeg amserlenni staff Barcud tra roedd wrthi'n creu yn ei amser sbâr un o gwmnïau llety myfyrwyr mwyaf Gogledd Cymru.

Cynnydd

Gydag S4C ar drothwy dathlu ei phen-blwydd yn 40 oed, un peth sy'n cael ei anghofio'n aml ynglŷn â'r dyddiau cynnar hynny yw mai dim ond ymrwymiad o gefnogaeth am dair blynedd roedd y Llywodraeth wedi'i roi i'r Sianel. Roedd hyn i raddau oherwydd y lleisiau oedd wedi pregethu yn y blynyddoedd cynt na fyddai digon o dalent ar gael i gynnal y fath fenter ac na fyddai digon o wylwyr i gyfiawnhau ei bodolaeth. Roedd yna hefyd amheuaeth a fyddai corff cwbl newydd, heb sôn am sector gynhyrchu gwbl newydd, yn medru gweithio cystal â'r hen drefn. Ac yn y gorffennol roedd yna fodel arall wedi ei gynnig, sef darparu'r gwasanaeth ar draws dwy sianel, sef BBC2 a Channel 4. Ar ddiwedd tair blynedd roedd yna adolygiad i fod i ddigwydd cyn i'r Llywodraeth benderfynu a fyddai'r sianel newydd yn parhau ai peidio.

Yn ogystal â rhoi pwysau ar y darlledwr i sicrhau niferoedd gwylio teilwng, roedd yr amod yma'n dipyn o gysgod dros yr holl broses recriwtio, yn enwedig felly ar ôl i S4C benderfynu rhoi cytundeb saith mlynedd i HTV. Roedd hefyd yn broblem i Barcud o ran codi arian ar gyfer datblygiadau newydd wrth i ddiwedd y cyfnod tair blynedd agosáu.

Yn ystod haf 1985, ymwelodd Wyn Roberts, y Gweinidog dros Faterion Cymreig oedd â chyfrifoldeb am ddarlledu,

215

â Barcud yng Nghaernarfon. Roedd Wyn yn gefnogwr nid yn unig i S4C a'r iaith Gymraeg yn gyffredinol, ond hefyd i fusnesau annibynnol. Roedd yn falch iawn o weld y stiwdio olygu a'r stiwdio ddybio oedd bellach ar waith ochr yn ochr â'r cerbyd mawr a'r cerbyd bach un camera. Cafwyd sgwrs adeiladol dros ginio ac eglurwyd iddo'r problemau ymarferol yr oedd y distawrwydd ynglŷn â dyfodol S4C yn ei greu i ni fel cwmni preifat. Deallodd Wyn y pwynt yn syth. Fe'i gwnaeth yn glir i ni nad oedd yn credu fod yna unrhyw fwriad gan y Llywodraeth i newid y drefn, ond addawodd godi'r mater a cheisio cael cyhoeddiad buan yn ei gylch. Roeddem oll yn falch iawn pan drefnwyd i Owen Edwards ofyn cwestiwn i'r Ysgrifennydd Gwladol, Willie Whitelaw, yng nghynhadledd y Gymdeithas Deledu Frenhinol yng Nghaergrawnt ym mis Medi ac i hwnnw, wrth ateb, gadarnhau'n gyhoeddus fod y Llywodraeth yn falch iawn o lwyddiant S4C ac y gellid ystyried bellach fod dyfodol y sianel yn ddiogel.

Parhaodd Barcud i dyfu dros y blynyddoedd nesaf gan ychwanegu mwy o adnoddau golygu a stiwdio fechan ar gyfer cyflwyno *Sgorio*. Roedd un peth mawr ar goll, fodd bynnag, sef stiwdio deledu go iawn fyddai'n caniatáu i ni gystadlu a chynhyrchu rhaglenni adloniant uchelgeisiol, dramâu tebyg i operâu sebon, a rhaglenni eraill yn enwedig rhai oedd angen cynulleidfa. Dyma fara menyn cynnyrch teledu traddodiadol, cost-effeithiol, ac roeddwn yn teimlo'n gryf bod angen yr elfen yma i roi seiliau tymor hir i'r diwydiant yn y gogledd.

Roedd rhaglenni adloniant Tir Glas wedi gorfod cael eu gwneud drwy addasu lleoliadau megis Canolfan Aberconwy a Theatr Gwynedd ac roedd yna ofod wedi cael ei greu mewn hen ffatri gyfrifiaduron y drws nesaf i Barcud a oedd hefyd yn gweithredu fel stordy setiau a gweithdy. Ond roedd i bob un o'r lleoliadau hyn ei gyfyngiadau felly dechreuwyd cynllunio a sôn yn gyhoeddus am yr angen am stiwdio newydd. Roedd yna ddadl ehangach dros adeiladu stiwdio, gan fod yr amser ar fin dod pan fyddai'n rhaid i S4C benderfynu p'un ai i adnewyddu eu cytundeb tymor hir gydag HTV ai peidio. Dymuniad mawr yr holl gynhyrchwyr annibynnol oedd ennill yr hawl i gystadlu am y 10 awr wythnosol o raglenni oedd hyd yma wedi cael eu cadw ar gyfer HTV. Byddai darparu stiwdio'n dileu unrhyw amheuon oedd yn dal i fod gan Awdurdod S4C ynglŷn â gallu'r sector annibynnol i gyflenwi'r oriau hyn.

Ar wahanol adegau rhwng 1987 ac 1989, fe gafwyd addewidion o gefnogaeth gan Awdurdod Datblygu Cymru a'r Cyngor Sir, a bu sôn a gobaith am grant arbennig gan y Llywodraeth i'w chodi. Bu Dafydd Wigley, yr Aelod Seneddol lleol, yn flaenllaw yn y gwaith o ddadlau dros y datblygiad. Roedd cryn hyder wedi cael ei greu y byddai stiwdio'r gogledd yn digwydd ac felly cafwyd siom enfawr pan gyhoeddodd y Llywodraeth nad oedd y grant hirddisgwyliedig yn mynd i ddod wedi'r cyfan. O'r cyllid angenrheidiol o £2.2m, roeddem yn fyr o £600k, ac roedd pethau'n edrych yn ddu.

Ar yr adeg tyngedfennol yma, daeth cymorth a goleuni o gyfeiriad annisgwyl. Roedd fy rhieni wedi symud i Gaernarfon yn 1979, gan weld erbyn hynny nad oedd unrhyw debygrwydd y byddwn i a Sian yn symud i Gaerdydd. Felly os oedden nhw am gael gweld Owain a Siwan, ein plant, yn weddol aml, yr ateb oedd symud i Gaernarfon a dyna wnaethon nhw ar ôl i 'nhad ymddeol. Roedden nhw wedi bod yn dilyn saga'r stiwdio fel llawer o bobl eraill ac ar ôl yr eitem newyddion am siom y grant, dyma'r ddau yn awgrymu'n dawel y bydden nhw'n fodlon buddsoddi rhywfaint o'u cynilion personol yn y fenter. Fel cynathrawon, doedd Mam a Dad ddim yn gyfoethog ond roedden nhw wedi llwyddo i gynilo rhywfaint dros y blynyddoedd ac roedd y ddau yn fodlon buddsoddi £20,000 yr un yn y fenter pe bai modd gwneud hynny – talp go sylweddol o'r hyn oedd ganddynt wrth gefn.

Mi ges i fy nychryn braidd gan y fath barodrwydd i fentro'u pres arnom ond fe agorodd fy meddwl i'r syniad y gallai fod yna bobl eraill fyddai'n fodlon gwneud yr un peth. Aethom ati i gael cyngor ynglŷn â sut y gellid mynd ati i wahodd pobl i fuddsoddi ac mae'r hyn ddigwyddodd dros yr ychydig fisoedd nesaf yn ymarferiad digon diddorol mewn cyfalafiaeth gymdeithasol.

I ddechrau, roedd y ffaith fod stori'r stiwdio wedi bod yn eitem newyddion ers peth amser yn y cyfryngau Cymraeg yn ei gwneud hi'n hawdd i fynd â'r neges i'r byd ei bod hi'n fwriad gan Barcud chwilio am gyfalaf gan y cyhoedd ond roedd yn rhaid i unrhyw lythyrau fyddai'n cael eu hanfon gydymffurfio â phob math o reolau yn ymwneud â chodi pres. Cafwyd cyngor gan arbenigwr ariannol, Dafydd Hampson-Jones, yn ogystal â gan gyfrifwyr Barcud, cwmni Coopers Lybrand, a thrwy gyfuniad o gynnal trafodaeth gyhoeddus, llythyru cynnil, galwadau ffôn a chysylltiadau personol, daethom i gredu y gallai fod yna ddigon o ddiddordeb i'n galluogi i gyrraedd y nod. Lluniwyd y llythyrau gwahoddiad ffurfiol a'r ffurflenni buddsoddi yn nodi'r amodau a rhoddwyd dyddiad cau i dderbyn ceisiadau, a'u hanfon i bawb oedd wedi mynegi unrhyw fath o ddiddordeb.

Pan gyrhaeddodd y dyddiad cau, gwelsom ein bod o fewn tafliad carreg i'r ffigwr hud o £600k. Roedd llawer iawn o'r staff ymysg y darpar fuddsoddwyr, roedd yna nifer o gwmnïau teledu annibynnol ar hyd a lled Cymru wedi bachu'r cyfle i ddod yn gyfranddalwyr ond yn fwy na dim, roedd pobl o bob rhan o Ogledd Cymru, heb unrhyw gysylltiad uniongyrchol â'r diwydiant, wedi dymuno cael eu cysylltu â'r fenter ac i ddangos ffydd ynddi. Erbyn diwedd yr ymarferiad, roedd gan Barcud 78 o gyfranddalwyr yn lle 4, roedd y buddsoddiad preifat wedi galluogi rhyddhau grant gwahanol gan y Llywodraeth ac roedd y stiwdio ar ei ffordd i gael ei gwireddu.

Bu Cyngor Gwynedd yn gefnogol iawn gan gynnig benthyciad penodol ar gyfer prynu'r rig goleuadau angenrheidiol a hefyd trwy ddarparu gwasanaeth Pensaer y Sir i gynllunio'r adeilad. Daethpwyd i gytundeb â chwmni Pochin ar gyfer y gwaith adeiladu; cafwyd cyngor arbenigol mewn perthynas ag elfennau fel y goleuo a'r seddi symudol ac fe lwyddwyd i gwblhau'r cyfan ar amser ac ar gyllideb erbyn Hydref 1990.

Penderfynwyd gofyn i Gwynfor Evans, oedd wedi chwarae

rhan mor ganolog yn hanes sefydlu'r sianel, i agor y stiwdio'n swyddogol ac yn fuan iawn roedd y lle'n fwrlwm o gynyrchiadau newydd.

Roedd Tir Glas yn un o'r cwsmeriaid rheolaidd gan mai rhaglenni oedd angen stiwdio oedd ein cynnyrch craidd. Roedd yn gartref delfrydol ar gyfer cynhyrchiad diweddaraf *Cân i Gymru* a rhaglenni cerddoriaeth eraill. Ond efallai mai'r math o raglen roedd hi fwyaf o hwyl i'w gwneud yn y stiwdio oedd rhaglen fel yr awr o adloniant o'r enw *Nos Sadwrn*. Roedd hon yn cynnwys gêm roeddem wedi'i phrynu gan gwmni teledu o'r Iseldiroedd ac yn ei galw yn *Chwaraemigei*. Yn hon, roedd Alwyn Siôn, yn ei rôl gyntaf fel cyflwynydd, yn gofyn cwestiynau i hanner cant o aelodau'r gynulleidfa a rheiny'n rhedeg yn gorfforol i ran arbennig o'r stiwdio i ddangos pa ateb oedden nhw'n credu oedd yn gywir. Os oedden nhw'n iawn, roedden nhw'n cael papur pumpunt yn eu llaw. Os oedden nhw'n anghywir, roedd rhaid iddyn nhw fynd nôl i'w seddi. Yn y rownd nesaf, roedd y wobr yn ddeg punt ac yn yr un wedyn yn ugain punt ac felly yn y blaen, ond bob tro roedden nhw'n dewis chwarae yn y rownd nesaf, roedd yn rhaid iddyn nhw roi yn ôl i Alwyn yr hyn roedden nhw wedi'i ennill yn y rownd flaenorol. Ar ddiwedd y gêm, roedd hi'n bosib i un person ennill swm sylweddol. Roedd yna rywbeth gweladwy a chynhyrfus yn y gêm yma ond ei bod hi ychydig bach yn anodd ei rheoli wrth i'r cystadleuwyr ruthro am yr arian. Yn fuan iawn, daeth y ffaith fod yna gêm yn cael ei chwarae yn Stiwdio Barcud bob nos Sadwrn lle roedd hi'n bosib ennill dipyn o bres, yn wybyddus ar hyd ardal go eang, gan warantu i ni lond tŷ o gynulleidfa awchus i chwarae ym mhob rhaglen.

Rhaglen arall oedd yn un ddifyr iawn i'w gwneud o flaen cynulleidfa yn y stiwdio oedd y gyfres *Bacha hi o'ma*. Daeth y gyfres yma i fodolaeth oherwydd bod Geraint Stanley Jones, Prif Weithredwr newydd S4C ers 1989, yn eithaf beirniadol o ddiffyg sglein ein rhaglenni, o'i gymharu gyda'r hyn roedd o wedi arfer ag ef yn y BBC. Roedd o ychydig yn amheus o'r sector annibynnol yn gyffredinol, yn enwedig y rheiny oedd yn bodoli ers y dechrau, ond roedd yn ddigon hirben i ddeall pwysigrwydd presenoldeb y diwydiant yn y gogledd. Doedd Geraint ddim yn awyddus i'r *Noson Lawen* barhau, ond roedd ganddo gysylltiadau yn Llundain ac yn dilyn sgwrs gyda'i hen bartner, Bill Cotton Jnr, oedd arfer rhedeg adran Adloniant Ysgafn y BBC, fe'n rhoddodd mewn cysylltiad â'r cwmni roedd hwnnw yn ei gadeirio gyda chais i ni gyd-drafod fformats newydd ar gyfer rhaglenni adloniant.

O'r drafodaeth honno y daeth y syniad o gynhyrchu dwy raglen beilot yn Barcud, un yn Gymraeg a'r llall yn Saesneg, o fformat am gêm ddêtio oedd wedi'i chreu gan un o aelodau'r tîm yn Llundain. Hanfod y gêm oedd bod pedwar bachgen yn hongian ar fachau ar *carousel* gan gael eu troi yn araf o flaen pedair merch oedd i fod i 'fachu' un ohonynt. Ar ddiwedd cyfres o holi ac ateb a chydweithio i ateb cwestiynau byddai un cwpl yn cael mynd am wyliau i rywle braf, gan ddod yn ôl yr wythnos ganlynol i adrodd eu hanes. Er mwyn gwahaniaethu rhwng hon a chyfresi megis *Blind Date,* roedd y fersiwn Saesneg yn eithaf miniog, a hyd yn oed yn annifyr ar brydiau tuag at y cystadleuwyr, tra roedden ni ar gyfer y fersiwn Gymraeg wedi ei gwneud hi'n dipyn mwy o hwyl cartrefol.

Daeth y mawrion i gyd i Gaernarfon ar gyfer gweld y rhaglenni peilot yn cael eu recordio. Ar ddiwedd y dydd, roedd pawb ar ochr S4C yn cytuno bod y fersiwn Gymraeg yn gweithio, ac fe gomisiynwyd cyfres gyfan. Yn anffodus, ni lwyddodd y cwmni o Lundain i werthu'r fersiwn Saesneg i unrhyw ddarlledwr oherwydd, yn fy marn i, yr elfen yma o dynnu coes oedd yn ymylu ar greulondeb. Cafodd y gyfres dipyn o lwyddiant ar S4C er bod iddi'r broblem oesol o geisio sicrhau cydbwysedd rhwng de a gogledd. Roedd tafodiaith gref y rhan fwyaf o'r rhai oedd yn cymryd rhan yn aml iawn yn creu problemau cyd-ddeall.

Roedd staff Barcud yn teithio i'r gwaith o bob rhan o Wynedd a Sir Fôn, ond roedd yno gynrychiolaeth o blith y Cofis eu hunain hefyd. Un o'r rheini oedd Mrs Evans. Ei chyfrifoldeb hi oedd darparu te a choffi i'r gwahanol ystafelloedd golygu a dybio, y gweithdy ac ati. Roedd ganddi droli at y pwrpas a mawr oedd yr edrych ymlaen at ymweliad Mrs Evans ganol y bore a'r pnawn. Fel llawer o drigolion Sgubor Goch, roedd Mrs Evans yn un blaen ei thafod ac roedd hi'n ddoethach peidio â'i chroesi.

Un bore, roedd Bwrdd Barcud yn cynnal cyfarfod ac wedi bod wrthi ers ben bore yn trafod rhyw fater mwy difrifol na'i gilydd. Erbyn 11 roedden ni'n barod am ein paned a dim golwg o Mrs Evans yn unman. Felly dyma benderfynu mynd i gantîn y stiwdio lle'r oedd 'na wastad jwg o goffi ar gael, bachu cwpan bob un a mynd â nhw'n ôl i'r stafell bwyllgor. Ymhen ryw ddeg munud a ninnau wedi hen ailgydio yn ein trafodaeth, dyma'r drws yn agor a Mrs Evans a'r troli yn dod i mewn. Mi gymerodd un olwg ar y cwpanau ar y bwrdd, edrych o'i chwmpas a gyda'r cyfarchiad bythgofiadwy – 'wel twll ych tina chi ta'r diawlad' – martsio allan â'i throli gyda hi. Chawson ni mo'r bisgedi siocled arferol y bore hwnnw.

Storm

Ym mis Mawrth 1993, glaniodd bom ar ddesg Barcud. Gosododd yr Aelod Seneddol Rhodri Morgan *Early Day Motion* yn y Senedd yn beirniadu S4C am gynnal cwmni Barcud a oedd, roedd yn honni, yn ffrydio arian i goffrau Plaid Cymru trwy gwmni Arianrhod – cwmni oedd wedi ei greu trwy ymdrechion Gerallt Lloyd Owen i geisio perswadio Cymry i fuddsoddi mewn busnesau lleol. Roedd Gerallt wedi fy narbwyllo i i gadeirio'r cwmni hwnnw. '*Money laundering*' oedd y term a ddefnyddiwyd yn EDM Rhodri Morgan. Roedd y BBC a'r *Western Mail* ar y ffôn ar unwaith am wybod oedd yna wirionedd yn yr honiad. Roedden ni'n gwybod yn sicr nad oedd yn wir ac fe es i ar y Newyddion yn syth i ddweud hynny.

Roedd Rhodri Morgan yn y cyfnod hwn wedi gwneud tipyn o enw iddo'i hun am ddatgelu sgandalau mewn cyrff cyhoeddus megis Awdurdod Datblygu Cymru ac roedd yna barodrwydd i gredu felly ei fod wedi dod o hyd i un arall. Mi lwyddais i gael gafael arno ar ei ffôn symudol yn ei gar a cheisio cael ganddo beth oedd y tu ôl i'r datganiad rhyfeddol roedd o wedi'i wneud. Ei gŵyn oedd fod yna griw o gynhyrchwyr yn y gogledd oedd yn gweithredu fel 'praetorian guards i Dafydd Wigley'. Cyn i mi fedru ei holi'n iawn beth oedd hynny'n ei olygu, fe dorrwyd y cysylltiad, naill ai'n ddamweiniol neu'n fwriadol, ac fe wrthododd dderbyn unrhyw alwad ffôn bellach gen i drwy'r holl helynt.

Yr hyn oedd yn gwneud y sefyllfa'n waeth oedd bod llond dwrn o Aelodau Seneddol eraill wedi arwyddo'r cynnig, gan gynnwys Kim Howells a Paul Flynn. Roeddwn yn synnu braidd fod Paul wedi gwneud hynny, gan iddo fod yn gefnogol iawn ar hyd y blynyddoedd i bopeth yn ymwneud â'r iaith Gymraeg. Cefais afael arno yntau ar y ffôn a chael cyfle i ddweud wrtho'n blaen nad oedd yna wirionedd yn yr honiad ac i ddisgrifio'r cyfeiriad rhyfeddol yr oedd Rhodri wedi'i wneud at praetorian guards. Roedd hi'n amlwg bod Paul Flynn yn dechrau petruso ynglŷn â'r mosiwn. Roedd o wedi bod yn gweithio'n agos gyda Rhodri ar hyd y blynyddoedd ac wedi credu fod yn rhaid bod yna sail i'r cyhuddiad neu fyddai Rhodri ddim wedi ei wneud. Roedd o'n fy nghymell i wneud popeth y gallwn i wrth-ddweud y cyhuddiad, os nad oedd o'n wir, ond roedd yn derbyn fy neges innau fod baw oedd wedi'i daflu yn debyg o sticio ac y byddai'n eithaf anodd i ni wrthbrofi'r fath honiadau.

Yn y cyfamser, roedd yna dipyn o banig yn S4C wrth i Geraint Stan orchymyn archwiliad mewnol trylwyr i weld os oedd yna unrhyw sail i'r honiad fod Barcud yn cael ei ffafrio'n amhriodol.

Roedd hynny'n gwestiwn ychydig yn fwy delicet. Yn wahanol i HTV oedd wedi sicrhau cytundebau cyfreithiol cadarn am gyfanswm o 8 mlynedd gan S4C, doedd Barcud ei hun erioed wedi cael unrhyw fath o gytundeb uniongyrchol gyda'r sianel. Y gorau a gafwyd oedd llythyr ar y cychwyn un yn cadarnhau ei bod yn debygol y byddai incwm Barcud am dair blynedd yn hyn a hyn o arian. Heb y llythyr hwnnw, fyddai'r cwmni erioed wedi gallu benthyg yr arian angenrheidiol yn y lle cyntaf. Roedd hi'n bwysig i'r cynhyrchwyr oedd yn defnyddio Barcud gydweithio a bod mor hyblyg â phosibl os oedd yr adnoddau hyn i gael eu defnyddio'n iawn. Barcud, wedi'r cyfan, oedd yn cyflogi'r nifer fwyaf o bobl yn y diwydiant yn y gogledd a Barcud hefyd oedd yn buddsoddi'r symiau mawr oedd eu hangen i gynnal y dechnoleg. Doedd hi ddim yn afresymol felly i'r cwmni ddisgwyl i S4C roi ar ddeall i'r cwmnïau cynhyrchu yn y dyddiau cynnar eu bod yn gefnogol i Barcud fel elfen sylfaenol o'r gadwyn gyflenwi. Yn wir roedd S4C yn falch o gymryd y clod am gefnogi'r diwydiant newydd yn y gogledd.

Yn 1990, fodd bynnag, fe ddaeth cytundeb S4C gydag HTV i ben. Roedd y cynhyrchwyr annibynnol yn gyffredinol wedi bod yn pwyso'n daer am hyn ers peth amser, gan nodi llwyddiant y sector i ddarparu rhaglenni poblogaidd a chost-effeithiol. Unwaith y daeth hi'n bosibl cystadlu am yr oriau rhaglenni roedd HTV wedi arfer eu darparu – ac erbyn hynny, roedd cyfanswm yr oriau Cymraeg roedd S4C yn eu darlledu wedi cynyddu i ryw 28 awr yr wythnos – roedd y gacen deledu oedd ar gael i gystadlu amdani gryn dipyn yn fwy nag a fu yn y dyddiau cynnar. Roedd yna gwmnïau newydd wedi dod i fodolaeth ar yr ochr dechnegol a'r ochr gynhyrchu, nad oedd ganddynt gysylltiad â Barcud ac a oedd yn awyddus iawn i ennill siâr o'r farchnad. Iddyn nhw, felly, Barcud oedd y sefydliad yr oedd angen ei dorri i lawr i greu lle iddynt hwythau.

Siôn Pyrs, Prif Weithredwr Teledwyr Annibynnol Cymru, wnaeth ddarganfod fod yna adroddiad dienw yn bodoli yn ymosod yn galed ar Barcud, yn nodi cysylltiadau gwleidyddol honedig, yn cyhuddo S4C o ffafrio'r cwmni, ac ar ben y cyfan, yn nodi bod fy enw i'n cael ei grybwyll fel olynydd posibl i Geraint Stan, oedd wedi cyhoeddi y byddai'n ymddeol y flwyddyn ganlynol. Y ddogfen amlochrog a chlyfar hon, yn llawn hanner gwirioneddau ac ensyniadau, na chafodd Barcud erioed ei gweld yn swyddogol, oedd wedi cael ei rhoi yn nwylo Rhodri Morgan a'i sbarduno i wneud y cyhuddiad o 'olchi arian'.

Datgelodd archwiliad mewnol S4C nad oedd sail i'r honiadau o ffafriaeth amhriodol ond fe wyddem fod y drwg wedi'i wneud a'r ymosodiad wedi llwyddo yn yr ystyr y byddai S4C o hynny ymlaen yn fwy na thebyg o geisio gwneud yn siŵr fod cystadleuwyr Barcud yn cael rhwydd hynt, ac y gallai hynny ei gwneud hi'n anoddach i Barcud gynnal y safon dechnegol a'r lefelau cyflogaeth oedd yn angenrheidiol ym marn y cwmni.

Fodd bynnag, cafwyd hefyd gynnig anrhydeddus iawn gan y cwmni mawr o gyfrifyddion oedd yn archwilio llyfrau'r cwmni, sef Coopers Lybrand. Cynigiodd y cwmni archwilio llyfrau a holl ddogfennau ariannol Barcud ac Arianrhod am y pedair blynedd blaenorol i weld os oedd unrhyw sail i'r cyhuddiad o olchi arian. Daeth dau archwiliwr i'r gogledd am gyfnod o dair wythnos i wneud y gwaith hwn ac ar ei ddiwedd cyhoeddwyd llythyr gan Coopers Lybrand yn datgan ar ddu a gwyn eu bod wedi archwilio holl lyfrau Barcud ac Arianrhod dros bedair blynedd ac nad oedd unrhyw wirionedd yn yr honiad fod Barcud yn rhoi arian i Arianrhod nac Arianrhod i Blaid Cymru.

Roedd y datganiad yn gwneud yr union beth yr oedd Paul Flynn wedi awgrymu y dylem ei wneud sef clirio ein henw. Rhyddhawyd y datganiad i'r cyfryngau ac fe roddwyd cryn sylw iddo. Derbyniais lythyr graslon o ymddiheuriad gan Kim Howells ac fe ysgrifennodd Paul Flynn erthygl yn y *South Wales Argus* yn rhyfeddol o feirniadol o'i gyd-Aelod am fynd yn 'rhy bell y tro hwn'. Chawsom ni erioed ymddiheuriad gan Rhodri ond fuodd yna ddim sôn pellach am y mater chwaith.

Pe bawn i'n fwy o ddyn PR, fe fyddwn wedi rhyddhau llythyr Kim Howells i'r Wasg a byddai'r mater wedi cael mwy fyth o sylw, ond gan fod yna wirionedd i un elfen o'r adroddiad dienw, sef yr awgrym y gallwn i fod yn ymgeisydd am swydd Prif Weithredwr S4C yn go fuan, a gan y byddai sicrhau perthynas dda gyda phob plaid wleidyddol yn elfen hanfodol o'r swydd honno pe bawn yn ei chael, penderfynais beidio â chynhyrfu'r dyfroedd ymhellach.

15

S4C

Mae'r stori o sut y dois i i fod yn Brif Weithredwr S4C yn anochel ynghlwm â hanesion rhai unigolion eraill a'r penderfyniadau a wnaethon nhw ar wahanol adegau. Roedd Syr Goronwy Daniel wedi peidio â bod yn Gadeirydd S4C yn 1988 a John Howard Davies wedi'i benodi yn ei le. Pan fu'n rhaid i Owen Edwards ymddeol fel Cyfarwyddwr yn 1989 oherwydd salwch, denwyd Geraint Stanley Jones o'i swydd uchel gyda'r BBC yn Llundain gan newid teitl y swydd i fod yn Brif Weithredwr. Penodwyd Prys Edwards yn Gadeirydd yn 1992 a chyhoeddodd Geraint ei fwriad i ymddeol yn 1994, pan fyddai wedi bod yn y swydd am bum mlynedd.

Oni bai am ddyfodiad Geraint yn 1989, yr ymgeisydd fyddai wedi bod yr un mwyaf amlwg i fod yn olynydd i Owen y pryd hynny oedd Euryn Ogwen Williams. Fel Cyfarwyddwr Rhaglenni'r Sianel roedd Euryn yn cael ei gydnabod am ei rôl gwbl allweddol a'i weledigaeth radical ynglŷn â natur y gwasanaeth a'r dulliau o gyflenwi rhaglenni o'r cychwyn cyntaf. Yn 1991, fodd bynnag, roedd trwydded HTV i ddarlledu yng Nghymru a Gorllewin Lloegr ar fin dod i ben ac roedd y Llywodraeth wedi penderfynu cynnal ocsiwn, ar sail cyfuniad o safon a chynnig ariannol, ar gyfer pob un o'r trwyddedau teledu masnachol ar draws Prydain.

Daeth i'r amlwg fod Euryn yn gweithio'n agos gydag un o'r consortia oedd yn bwriadu cynnig yn erbyn HTV. Cwynodd HTV fod hyn yn ei gwneud hi'n amhosibl iddo fod yn wrthrychol ynglŷn â'r modd yr oedd yn delio gyda pherthynas HTV ac S4C, ac fe orfodwyd Euryn i adael ei swydd. Roedd yna rai misoedd i fynd eto cyn i'r penderfyniad ynglŷn â'r drwydded gael ei wneud, ond ar ddiwedd y dydd fe gadwodd HTV y *franchise*. Erbyn hynny, roedd hen swydd Euryn wedi'i chymryd, roedd gormod o ddŵr wedi mynd dan y bont, ac fe gychwynnodd Euryn ar yrfa newydd fel cynhyrchydd annibynnol.

Felly, ddwy flynedd yn ddiweddarach, pan gyhoeddodd S4C ei bod am ddechrau'r broses o ddod o hyd i olynydd i Geraint Stan yn fuan, byddai'n deg dweud fod sefyllfa Euryn wedi newid o fod yr ymgeisydd amlwg am y swydd i fod yn un o blith nifer a allai fod dan ystyriaeth. Oni bai am hynny, mae'n bosibl na fyddwn wedi ystyried gwneud cynnig fy hun.

Fel yn achos Sain, roeddwn wedi bod wrthi gyda Tir Glas a Barcud am ryw ddeuddeg mlynedd. Mae'n rhaid bod gen i ryw *gyroscope* mewnol sy'n golygu mai dyna faint o amser mae'r llif o egni gwreiddiol yn para cyn i'r weledigaeth ddechrau pylu. Dyma hefyd hyd y cyfnod y bûm yn Brif Weithredwr S4C.

Yn wahanol iawn i Sain a Tir Glas/Barcud, yr hyn oedd dan sylw y tro hwn oedd nid cychwyn mentrau newydd sbon ond, yn hytrach, ymuno â chorff cyhoeddus oedd yn gorfod ymwneud â'r Llywodraeth a'r cyhoedd mewn llawer o ffyrdd gwahanol ac a oedd wedi hen sefydlu'i hun, gyda staff profiadol a phob math o brosesau, polisïau a phobl yn eu lle. Doeddwn i erioed wedi gweithio i neb fel gwas cyflog a doeddwn i erioed wedi bod am gyfweliad i drio am swydd. Pe bawn yn ei chael byddai'n golygu datgysylltu'n llwyr oddi wrth bopeth yn y sector annibynnol. Ar ben popeth, byddai'n golygu symud i Gaerdydd.

Roedd Sian ryw dair blynedd ynghynt wedi ailgyfeirio'i gyrfa trwy hyfforddi i fod yn rheolwr cefn gwlad ac wedi gweithio'i ffordd i fod yn Rheolwr Parc Glynllifon ar ran Cyngor Gwynedd ac er bod Owain bellach yn y coleg ym Manceinion dim ond newydd gychwyn yn y chweched dosbarth roedd Siwan, ein plentyn ieuengaf. Felly doedd penderfynu mynd am swydd S4C ddim yn un hawdd, a dweud y lleiaf.

Y peth mwyaf oedd yn fy nghymell i drio amdani oedd y

teimlad syml mai hon oedd prif swydd y diwydiant roeddwn yn gweithio ynddo. Roeddwn yn teimlo fod gen i ddealltwriaeth gref o'r ffactorau oedd yn dylanwadu ar gynhyrchu rhaglenni o fewn y sector annibynnol a bod sicrhau perthynas effeithiol rhwng S4C a'i chyflenwyr yn elfen allweddol i lwyddiant y gwasanaeth. Felly roeddwn yn teimlo dyletswydd i ymgeisio am y swydd a gadael i eraill benderfynu a oeddwn yn gymwys ai peidio. Ar yr un pryd, gallwn weld fod yna lawer o elfennau fyddai'n gwbl newydd i mi, ond roedd yr her o geisio dygymod â phrosesau, pobl a sefyllfaoedd newydd yn ddeniadol. Roedd Prys Edwards, fel Cadeirydd, yn anifail gwahanol iawn i'w ragflaenwyr ac roedd gen i le i gredu y byddai o, efallai, yn ffafrio penodi rhywun oedd â phrofiad o'r sector annibynnol ac o fyd busnes. Mae gan oedran rywbeth i'w wneud â'r fath benderfyniad hefyd. Pan ymgeisiais am y swydd roeddwn yn 45 oed, yn ddigon ifanc i beidio â bod ofn yr her ac yn ddigon hen i fedru cyfeirio at bethau roeddwn i wedi'u cyflawni yn y gorffennol. Cytunodd Sian yn hael iawn na fyddai'n fy rhwystro ac mi gyflwynais fy nghais.

Yn ystod yr wythnosau oedd yn arwain at y cyfweliadau, a oedd i fod i ddigwydd ym mis Hydref 1993, roedd yna dipyn go lew o ddyfalu yn y cyfryngau Cymreig pwy allai fod dan ystyriaeth. Roedd y BBC a'r *Western Mail* yn cyfeirio at y 'Ras i benodi Prif Weithredwr S4C', gyda lluniau o'r jocis tybiedig ar gefn ceffylau yn y *Grand National*. Roedd yna gryn drafod ar rinweddau a gwendidau'r ymgeiswyr hyn – yn gyhoeddus, a thu ôl i ddrysau caeedig, yn ôl y sôn.

Awdurdod S4C yn ei gyfanrwydd fyddai'n gwneud y penderfyniad ac roedd y cyfweliadau i'w cynnal mewn swyddfa cyfreithwyr yng Nghaerdydd.

Un o'r cwestiynau a ofynnwyd i mi oedd 'Beth oeddwn i'n meddwl fyddai ymateb gwleidyddion i 'nghefndir a 'nghysylltiadau gwleidyddol?' Roeddwn wedi rhagweld cwestiwn o'r math yma, ac roeddwn wedi terfynu fy aelodaeth o Blaid Cymru rai misoedd ynghynt. Y gwir oedd nad oeddwn

227

i wedi bod yn gefnogwr gweithredol i'r Blaid ers blynyddoedd lawer. Mi fûm yn canfasio ar ran Dafydd Wigley yn etholiadau cyffredinol y 70au a fi greodd fersiwn o'r gân 'Milgi Milgi' fel cân ymgyrch iddo yn 1974. Ers hynny, roeddwn i'n wirioneddol heb fod yn ymwneud â gwleidyddiaeth. Ond doedd wiw i mi gychwyn ceisio egluro hyn mewn cyfweliad, gan bod hwn yn gwestiwn tebyg i 'Pryd wnaethoch chi stopio curo'ch gwraig?' Roeddwn i'n gwybod yn iawn pa mor allweddol oedd hi i unrhyw un fyddai'n Brif Weithredwr fod yn gwbl ddiduedd o ran sut y byddai'r Sianel yn cael ei rhedeg ac yn fodlon ymwneud yn gyfartal a theg gyda phob plaid a charfan wleidyddol. Dyna felly oedd hanfod fy ateb ond gwyddwn, pe cawn y swydd, y byddai yna dipyn o sylw yn cael ei roi i'r canfyddiad o fod yn eithafwr, yn genedlaetholwr, yn gyn-bartner busnes i Dafydd Iwan ac ati. Roedd yr Awdurdod yn siŵr o fod yn gwybod hyn hefyd, ac yn gorfod pwyso a mesur y ffactor yna, yn ogystal â phopeth arall, yn ofalus.

Mi es i'n ôl ar y trên o Gaerdydd – dydd Gwener oedd hi, dwi'n cofio hynny, ac erbyn i mi gyrraedd adref, roedd Prys wedi ffonio. Pan ffoniais i'n ôl, mi ges i glywed eu bod nhw am gynnig y swydd i mi, bod angen cytuno ar y telerau, a'u bod am wneud cyhoeddiad y dydd Llun canlynol.

Dros y penwythnos, fe gytunwyd ar brif elfennau'r cytundeb ac erbyn bore Llun roeddwn ar fy ffordd yn ôl i Gaerdydd, yn y car y tro hwn. Hanner ffordd i lawr, fe stopiais er mwyn cyflwyno'r newyddion ar fy ffôn symudol i staff Tir Glas ac i'r prif gydweithwyr yn Barcud. I Tir Glas yn arbennig, roedd hwn yn newid pethau'n sylfaenol i'r rhai oedd yn gweithio yno ond roedden nhw'n ddigon graslon i groesawu'r newyddion fel pe bai'n fater o lawenydd.

Ymlaen wedyn i Lanisien lle'r oedd y staff wedi cael gwahoddiad i ymgynnull yn y dderbynfa am hanner dydd. Geraint Stan yn dweud wrthynt eu bod ar fin cyfarfod eu Prif Weithredwr newydd a minnau'n ymddangos o ryw ddrws ochr fel cwningen allan o het. Sylw cyntaf Geraint oedd 'Wel, wel,

Huw Jones yn gwisgo siwt!' Roedd yn wir. Roeddwn wedi prynu siwt ar gyfer y cyfweliad ac, yn gam neu'n gymwys, wedi penderfynu mod i am ddangos y gallwn i chwarae'r gêm honno hefyd. Am weddill y diwrnod roedd yna gyfweliadau i'w gwneud ac ambell i sgwrs allweddol i'w chynnal cyn ei throi hi nôl am y gogledd y diwrnod canlynol.

Y trefniant oedd y byddwn i'n cael cyfnod o gysgodi Geraint, sef y tri mis rhwng cychwyn Mawrth 1994 a diwedd mis Mai y flwyddyn honno. Cyn hynny, fodd bynnag, roedd yna lawer o waith i'w wneud.

Cyn cychwyn ar y swydd, roedd angen i mi ddangos mod i wedi datgysylltu fy hun yn llwyr o unrhyw fuddiannau yn y sector annibynnol. Roedd yn rhaid i Brif Weithredwr S4C fod yn rhydd o unrhyw bosibilrwydd gwrthdaro buddiannau. Felly roedd yn rhaid i mi werthu fy nghyfranddaliadau yn Barcud ac roedd angen dod i drefniant ynglŷn â rhaglenni, staff ac asedau Tir Glas. Roedd angen hefyd bod yn glir nad oedd unrhyw gwmni annibynnol fyddai'n cymryd unrhyw un o'r elfennau yma yn gwneud hynny fel cymwynas i mi, gan y gallai hynny gael ei weld fel pe bai'n creu rhyw fath o ddyled foesol ar fy rhan.

Yn achos Barcud, er mwyn i'r holl broses fod yn hyd braich, gofynnwyd i Dafydd Hampson-Jones oedd wedi gweithredu ar ran Barcud wrth ddenu'r buddsoddiadau ar gyfer y stiwdio, i ddelio â'r gwerthiant fel brocer fel na fyddai gen i unrhyw gysylltiad uniongyrchol â'r broses. Roedd Dafydd yn awyddus i ddefnyddio'r cyfle i weld a oedd hi'n bosibl creu rhyw fath o farchnad stoc Gymraeg fechan gan gychwyn gyda'r siariau hyn. Fo a'r cyfrifyddion oedd yn pennu'r pris ac yn cysylltu gydag unigolion allai fod â diddordeb. Gosodwyd targed o gyflawni'r gwaith o fewn tri mis, ac fe lwyddwyd i gyrraedd y nod.

Yr unig ased o sylwedd oedd gan Tir Glas oedd cyfran o adeilad hen ffatri gyfrifiaduron ar Stad Cibyn lle'r oedd setiau'n cael eu storio a lle'r oedd swyddfa Tir Glas ei hun erbyn hyn – ac fe brynwyd hwn gan gonsortiwm o gwmnïau, gan gynnwys y tenantiaid eraill. Gyda chydsyniad S4C, trosglwyddwyd y rhaglenni oedd ar y gweill i ofal yr unigolion oedd yn eu cynhyrchu, gyda'r rheiny'n mynd ymlaen naill ai i ffurfio cwmnïau newydd neu i ymuno â chwmnïau oedd yn bodoli eisoes. Mudodd y rhan fwyaf o'r staff i'r gwahanol gwmnïau hyn neu i weithio fel unigolion llawrydd ar y rhaglenni oedd yn parhau.

Mi roedd yna lawer o ewyllys da ar waith yn y broses hon. Teimlad cyffredinol, dwi'n meddwl, o falchder bod rhywun o'r sector annibynnol yn mynd i'r brif swydd, ond wnaeth neb edliw i mi mewn blynyddoedd i ddod fod arna' i unrhyw gymwynas i neb o'r herwydd, ac roeddwn i'n falch iawn o hynny.

Mae'r cymhlethdod hwn yn egluro pam nad yw penaethiaid cwmnïau annibynnol mawr Cymru wedi bod yn amlwg fel ymgeiswyr am brif swyddi S4C yn y cyfnod mwy diweddar. Mae maint y cwmnïau, a'u gwerth ariannol, yn llawer mwy nag yn fy nyddiau i, ac mae'r cymhlethdodau rwy'n eu disgrifio yma'n ddigon i egluro pam fod gadael cwmni rydych chi wedi'i sefydlu a'i arwain trwy ddatblygiad sylweddol, yn un anodd – yn ymarferol ac yn emosiynol. O bosib y dyddiau hyn hefyd, er cystal yw cyflogau'r prif swyddi o fewn y cyrff darlledu, fod y gallu i elwa hyd yn oed yn fwy wrth fod wrth y llyw yn un o'r cwmnïau mawr, yn golygu nad yw'n ddigon deniadol i ystyried cymryd y naid. Dwi'n teimlo bod hynny'n anffodus, gan fod yna lawer i'w ddweud am y budd sy'n dod o fynd â sgiliau a chanfyddiadau o'r naill sector i'r llall. Mae'r system ar ei gorau pan mae pawb yn deall yr hyn sydd ei angen er mwyn i'r sectorau eraill wneud eu gwaith yn iawn. O'm rhan fy hun, doedd gen i ddim amheuaeth mai swydd Prif Weithredwr S4C oedd un fwyaf canolog ein diwydiant. Roeddwn i'n teimlo hefyd pe na bawn yn ymgeisio na fyddai gen i fyth wedyn yr hawl i fynegi beirniadaeth neu gŵyn am unrhyw beth y byddai S4C yn ei wneud.

Drwy'r cyfnod hwn roedd yna hefyd faterion ymarferol eraill i ddelio â nhw. Chwilio am dŷ, er enghraifft. Un peth yr oedd gwerthu asedau Tir Glas a siariau Barcud yn ei wneud oedd ei gwneud hi'n bosibl i ni brynu tŷ yng Nghaerdydd heb orfod gwerthu ein cartref yn Llandwrog. Doedden ni ddim am symud Siwan o'r ysgol, felly penderfynwyd y byddwn i'n treulio'r flwyddyn gyntaf yng Nghaerdydd ar fy mhen fy hun gan deithio nôl a blaen i'r gogledd bob penwythnos ac y byddai Sian yn ymuno â mi yng Nghaerdydd pan fyddai Siwan, gobeithio, wedi cael lle mewn coleg yn rhywle. Roedd yna ddirwasgiad go ddrwg yn y farchnad dai ers peth amser, felly fe fuon ni'n lwcus iawn i fedru prynu tŷ braf yn yr Eglwys Newydd oedd o fewn cyrraedd gweddol hawdd i Lanisien, gyda gorsaf drên wrth law i fynd i ganol y ddinas, ac yn agos hefyd at yr A470 a'r lôn tuag adref.

Profiad digon rhyfedd oedd ailafael ym mywyd Caerdydd ar ôl bron i chwarter canrif. Roedd llawer iawn o faestrefi'r ddinas yn dal yn union yr un fath ac roeddwn innau'n adnabod y ffordd o'u cwmpas yn iawn. Roedd yna lefydd eraill, megis llawer o'r canol a'r Bae, wedi newid yn llwyr. Roedd hi'n ddinas lawer mwy Cymreig na'r un roeddwn i wedi fy magu ynddi ac roedd yna nifer dda o'n cymdogion yn yr Eglwys Newydd yn Gymry Cymraeg. Ond rhaid cyfaddef na wnes i ymdoddi i fywyd Caerdydd mewn unrhyw fodd sylweddol yn ystod fy nghyfnod fel Prif Weithredwr S4C. Mae'r swydd ei hun yn creu pellter rhyngoch a phobl eraill yn yr un diwydiant. Yn anochel, mae gan S4C, a'r penderfyniadau sy'n cael eu gwneud gan ei swyddogion, ddylanwad pellgyrhaeddol ar yrfaoedd a bywoliaeth pobl sy'n gweithio'n y sector annibynnol a'r darlledwyr eraill hefyd. Mi ddois i'n ymwybodol yn fuan iawn fod unrhyw beth y byddwn i'n ei ddweud yn gymdeithasol yn gallu cael ei gylchredeg drwy'r diwydiant yn gyflym iawn. Mae hynny'n eich gwneud chi'n ofalus rhag sôn yn gymdeithasol am y pethau hynny sydd ar flaen eich meddwl o ddydd i ddydd. Roedd y swydd yn golygu oriau gwaith hirion a chryn dipyn o deithio hefyd. Felly rhwng hynny a'r awydd i gadw mewn cysylltiad â'r gogledd ar benwythnos mor aml â phosib, roedd yr amser oedd ar gael i gymdeithasu yn brin. Oherwydd mai cytundeb am bum mlynedd oedd gen i, a finnau'n teimlo fod gen i dipyn o waith dysgu am y swydd, roedd popeth yn arwain at drin yr ail arhosiad yma yng Nghaerdydd fel un fyddai'n canolbwyntio bron yn llwyr ar y gwaith.

Gwleidyddiaeth

Elfen bwysig iawn o'r gwaith yna, fel y dois i ddeall yn fuan iawn, oedd gwleidyddiaeth a dyma'r maes roeddwn i'n gwybod leiaf amdano. Cyn i mi hyd yn oed gychwyn y cyfnod o gysgodi Geraint, roedd yna dderbyniad wedi'i drefnu yn Llundain ym mis Rhagfyr 1993 gyda'r amcan o 'nghyflwyno i i nifer o Aelodau Seneddol, gan gynnwys yr Ysgrifennydd Gwladol yn y Department of National Heritage (DNH) oedd â chyfrifoldeb am ariannu S4C, sef Peter Brooke. Ychydig fisoedd yn ddiweddarach, roedd yna ŵr newydd wrth y llyw a threfnwyd i Prys Edwards, Ann Beynon a minnau gyfarfod â Stephen Dorrell yn swyddfeydd moethus yr Adran yn ymyl Sgwâr Trafalgar.

Pan grëwyd S4C yn 1981, y Swyddfa Gartref dan William Whitelaw oedd yn gyfrifol am ddod o hyd i'r fformiwla ariannol fyddai'n cynnal y sianel. Ar y dechrau gosodwyd treth newydd ar y cwmnïau ITV er mwyn cynnal Channel 4, oedd yn derbyn 80% o'r arian yma, gydag S4C yn cael 20%. Newidiwyd y drefn yn 1990 pan benderfynwyd cynnal S4C drwy grant uniongyrchol o'r Llywodraeth fyddai'n cynyddu'n unol ag incwm hysbysebion ITV yn gyffredinol.

Dros y blynyddoedd nesaf, bu ceisio sefydlu perthynas gyda gwleidyddion er mwyn cynnal y gefnogaeth ariannol hon i'r Sianel, yn un o elfennau pwysicaf fy ngwaith fel Prif Weithredwr. Dydi'r Adran Ddiwylliant, beth bynnag fo'i henw, byth yn un o'r rhai uchaf ei statws ac mae swyddi yn yr adran honno'n aml yn cael eu defnyddio gan Brif Weinidogion fel ffordd o roi cyfle i rywun ddangos eu doniau (a'u teyrngarwch). O'r herwydd, mae deiliaid y swyddi yn newid yn aml.

Roedd hi'n angenrheidiol hefyd i feithrin perthynas dda gyda'r Swyddfa Gymreig (Swyddfa Cymru wedyn). Er nad y swyddfa hon oedd yn gyfrifol am S4C, mewn achosion lle'r oedd Ysgrifennydd Gwladol Cymru yn uchel ei barch o fewn y Cabinet Prydeinig, roedd ganddo ef neu hi y gallu i ddylanwadu i ryw raddau o leiaf ar benderfyniadau allai effeithio ar S4C.

Dros yr un mlynedd ar ddeg a hanner y bûm yn y swydd bu'n rhaid cychwyn o'r cychwyn, fel petai, gyda phump o Ysgrifenyddion Gwladol DNH/DCMS a chwech o Ysgrifenyddion Gwladol Cymru.[5]

Ar ben hyn, pan ddaeth y Cynulliad Cenedlaethol i fodolaeth yn 1999, er na ddatganolwyd cyfrifoldeb am ddarlledu, roedd yn naturiol i Lywodraeth Cymru fod â diddordeb yn S4C, ac hefyd i fod â rhywfaint o ddylanwad ar y Llywodraeth ganolog – yn enwedig pan oedd yr un blaid yn llywodraethu yng Nghymru ag yn Llundain.

Roedd angen rhaglen o gysylltu rheolaidd nid yn unig gyda'r Gweinidogion ond gydag aelodau etholedig o bob plaid, yn arbennig felly y rheini oedd yn cynrychioli seddau Cymreig ac hefyd y rheini oedd â diddordeb penodol mewn darlledu.

Roeddwn yn ffodus o bresenoldeb Wyn Roberts fel Gweinidog yn y Swyddfa Gymreig am gyfnod mor hir yn ystod fy mlynyddoedd cyntaf yn y swydd. Roedd yr Ysgrifenyddion Gwladol Cymreig yn y cyfnod hwn yn cynrychioli seddau yn Lloegr ac yn ymddiried materion yn ymwneud â darlledu iddo fo. Roedd Wyn wedi bod yn gocyn hitio i genedlaetholwyr dros y blynyddoedd fel wyneb cyhoeddus llywodraeth Thatcher yng

---

[5] Enwau Ysgrifenyddion Gwladol yn ystod y cyfnodau y bûm yn Brif Weithredwr (1994-2005) ac yn Gadeirydd S4C (2011-2019): DNH/ DCMS: Peter Brooke, Stephen Dorrell, Virginia Bottomley, Chris Smith, Theresa Jowell, Jeremy Hunt, Maria Miller, Sajid Javid, John Whittingdale, Karen Bradley, Matt Hancock, Jeremy Wright, Nicky Morgan. Cymru: John Redwood, William Hague, Ron Davies, Alun Michael, Paul Murphy, Peter Hain, Cheryl Gillan, David Jones, Stephen Crabb, Alun Cairns.

Nghymru. Fuodd o erioed yn Ysgrifennydd Gwladol ac ym marn llawer un, roedd hyn oherwydd ei fod o'n dipyn bach gormod o Gymro yng ngolwg Llundain. Roedd Wyn yn wleidydd ac yn Geidwadwr o argyhoeddiad, ond roedd ei arddeliad dros y Gymraeg yn onest a gwirioneddol. Roedd ganddo glust ar y ddaear yng Nghymru ac yn gallu dehongli'r hyn roedd o'n ei glywed ar hyd a lled y wlad. Roedd mesur cryfder teimladau yn gywir, a'u cyfleu wedyn i Lundain, yn rhan o'i ddawn. Roedd ganddo hefyd glust fain i ddehongli pethau o fewn y Llywodraeth yn Llundain ac i wybod beth oedd yn bosib. Fe ges i ginio cynnar hefo fo mewn tŷ bwyta lle byddai llawer o'r Aelodau Seneddol yn ymgynnull a chael llawer o gynghorion da ganddo. S4C oedd yn talu, wrth gwrs, ac mi sylwais ei fod wedi dewis potel reit dda o win, pan rois i'r cyfle iddo wneud hynny.

Mater arall, fodd bynnag, oedd agwedd gynnar y Blaid Lafur a'i chynrychiolwyr seneddol. Mae hanes perthynas y Blaid Lafur a'r iaith Gymraeg yn un hir a chymhleth ac nid dyma'r lle i geisio gwneud dadansoddiad manwl ohoni. Yn sicr, mae yna ddwy agwedd tuag at y Gymraeg wedi bodoli o fewn y blaid bron iawn ers ei sefydlu gyda rhan ohoni – honno'n cael ei chynrychioli gan bobl fel Jim Griffiths, Cledwyn Hughes, a John Morris yn gweld y Gymraeg fel rhan naturiol o'u hetifeddiaeth wleidyddol, ac eraill yn gweld yr iaith fel baner cenedlaetholdeb adweithiol, croes i fuddiannau'r dosbarth gweithiol roedden nhw'n ei gynrychioli. Yr oedd y tensiwn yma'n dal i fodoli o fewn y Blaid Lafur Seneddol yn 1994 a phan ddaeth gwahoddiad cynnar i mi fynd i'r Senedd i gyfarfod y Grŵp Llafur Seneddol Cymreig, mi gytunais.

Erbyn i mi gyrraedd yr ystafell gymharol fach yn rhywle yn Nhŷ'r Cyffredin, daeth yn amlwg bod y rhan fwyaf o'r grŵp Llafur Cymreig niferus yno ac fe gafwyd holi go galed, yn arbennig felly am honiadau o ddylanwad gwleidyddol gan Blaid Cymru ar gynnyrch S4C. Roedd yn amlwg bod yr ymdrechion i fy narlunio fel cenedlaetholwr rhonc wedi treiddio yn eithaf pell o fewn y grŵp hwn, er bod yna leisiau cefnogol hefyd, Paul Flynn yn arbennig, yn mynnu cael eu clywed. Roedd agwedd Alan Williams, Aelod Seneddol Gorllewin Abertawe, oedd ag enw am fod yn gyson wrthwynebus i'r iaith Gymraeg, yn lled fygythiol, a dweud y gwir, gan nodi gallu'r Blaid Lafur i wneud drwg i S4C, pe bai'n dymuno.

Parhaodd y sesiwn ryw awr go dda ac yna cafwyd gwahoddiad i ymuno â rhai ohonynt yn y bar. Yn y fan honno, roedd yr awyrgylch yn dipyn mwy ymlaciedig, gyda Kim Howells a Ron Davies, yn arbennig, yn awyddus i gyfleu nad oedd y grŵp fel y cyfryw yn wrthwynebus i S4C a'u bod yn gwerthfawrogi'r cyfle i fynegi eu pryderon ac i glywed fy safbwynt. Daeth hi'n amlwg yn y sgwrs yn y bar fod yna dipyn o lobïo yn fy erbyn wedi bod o wahanol gyfeiriadau. Cyfeiriodd Kim Howells at benderfyniad oedd wedi cael ei wneud yn ddiweddar i gomisiynu Ffilmiau'r Nant i wneud cyfres ddrama i blant, sef *Rownd a Rownd*. Roedd hyn wedi cael ei bortreadu iddo fel enghraifft amlwg o ffafriaeth gen i tuag at gwmnïau'r gogledd. Eglurais iddo'r broses drylwyr oedd wedi digwydd cyn gwneud y penderfyniad – hysbysebu'r syniad yn agored, derbyn 14 o geisiadau, derbyn cyngor gan Phil Redmond (*Grange Hill* a *Brookside*), gwneud pedwar o raglenni peilot o'r cynigion gorau, eu dangos i grwpiau o blant ar hyd a lled y wlad, gyda phawb yn dod i'r casgliad unfrydol mai *Rownd a Rownd* oedd y cynnig gorau. Doedd Kim ddim wedi clywed dim o hyn ac roedd yn argymell ein bod yn gwneud yn siŵr bod y fath wybodaeth yn cael ei lledaenu.

Roedd Ron Davies hefyd, o fod yn gweithio'n agos gyda Rhodri Morgan, ac o rannu'r pryderon am ddiffyg cydbwysedd gwleidyddol ar y sianel, yn awyddus i siarad yn agored.

Ryw flwyddyn yn ddiweddarach yn ystod cynhadledd y Blaid Lafur yn Brighton – byddai S4C yn cynnal derbyniad yn yr holl gynadleddau gwleidyddol fel modd i ddod i adnabod aelodau'r pleidiau yn eu cynefin fel petai – cafodd Ron Davies a minnau sgwrs hir yn hwyr un noson ar ben y grisiau yn y gwesty mawr lle'r oedd y gynhadledd yn digwydd a mynd yn ddwfn i wreiddiau ein cymhellion personol a'n golwg ar Gymru, yr iaith, a'r byd.

Roedd yn amlwg i mi fod Ron, fel Cymro di-Gymraeg, yn gwneud ei orau i ddeall cryfder y teimladau o blaid y Gymraeg gan nad oedd hynny'n rhan o'i brofiad o'n bersonol. Roeddwn innau'n parchu'r frwydr dros gyfartaledd a thegwch oedd wedi gyrru ei yrfa wleidyddol yntau a theimlwn bod yna ganfyddiad gwirioneddol o fewn y Blaid Lafur Gymreig, fel roedd hi'n cael ei chynrychioli ganddo fo, fod modd i'r Gymraeg a'r egwyddorion hynny gyd-fyw. Yn y cyfnod hwn hefyd roedd yna fwy a mwy o ffigyrau amlwg y Blaid Lafur Gymreig yn y de-ddwyrain, sef yr ardaloedd oedd wedi arfer cael eu cysylltu'n wleidyddol gyda'r elfennau Llafur gwrth-Gymraeg, yn troi i fod yn gefnogol i'r Gymraeg. I raddau roedd yna asesiad gwleidyddol yn hyn o beth sef gweld cryfder y gefnogaeth i addysg Gymraeg yn y de-ddwyrain a gwneud penderfyniad yn sgil hynny i geisio'i berchnogi yn hytrach na'i wrthwynebu. Mewn hinsawdd felly, roedd dangos cefnogaeth i S4C yn ffordd symbolaidd o ddangos yr agwedd honno ar waith.

Roedd Syr Alun Talfan Davies dros ginio rywbryd tua 1995 wedi fy holi onid oeddwn yn pryderu ynglŷn â dyfodol S4C pe bai'r Blaid Lafur yn dod i rym, gan nodi mai creadigaeth y Blaid Geidwadol oedd S4C ac mai dim ond y blaid honno oedd wedi bod mewn grym trwy holl hanes y sianel. Pan ddaeth Llafur i rym ym muddugoliaeth ysgubol Tony Blair yn 1997, fodd bynnag, roedd y ffaith mai Ron Davies fyddai'r Ysgrifennydd Gwladol dros Gymru yn fy ngwneud yn bur hyderus y byddai'r gefnogaeth i S4C, ar lefel Llywodraeth, yn parhau.

Deddfu (1)

Un o'r pethau cyntaf wnes i eu dysgu wrth fynd i swydd y Prif Weithredwr oedd pa mor bwysig oedd deddfwriaeth seneddol. Roedd yr hyn yr oedd S4C i fod i'w wneud ac yn cael ei wneud wedi'i ddiffinio mewn geiriau penodol. Deddf Seneddol oedd wedi dod ag S4C i fodolaeth ac i wneud unrhyw newid i gylch gorchwyl, hawliau, neu fformiwla ariannu S4C, roedd angen deddfu o'r newydd. Mae amser seneddol i lunio deddfau yn brin. Dim ond pob hyn a hyn mae llywodraeth yn edrych ar bynciau fel darlledu ond pan mae'r cyfle i wneud hynny'n dod mae'r cyrff darlledu yn fwrlwm o drafod ac o lobïo.

Fel arfer, bydd y Llywodraeth yn cyhoeddi Papur Gwyrdd sy'n amlygu cynlluniau cychwynnol a rhai misoedd ar ôl hynny, mae'n cyhoeddi Papur Gwyn sy'n cael ei drafod gan Aelodau Seneddol mewn pwyllgor cyn i'r cymalau ddod yn ôl i Dŷ'r Cyffredin a Thŷ'r Arglwyddi.

Ym mhob un o'r camau hyn, mae yna gyfleoedd i drafod geiriad y mesur a cheisio'i newid cyn i'r cyfan gael ei selio'n derfynol mewn deddf. Mae lobïo yn tueddu i gael ei weld yn y Wasg fel gair budr ac yn sicr mae yna arian mawr yn cael ei wario i geisio sicrhau canlyniadau sydd o fudd masnachol i gwmnïau ac unigolion. Ond mae lobïo hefyd yn rhan hanfodol o'r broses o gyflwyno gwybodaeth arbenigol i'r gweision sifil a'r gwleidyddion sy'n gyfrifol am lunio deddfau, am bethau nad oes modd iddyn nhw fod yn ymwybodol ohonynt fel arall. Mae'n rhan hanfodol o'r broses o lunio deddfau da ac mae angen i gorff fel S4C fedru lobïo'n effeithiol.

Roedd S4C wedi cael ei chreu gan Ddeddf Darlledu 1981 ac roedd Deddf 1990 wedi creu'r fformiwla oedd yn golygu fod cyllid S4C yn dod yn syth o'r Llywodraeth ac nid trwy dreth ar y cwmnïau ITV. Yn fuan ar ôl i mi gael fy mhenodi daeth y newyddion fod y Llywodraeth yn mynd i ddeddfu ar ddarlledu unwaith yn rhagor. Y prif fater dan sylw yn 1996 fyddai paratoi'r ffordd ar gyfer teledu digidol. Roedd Cynhadledd yr RTS yng Nghaergrawnt yn 1995 yn llawn dadleuon am sut y byddai digidol yn gweithio, beth fyddai'r effaith ar ddarlledwyr traddodiadol, pwy fyddai'r chwaraewyr newydd yn y maes ac ati. Y ddau bwnc o ddiddordeb mawr i S4C oedd sicrhau fod S4C yn cael ei thrin yn deg o ran sicrhau gofod digidol a cheisio sicrhau y byddai yna ddigon o gyllid ar gael.

Roedden ni'n gwybod ers peth amser fod fformiwla ariannu 1990 yn mynd i gael ei newid eto. Roedd y ddeddf honno wedi gorfodi'r Llywodraeth, a'r Adran Dreftadaeth (DNH) yn benodol, i glymu ariannu S4C i lefel incwm hysbysebion ITV ar draws Prydain. Gan fod blynyddoedd cynnar y 90au wedi bod yn flynyddoedd da i'r diwydiant hysbysebu, roedd hyn wedi golygu fod y DNH bob blwyddyn yn gorfod dod o hyd i swm cynyddol o arian er mwyn ariannu S4C. Roedd hyn yn creu tensiwn rhwng yr Adran a'r Trysorlys. Roedd y DNH felly'n benderfynol o ddefnyddio'r ddeddf i newid fformiwla ariannu S4C a'i glymu'n nes at y cyllid roedden nhw'n ei gael gan y Trysorlys bob blwyddyn. Roedd hi'n anffodus felly fod S4C yn ymladd i amddiffyn ei hun yn ariannol, tra'r oedd darlledwyr eraill yn gwthio i gael mwy o arian er mwyn medru cymryd mantais o gyfleoedd teledu digidol.

Roedd hi wastad yn ddymunol i ddod o hyd i Aelodau Seneddol fyddai'n fodlon dadlau'r pwyntiau ar ran S4C. Roeddem bob amser yn awyddus i geisio cael Aelodau o wahanol bleidiau i wneud hyn. Roedd yr elfen yma'n arbennig o bwysig pan fyddai'r Mesur yn cael ei drafod gan Bwyllgor Seneddol y Mesur (y *Bill Committee*). Yn 1996, roeddem yn ffodus fod Cynog Dafis, Aelod Seneddol Ceredigion, wedi cael lle ar Bwyllgor y Mesur. Nid yn unig roedd Cynog yn awyddus iawn i gyflwyno dadleuon S4C, ond roedd ganddo hefyd y crebwyll i fedru trafod cymalau deddfwriaethol astrus a chyflwyno ei bwyntiau mewn modd oedd yn gallu argyhoeddi gweddill y pwyllgor. Er bod Senedd San Steffan yn gallu ymddangos fel siambr lle mae pawb yn trio sgorio pwyntiau gwleidyddol oddi ar ei gilydd, mae gweld seneddwyr yn trafod mesurau deddfwriaethol mewn pwyllgor yn broses wahanol. Nid yw'r Llywodraeth bob tro, o bell ffordd, yn derbyn cynigion gan y gwrthbleidiau ond mae'r Gweinidog sydd yno ar ei rhan fel arfer yn teimlo bod yn rhaid egluro mewn ffordd resymol beth yw safbwynt y Llywodraeth, a lle mae yna ddadl gref wedi cael ei chyflwyno, i addo ail-edrych ar y mater. Mae hyn yn gallu arwain at newid yn y geiriad pan ddaw'r Mesur yn ôl o flaen y Tŷ.

Syniad gwreiddiol y Llywodraeth o ran gofod digidol oedd clustnodi hanner cymaint o ofod i S4C yng Nghymru ag a fyddai'n cael ei roi i Channel 4. Roedd y pwnc yn un digon astrus, ond roedd y syniad o anghyfartaledd o fewn tiriogaeth Cymru yn un digon hawdd ei ddeall, ac erbyn i Bapur Gwyrdd y Llywodraeth droi'n Bapur Gwyn y Mesur Darlledu, fe enillwyd y dydd gan sicrhau bod S4C yn derbyn yr un faint o ofod digidol yng Nghymru â Channel 4. Yn anffodus, methwyd â chael unrhyw welliant i'r cynllun ariannol oedd wedi'i gyflwyno ar ein cyfer, sef y byddai cyllido S4C o 1997 ymlaen yn cael ei godi'n flynyddol yn ôl chwyddiant.

Cafwyd un gwelliant arall a ddaeth i fod yn un eithaf pwysig, sef un oedd yn rhoi llawer mwy o ryddid i S4C i geisio cynyddu ei chyllid trwy fentrau masnachol.

Golygodd yr holl broses ddeddfwriaethol lawer iawn o deithio nôl a mlaen i Lundain ar y trên ac roedd doniau dylanwadu Iona Jones, y Cyfarwyddwr Materion Corfforaethol ac Emyr Byron Hughes, Ysgrifennydd S4C, yn allweddol yn y broses estynedig yma.

Digidol

Pan sefydlwyd S4C roedd y syniad o rannu oriau'r bedwaredd sianel yng Nghymru rhwng S4C a C4, ond gyda'r oriau brig yn benodol ar gyfer rhaglenni Cymraeg, yn un clyfar. Gellid dweud fod gan y Gymraeg ei sianel ei hun, gydag arian ar gyfer 22 o oriau'r wythnos, ond gyda *sustaining service* yr oedd yn bosibl troi ato am weddill yr oriau, heb orfod talu am y rhaglenni hynny.

Ar y dechrau, doedd Channel 4 ddim yn wasanaeth arbennig o boblogaidd. Roedd wedi cael ei greu i fod yn wahanol i bob sianel arall, ac roedd felly yn darparu amrywiaeth go eang o raglenni ar gyfer gwahanol ddiddordebau lleiafrifol. Gan fod C4 hefyd yn wasanaeth newydd, doedd neb yng Nghymru wedi arfer ei dderbyn, ac felly doedd neb yn gweld ei golli. Roedd y ffaith fod S4C yn gallu darlledu rhaglenni C4 ar amserau gwahanol hyd yn oed yn fanteisiol ar brydiau.

Wrth i'r blynyddoedd fynd heibio, fodd bynnag, dechreuodd C4 newid cymeriad, yn arbennig felly pan gymerodd Michael Grade yr awenau oddi wrth Jeremy Isaacs. Roedd Michael Grade yn dod o gefndir adloniant ac yn fuan iawn dechreuodd C4 fod yn llawer mwy tebyg i sianel oedd yn targedu cynulleidfa luosog. Roedd hynny'n creu problem i S4C gan fod y gynulleidfa ddi-Gymraeg yn troi'n rhwystredig wrth fethu dod o hyd i'r rhaglenni C4 oedd yn cael eu trafod yn y Wasg, ar yr amserau oedd i fod. Roedd S4C ei hun yn naturiol yn awyddus i geisio ymestyn y ddarpariaeth Gymraeg. Doedd gwasanaeth oedd yn cychwyn am 6.30 ac yn gorffen am 9 bob nos ddim yn cynnig digon o gyfleoedd ar gyfer dramâu a rhaglenni dogfen. Roedd yna bwysau i ddarparu mwy o amrywiaeth ac roedd hynny'n gwthio'r sianel i fwyta i mewn i'r oriau oedd wedi cael eu defnyddio ar gyfer rhaglenni Channel 4.

Roedd y mater yn dod i greis bob hyn a hyn a'r pwnc oedd yn ei grisialu yn fwy na'r un arall oedd rasio ceffylau. Pan benderfynodd y BBC ac ITV ddechrau cystadlu am wylwyr yn ystod oriau'r dydd, fe benderfynon nhw roi'r gorau i ddarlledu rasio ceffylau, sef yr hyn oedd wedi llenwi oriau'r prynhawn am flynyddoedd lawer. Byddai hyn wedi bod yn ergyd fawr i'r siopau bwci ar hyd a lled y wlad, oedd yn dibynnu ar gael lluniau o rasys yn eu siopau er mwyn sbarduno'r cwsmeriaid i wario'u pres. Felly penderfynodd Channel 4 neidio i'r bwlch a phrynu'r hawliau ar gyfer darlledu rasio ceffylau yn y pnawn.

Am y rhan fwyaf o'r flwyddyn, doedd hynny ddim yn broblem i S4C gan nad oedd S4C yn darlledu rhaglenni Cymraeg yn ystod y dydd p'un bynnag – ar wahân i'r cyfnodau byr ar gyfer rhaglenni plant. Lle'r âi'n flêr oedd yn ystod wythnosau Eisteddfod yr Urdd a'r Eisteddfod Genedlaethol. Roedd hi'n fater o egwyddor gan S4C i glustnodi amser yn ystod y cyfnodau hyn i ddarlledu'r prif seremonïau'n fyw ond roedd hynny'n gyrru'r frawdoliaeth rasio ceffylau yn benwan. Allech chi ddim cael gwrthdaro diwylliannol mwy du a gwyn na'r Eisteddfod *v* Ceffylau. Roedd y llythyru'n ddiddiwedd, gyda phwysau cynyddol yn cael eu rhoi ar Aelodau Seneddol yn y de-ddwyrain y dylid cael gwared ar S4C. Un diwrnod, mi ges i alwad gan y Rheolwr Personél i'm rhybuddio bod yna ddyn wedi blocio fy nghar yn y maes parcio ac yn gwrthod symud nes y byddai S4C yn cytuno i newid ei pholisi. Fe fu yno am oriau, nes i rywun ei ddarbwyllo ei fod wedi gwneud ei bwynt.

Roedd yr ymgyrch yn bygwth deffro teimladau yn erbyn y Gymraeg oedd wedi cael eu tawelu ers rhai blynyddoedd oni bai fod yna ateb technegol i'w gael fyddai'n caniatáu i S4C yn ogystal â Channel 4 fod ar gael i bawb.

Mae'n anodd cofio yn y dyddiau aml-sianelog hyn nad oedd modd i chi gael dewis o wasanaethau, oni bai eich bod yn digwydd byw yn rhywle ger y ffin. O 1982 tan 1989, doedd yna ddim newid technegol wedi bod yn y drefn ddarlledu Brydeinig. Pedair sianel oedd yna a rheiny'n cyrraedd y gwylwyr trwy gyfrwng mastiau'r IBA ar hyd a lled y wlad. Oherwydd natur y tirwedd, roedd yna fwy o fastiau yng Nghymru nag yn unrhyw le arall. Hyd yn oed wedyn, roedd yna gorneli o'r wlad oedd naill ai ddim yn derbyn signal o gwbl neu yn derbyn signal o'r lle anghywir. Roedd achos Treffynnon yn un go enwog, lle'r oedd 'na griw wedi bod yn ymladd ers blynyddoedd i geisio sicrhau eu bod yn gallu derbyn S4C.

Yn 1990, roedd teledu lloeren wedi cyrraedd Prydain. Roedd cwmni British Satellite Broadcasting (BSB) wedi ennill y drwydded i ddarlledu lloeren ym Mhrydain yn 1986. Roedd y cwmni hyn oedd yn cynrychioli nifer o'r cwmnïau teledu traddodiadol yn mynd i wneud popeth gyda sglein a phroffesiynoldeb arferol y cwmnïau ITV ond fe gymeron nhw dipyn o amser i gael pethau at ei gilydd. Cyn iddyn nhw lansio, roedd yna gwmni arall wedi achub y blaen arnyn nhw gan ddefnyddio lloeren oedd yn cael ei rheoleiddio o Luxembourg. Roedd y cwmni yma'n cynnig dysglau lloeren dipyn rhatach, gyda rhaglenni eithaf rhad ond o leiaf yn cynnig mwy o ddewis na'r hyn oedd ar gael ar deledu daearol. Y gŵr y tu ôl i'r fenter annisgwyl yma, wrth gwrs, oedd Rupert Murdoch, a'r cwmni oedd Sky.

Yn fuan iawn yn ei hanes, gwnaeth y cwmni ddau benderfyniad radical a mentrus iawn. Yn gyntaf buddsoddwyd swm anferth o arian i brynu'r hawliau i ddarlledu ffilmiau Hollywood ac wedyn gwnaed penderfyniad mwy mentrus fyth i fuddsoddi'n drwm mewn hawliau chwaraeon. Mi roedd Murdoch wedi gweld y dyfodol ac wedi bod yn fodlon 'betio'r fferm' ar ei weledigaeth.

Methodd BSB ag ymateb yn effeithiol i'r gystadleuaeth newydd ac o fewn misoedd roedd y cwmni ar ei liniau. Daethpwyd i drefniant oedd yn cuddio'r gwirionedd trwy greu cwmni newydd o'r enw BSkyB, ond fe lyncwyd y cwmni parchus gan y newydd-ddyfodiad mentrus ac fe dalodd ei fenter ar ei chanfed i Rupert Murdoch a'i gefnogwyr cynnar.

Roedd yna felly fwy o ddewis yn dechrau dod ar gael i'r gwyliwr. I S4C, roedd hyn yn rhannol yn gymorth, oherwydd ei fod yn lleihau'r canfyddiad o annhegwch, ond roedd hefyd yn fygythiad, gan nad y di-Gymraeg yn unig allai gael eu denu gan yr arlwy newydd, ond nifer cynyddol o'r Cymry Cymraeg hefyd.

Ac o 1995 ymlaen, roedd yna ddatblygiad arall ar y gorwel allai olygu newid hyd yn oed mwy sylfaenol, sef teledu digidol.

Yn S4C, roedd angen deall i ddechrau beth oedd y teledu digidol yma. Roedd hyn yn golygu nifer o gyflwyniadau a seminarau lle roedd peirianwyr llwyd eu gwedd yn dod allan o'u labordai i egluro i bobl mewn siwt, nad oedd wedi gorfod meddwl gormod ynglŷn â sut oedd teledu yn gweithio, bod signal digidol yn cymryd llawer llai o le na signal analog, ei fod yn seiliedig ar droi llun a sain yn filiynau o 1s neu 0s, a bod rhain wedyn yn gallu cael eu cywasgu, eu *encryptio* a'u gyrru ar hyd y tonfeddi i gartrefi gwylwyr.

Roedd y cywasgu yma'n golygu y byddai'n bosibl creu plethiad (*multiplex*) o sianeli digidol yn yr un faint o le ar yr awyr ag oedd ei angen ar gyfer un sianel analog ac roedd hi'n debyg y byddai cartrefi'n gallu derbyn cymaint ag 16 sianel neu hyd yn oed fwy. Roedd hyn yn agor y drws yng Nghymru i ddau bosibilrwydd pellgyrhaeddol. Ar y naill law, gallai Channel 4 fod ar gael yma fel sianel annibynnol. Ar y llaw arall, gallai S4C ystyried creu sianel ddigidol fyddai'n rhydd o'r ddyletswydd i gario rhaglenni Saesneg Channel 4.

Y penderfyniad mawr oedd angen ei wneud oedd sut y byddai'r plethiadau digidol newydd 'ma yn cael eu rhannu – pwy fyddai'n eu rheoli nhw? Yn y diwedd, penderfynwyd creu chwe phlethiad gan ddefnyddio'r tonfeddi radio oedd ar gael. Roedd hi'n amhosibl diffodd y signal analog dros nos, wrth gwrs, oherwydd fe fyddai hynny'n gyfystyr â gwneud setiau teledu 99% o'r boblogaeth yn ddiwerth. Pa lywodraeth fyddai'n mentro gwneud hynny?! Roedd hi'n mynd i gymryd blynyddoedd i'r drefn newydd ddisodli'r hen un – cymaint â phum mlynedd o bosib, oedd yr amcangyfrif.[6]

Ar ôl sicrhau tegwch o ran y gofod oedd yn cael ei ddarparu i S4C yng Nghymru y cam nesaf oedd i'r IBA (y Comisiwn Darlledu Annibynnol) roi hyn a hyn o amser i'r darlledwyr cyhoeddus i ddatgan oedden nhw am dderbyn y gofod digidol oedd yn cael ei glustnodi ar eu cyfer ai peidio. '*Use it or lose it*' oedd polisi'r IBA, hynny yw, os oedd S4C yn derbyn y cynnig o ofod digidol, yna byddai'n rhaid darparu gwasanaeth neu wasanaethau arno. Y broblem fawr gyda hynny oedd bod unrhyw gynnydd yn y gwasanaeth yn mynd i olygu gwario arian, ac er cynnal ymgyrch ar y pwynt yma hefyd, ni lwyddwyd

---

[6] Yn y diwedd, lansiwyd teledu digidol yn 1998 ac fe ddiffoddwyd y trosglwyddydd analog olaf yn 2012 – felly cymerodd y broses gyfanswm o 14 mlynedd, nid 5.

i gael unrhyw gynnydd neu fantais ariannol i helpu i lansio gwasanaeth digidol, yn wahanol i ddarlledwyr eraill.

Roedd hi'n amlwg bod Channel 4 yn mynd i fachu'r cyfle i gael mynediad uniongyrchol i'r gynulleidfa yng Nghymru. Roedd y BBC hefyd ar flaen y gad yn datblygu syniadau am sut y bydden nhw'n defnyddio eu gofod ychwanegol gan sôn am *side channels* a syniadau newydd eraill. Y broblem sylfaenol oedd sut i greu gwasanaethau newydd fyddai'n ddigon deniadol i wneud i bobl wario'u harian ar y bocsys newydd oedd eu hangen i dderbyn y signal. Daeth yn amlwg yn fuan hefyd y gallai'r gofod digidol ddarparu mwy o sianeli nag oedd wedi cael ei ystyried ar y cychwyn. Yn achos S4C, roedd hyn yn golygu'r posibilrwydd o gyflwyno nid un sianel, ond dwy, ar deledu digidol. Roedd hyn yn swnio'n ddeniadol gan ei fod yn agor y drws i fath gwahanol o wasanaeth. Gallai er enghraifft fod yn wasanaeth ar gyfer pobl ifanc neu blant, neu'n wasanaeth dwyieithog.

Argymhellwyd i'r Awdurdod y dylem fynd amdani a derbyn yr her o fedru gwneud defnydd buddiol o'r gofod oedd wedi'i glustnodi i ni. Yr amod yr oedd yr IBA yn ei roi i bawb oedd bod yn rhaid dechrau darparu'r gwasanaethau o fewn blwyddyn i ddyddiad rhoi'r trwyddedau newydd, felly dyma fynd ati dros y misoedd nesaf i feddwl a thrafod beth yn union y gellid ei wneud, o gofio am y cyfyngiadau ariannol.

Yn fuan yn y cyfnod hwn penderfynwyd bod yn rhaid i'r brif sianel newydd, S4C Digidol, fod yn wasanaeth Cymraeg. Er bod rhaglenni Saesneg Channel 4 wedi denu gwylwyr di-Gymraeg i'r sianel, doedd yna ddim llawer o dystiolaeth fod hynny yn eu harwain i wylio'r rhaglenni Cymraeg. Ar ddiwedd y dydd, roedd yn rhaid i raglenni Cymraeg S4C sefyll ar eu traed eu hunain ac ennill cynulleidfa yn ôl eu rhinweddau. Faint o bobl oedd yn gwylio rhaglenni *Cymraeg* S4C oedd y mesur gwirioneddol allweddol, nid faint o bobl oedd yn gwylio S4C fel sianel.

Roedd pob math o bethau'n bosibl mewn egwyddor wrth

gwrs, gan gynnwys rhaglenni boreol a rhaglenni hwyr y nos. Gellid efallai wneud pob rhaglen gyda fersiwn Saesneg hefyd a darlledu'r fersiwn Saesneg ar yr ail sianel. O'r pair yma o syniadau, penderfynwyd mai'r blaenoriaethau oedd (a) ymestyn oriau rhaglenni plant (b) darlledu yn y prynhawn ar gyfer gwylwyr oedd gartref bryd hynny (c) darllediadau estynedig o'r prif wyliau, megis yr Eisteddfod Genedlaethol ac Eisteddfod yr Urdd ac (ch) ymestyn oriau darlledu'r nos y tu hwnt i 9 o'r gloch. Ond, ac roedd hwn yn 'ond' mawr, o ble roedd y cyllid i wneud hyn yn mynd i ddod?

Yr ateb oedd creu trefn newydd o gomisiynu. Yn draddodiadol, roedd rhaglenni S4C yn cael eu comisiynu ar draws y flwyddyn, fesul cyfres. Yn awr, roeddem yn cyhoeddi proses o gomisiynu ar gyfer dwy flynedd gyfan gan wahodd cynhyrchwyr i ddweud wrthym beth roedden nhw'n meddwl y gallen nhw ei gyfrannu i ni ar gyfer oriau ychwanegol y sianel ddigidol newydd ochr yn ochr â darparu rhaglenni ar gyfer yr oriau brig. Yr abwyd i'r cynhyrchwyr oedd yr addewid o becyn sylweddol o gomisiynau i'r rheiny fyddai'n gallu dod o hyd i arbedion yn eu prosesau cynhyrchu fyddai'n caniatáu hyn.

Doedd y polisi hwn ddim yn boblogaidd ym mhob rhan o'r sector annibynnol ond roedd hi'n anodd iawn gweld sut fel arall y byddai'n bosibl cyflwyno unrhyw beth oedd yn wahanol i'r hyn oedd ar y sianel analog.

Lansiwyd y gwasanaeth digidol ar y 15fed o Dachwedd, 1998. Ar bapur, roedd effaith yr estyniad i'r oriau yn drawiadol iawn. Tra roedd y gwasanaeth analog Cymraeg yn dechrau am 6.30pm ac yn gorffen am 9.00 neu 9.30, roedd y gwasanaeth digidol yn cychwyn am hanner dydd gyda rhaglenni plant cyn llenwi'r prynhawn gyda chyfuniad o raglenni i ferched, i bobl hŷn, ail-ddangosiadau, rhaglenni natur a dysgwyr. Ar ôl bloc y brif amserlen, oedd yr un fath â'r gwasanaeth analog, roedd yna awr neu fwy ychwanegol ar S4C Digidol gan gynnwys cyfres newydd ar y celfyddydau, cyfresi drama arbrofol a dramâu tramor wedi'u hisdeitlo.

Pan lansiwyd S4C yn 1982 roedd bron pob set deledu yn gallu derbyn y gwasanaeth o'r diwrnod cyntaf heb unrhyw dâl nac offer ychwanegol. I dderbyn S4C Digidol, fodd bynnag, fel gyda'r sianeli digidol eraill, roedd yn rhaid i chi fuddsoddi mewn bocs arbennig. Ar y cychwyn roedd hwn yn costio rhyw £200, oedd yn bris sylweddol, a digon araf fu pobl i wario'r math yma o swm. Roedd y cyllidebau oedd wedi cael eu clustnodi ar gyfer y rhaglenni digidol yn dynn iawn. Llwyddodd rhai rhaglenni i ffeindio'u lle yn yr arlwy newydd yn weddol fuan – roedd *Wedi 3* yn y prynhawn a *Croma* y rhaglen gelfyddydau gyda'r nos yn ddwy enghraifft – ac roedd *Bandit* a *Hacio* yn llenwi bwlch yn y ddarpariaeth ar gyfer pobl ifanc, ond roedd nifer o raglenni eraill yn gallu teimlo'n rhad. Roedd y dramâu tramor, er yn safonol, yn profi'r un methiant i ddenu gwylwyr Cymraeg ag oedd y fersiynau wedi'u dybio o *Shane* a ffilmiau Hollywood eraill nôl ar ddechrau'r 80au.

Ym mis Chwefror 1999 lansiwyd S4C Digidol ar loeren hefyd. Roedd hyn yn golygu fod gwylwyr yn mynd i fedru derbyn S4C y tu allan i Gymru am y tro cyntaf. Roedd y Cymry alltud mwyaf twymgalon yn gyflym iawn i gymryd mantais o'r gwasanaeth wrth iddo gael ei ymestyn yn raddol i wahanol rannau o Loegr, Yr Alban a Gogledd Iwerddon. Roedden ninnau'n awyddus i dynnu sylw at y datblygiad newydd. Fel rhan o'r ymgyrch, trefnwyd i mi ymweld â theulu ifanc y tu allan i Gaeredin yn ystod wythnos y gynhadledd deledu flynyddol yno. Roedd gwneud y cysylltiad yma ar lefel bersonol nid yn unig yn stori dda ond yn ffordd o atgoffa fy hun a phawb arall cymaint roedd S4C yn ei olygu i bobl oedd wedi gorfod byw hebddo.

Yr hyn a arweiniodd i'r sianel ddigidol ddechrau ennill ei lle ymhen hir a hwyr oedd y darllediadau estynedig o Eisteddfod yr Urdd, y Genedlaethol, a'r Sioe Fawr. Am gyfnod roedd yna ail sianel, S4C2, yn darlledu deunydd di-dor ychwanegol o'r gwyliau hyn ac roedd hi'n amlwg i'w dilynwyr bod y gwasanaeth digidol yn cynnig rhywbeth ychwanegol a gwerthfawr. Dechreuodd pris y bocsys ddod i lawr a chyn hir roedd yna setiau teledu digidol ar werth nad oedd angen bocs o gwbl.

Wrth edrych yn ôl, roedd yna werth i'r arbrofi gorfodol gyda dulliau cynhyrchu wnaeth ddigwydd wrth geisio darparu'r oriau o deledu ychwanegol, ac roedd hi'n ofnadwy o bwysig bod S4C wedi cymryd y gofod digidol yn hytrach na bod mewn sefyllfa flynyddoedd yn ddiweddarach o fynd yn ôl i ofyn amdano ar ôl i rywun arall ei gael. Ond roedd angen wynebu'r ffaith fod yn rhaid, yn fwy na dim, cynnal safon y rhaglenni yn yr oriau brig ac osgoi unrhyw ganfyddiad bod S4C Digidol yn wasanaeth eilradd. Heb gyllid ychwanegol, torri nôl ar yr uchelgais dros gyfnod fu'n rhaid ac mae'r cwestiwn craidd yna o sut mae taro'r cydbwysedd rhwng darparu ystod eang o raglenni tra'n gwarchod safon, gyda chyllideb gyfyngedig, yn dal yn un sy'n wynebu'r gwasanaeth heddiw.

Os oedd llenwi un sianel heb gyllid ychwanegol yn mynd i fod yn her, byddai llenwi dwy wedi bod yn amhosib. Fodd bynnag, ar ôl cymaint o flynyddoedd lle'r oedd diffyg capasiti ar gyfer gwasanaethau Cymraeg a Chymreig wedi bod yn broblem mor sylfaenol, roedd y syniad fod yna ofod yn mynd i fod ar gael a hwnnw o dan reolaeth S4C yn ein gorfodi i geisio meddwl yn eang am sut y gellid ei ddefnyddio. Fe gynigiwyd syniadau oedd yn cynnwys creu lle arno i raglenni Saesneg o Gymru fyddai'n cael eu darparu gan ddarlledwyr eraill; ac fe aed ati i greu gwasanaeth o'r enw'r Coleg Digidol oedd yn cydweithio gyda sefydliadau addysg i ddarlledu cynnwys i ddysgwyr a myfyrwyr yn eu cartrefi. Yn y diwedd, roedd dyfodiad y Cynulliad Cenedlaethol, mwy neu lai yn yr un cyfnod ag yr oedd teledu digidol yn dechrau, yn creu cyfle unigryw ac aethpwyd i gytundeb gyda BBC Cymru i ddarlledu'r Cynulliad yn fyw ar S4C2 gyda bwrdd golygyddol ar y cyd yn goruchwylio'r gwasanaeth. Er na fyddai hyd yn oed y gwleidydd mwyaf tanbaid yn dadlau fod hyn yn mynd i fod yn deledu fyddai'n denu'r miloedd, mi oedd yn ffordd werthfawr o ganiatáu i'r cyhoedd ddilyn trafodion y corff democrataidd cenedlaethol newydd o'r cychwyn un ac fe barhaodd y gwasanaeth hyd nes y daeth hi'n bosibl i'r Cynulliad ei hun ddarparu'r fath wasanaeth ar-lein flynyddoedd yn ddiweddarach.

BBC

Roedd y cytundeb cydweithio yma gyda'r BBC yn rhyw fath o gymodi ymwybodol ar ôl ffrae fawr ynglŷn â hawliau rygbi flwyddyn ynghynt.

Mae'r berthynas rhwng S4C a'r BBC wedi bod yn un gymhleth o'r cychwyn ac yn dal i fod felly. Pan sefydlwyd S4C, ymrwymiad y BBC i'r fenter oedd cynyddu eu horiau wythnosol o raglenni Cymraeg o saith i ddeg a'u rhoi i S4C i'w darlledu. Roedd yna hefyd gynnydd i fod yn y cyllid ar gyfer yr oriau hyn er mwyn sicrhau safon uchel. Aeth y BBC ati'n egnïol i osod eu marc ar gynnyrch y sianel i geisio dangos yn glir mai'r BBC oedd yn dal i wneud y rhaglenni gorau. Roedd y BBC, yn haeddiannol, yn falch iawn o'u cyfraniad hanesyddol i ddarlledu Cymraeg ac roedd yr awydd yma i fod yn gystadleuol yn hollol ddilys ac yn fanteisiol iawn i'r Sianel. Yn ei sgil, cafwyd rhaglenni adloniant arbennig megis *Hapnod* a dramâu fel *Enoc Huws*. Yn ddiweddarach, yng nghyfnod John Stuart Roberts, a gyda'r un cymhelliad o gefnogi trwy fod y gorau, estynnwyd *Pobol y Cwm* i fod yn gyfres pum niwrnod yr wythnos – yr opera sebon gyntaf ym Mhrydain i gymryd y cam hwnnw.

Un arall o gyfraniadau pwysig y BBC i S4C oedd rhaglen *Y Maes Chwarae*. Am flynyddoedd, bu'r *Maes Chwarae* a *Tocyn Tymor* yn darlledu uchafbwyntiau o gemau clybiau rygbi Cymru ar nos Sadwrn gan greu rheswm cryf iawn i ddilynwyr rygbi o bob cefndir ieithyddol i droi at S4C, gan nad oedd rhaglen gyffelyb ar y BBC ei hun tan y diwrnod canlynol.

Tua chanol y 90au, fod bynnag, roedd hi'n weddol glir fod y pwyslais o fewn y BBC yn newid a bod yna awydd i roi mwy o flaenoriaeth i'w gwasanaethau Saesneg yng Nghymru. Fel rhan o bolisi John Birt o ddod o hyd i arbedion ym mhobman er mwyn gwireddu ei gynlluniau ar gyfer teledu digidol, roedd yr arian oedd yn cael ei glustnodi ar gyfer rhaglenni Cymraeg BBC Cymru, sef y rhai oedd yn cael eu gweld ar S4C, wedi cael ei leihau ac roedd rhaglen chwaraeon Saesneg bellach yn dangos uchafbwyntiau'r gemau rygbi yn gynharach ar y nos Sadwrn gan danseilio *Tocyn Tymor*. Elfen arall wnaeth gyfrannu at suro'r berthynas oedd i'r BBC gynnig am ac ennill yr hawliau i ddarlledu dwy gêm fyw o daith tîm Cymru i'r Ariannin. Roedd S4C yn teimlo y dylid bod yn rhannu gemau o'r math yma am yn ail gan ganiatáu i S4C gael cyfle i ddarlledu ambell i gêm fyw yn egscliwsif.

Roedd dyfodiad Sky a'u penderfyniad i dalu arian mawr am hawliau chwaraeon wedi dangos pa mor werthfawr oedd gemau byw yn gallu bod a pha mor boblogaidd oedd hynny gyda gwylwyr. Felly wrth i ddiwedd y cytundeb darlledu rhwng y BBC ac Undeb Rygbi Cymru agosáu yn 1997 roedd yna bryder cynyddol fod gan Sky fwriad, am y tro cyntaf, i gynnig am yr hawliau hyn.

Gydag amser yn dechrau mynd yn dynn ar gyfer cyflwyno cynnig i'r Undeb, gofynnodd y BBC i S4C gyfrannu'n ariannol at gynnig y BBC. Roedd y cynnig yn dal i roi'r flaenoriaeth olygyddol i'r BBC ac yn golygu am y tro cyntaf y byddai S4C yn cyfrannu'n ariannol at y deg awr o raglenni roedd y BBC i fod i'w darparu i S4C am ddim. Y cyd-destun oedd y canfyddiad fod angen i'r cynnig ariannol i'r Undeb Rygbi fod yn llawer uwch nag yn y gorffennol, oherwydd y tebygrwydd o gystadleuaeth gan Sky, ac nad oedd gan BBC Cymru gyllid digonol ar gyfer gwneud hynny.

I ni, roedd hi'n teimlo fod y BBC yn disgwyl cael arian gan S4C ond gan barhau i fod â rheolaeth lwyr dros yr hyn fyddai'n cael ei ddarlledu, ac fe ddaethpwyd i'r casgliad y gallai fod yn well i S4C geisio ennill yr hawliau ei hun ac wedyn dod i drefniant ynglŷn â'u rhannu. Gydag wythnos i fynd, rhoddwyd ar wybod i'r BBC bod hyn dan ystyriaeth ac nad oedd eu cynnig gwreiddiol yn dderbyniol. Ymateb y BBC oedd, i bob pwrpas, bygythiad, sef y byddai gwneud hynny'n beth drwg iawn i S4C yn wleidyddol gan na fyddai'n cael ei weld yn dderbyniol bod sianel Gymraeg yn meddiannu'r hawliau i ddarlledu rygbi clybiau Cymru.

Roeddem yn gallu gweld bod hyn yn berygl a'r canlyniad uniongyrchol oedd i ni ailgydio mewn trafodaeth flaenorol ·gydag HTV. Roedd hi'n weddol amlwg nad oedd gan HTV y modd ariannol i gynnig am yr hawliau eu hunain, ond roedd hi o ddiddordeb iddyn nhw ddod yn bartner gydag S4C er mwyn sicrhau rhywfaint o hawliau. Mantais fawr y trefniant i S4C oedd y byddai'n creu lle amlwg i'r sianel fel prif gartref rygbi clybiau Cymru tra'n tanseilio'r ddadl fod y sianel Gymraeg wedi dwyn yr hawliau oddi ar wylwyr di-Gymraeg.

Tan y funud olaf, roeddwn i'n bersonol yn dal i feddwl y byddai'r ffôn yn canu ac y byddai'r BBC yn dod yn ôl atom gyda gwell cynnig. Er bod y teimlad o fewn S4C yn gryf o blaid mynd am y cytundeb gydag HTV, mae'n fwy na thebyg y byddai cynnig arall mwy cyfartal wedi, o leiaf, gwneud i bobl feddwl. Y ffactor arall yn y gymysgedd oedd agwedd Undeb Rygbi Cymru. Roedd hi'n amlwg fod yna rwystredigaeth wedi tyfu o fewn yr Undeb dros y blynyddoedd o ran y ffordd roedden nhw'n teimlo eu bod yn cael eu trin gan y BBC ac roedden nhw'n wironeddol awyddus i gael cyfnod, o leiaf, lle na fyddai'r BBC i'w gweld yn rheoli darlledu rygbi Cymru.

Erbyn deall, roedd y BBC wedi penderfynu peidio â thrafod ymhellach efo ni oherwydd eu bod wedi llwyddo i berswadio BBC Llundain i roi arian ychwanegol sylweddol iddyn nhw o goffrau'r rhwydwaith i'w galluogi nhw i wneud cynnig roedden nhw'n credu fyddai'n ddigonol i guro unrhyw gynnig arall, p'un ai gennym ni neu gan Sky. Fel y trodd hi allan ein cynnig ni ac HTV oedd yr uchaf, o ryw ychydig, ac felly crëwyd sefyllfa newydd sbon ar gyfer darlledu rygbi yng Nghymru.

Bu'r adwaith gan y BBC yn ffyrnig a chwerw. Torrwyd y gwariant ar nifer o raglenni Cymraeg ac fe ddatblygodd hinsawdd o fewn y BBC yng Nghymru oedd yn bur elyniaethus tuag at S4C a thuag ata' i yn bersonol. Fe wnaed ymgais i lobïo gwleidyddion yn erbyn S4C ac fe gafwyd ymateb gan rai ohonynt. Ar y llaw arall, roedd y cytundeb newydd yn agor y drws i ddatblygiad newydd sbon sef darllediad byw o un o gemau'r clybiau mawr Cymreig ar nos Sadwrn am 5.30. Roedd yn rhaglen boblogaidd tu hwnt; roedd yn golygu bod gwylwyr o bob math yn clywed y Gymraeg yng nghyd-destun chwaraeon poblogaidd ac fe gyflwynodd neges o sianel hyderus oedd yn awyddus i gyrraedd cynulleidfa eang newydd.

Er hynny, mi fûm am flynyddoedd yn meddwl bod y penderfyniad, mwy na thebyg, wedi bod yn gamgymeriad, oherwydd y drwgdeimlad a grëwyd o fewn y BBC ac yn arbennig felly o ran y bobl hynny o fewn y BBC oedd yn gweithio ar raglenni Cymraeg. Erbyn heddiw, dydw i ddim mor siŵr. Er i'r profiad ar y pryd fod yn un poenus, fe ddaeth S4C drwyddi ac mae cyfrifoldeb a hawl y sianel i fod yn un o brif ddarparwyr chwaraeon Cymreig ar y teledu, bellach yn cael ei gydnabod yn ddi-gwestiwn. Bedair blynedd yn ddiweddarach, roedd yn rhaid ail-gynnig am yr hawliau ac aethpwyd i drafodaeth gyda'r BBC unwaith yn rhagor. Y tro hwn, gyda'r canfyddiad o barodrwydd S4C i wneud cynnig annibynnol yn gefndir, fe lwyddwyd i ddod i gytundeb cyfartal a theg wnaeth barhau, mewn rhyw ffurf neu'i gilydd, tan 2019.

Llygad ar y sgrin

Ffrae arall oedd â thipyn o egni emosiynol ynghlwm â hi oedd honno yn ymwneud â'r defnydd o Saesneg ar S4C.

Mae canllawiau S4C i gynhyrchwyr ynglŷn â chynnwys Saesneg o fewn rhaglenni Cymraeg, wastad wedi osgoi dweud 'na, dim Saesneg ar unrhyw gyfri', ac mae hynny wedi bod yn broblem i rai o gefnogwyr y Sianel. Ar wahanol adegau, mae hi wedi gallu teimlo fel pe bai S4C yn fwriadol yn ceisio gwthio ffiniau yr hyn sy'n dderbyniol. Roedd y gyfres *Dinas* yn yr 80au yn cynnwys cymeriadau di-Gymraeg ac roedd 'na dipyn go lew o Saesneg ynddi. Roedd y gyfres dditectif *Bowen a'i Bartner* yn gwneud yr un peth a phan ddaeth *Heno* i fodolaeth yn 1990 roedd y rhaglen yn cynnwys eitem Saesneg bob noson mewn ymgais i ehangu ei hapêl.

Yn bersonol, doeddwn i erioed yn gwbl gyfforddus gydag arbrofion felly, yn bennaf oherwydd nad oeddwn yn teimlo eu bod yn gweithio. Doedd yna ddim digon o Saesneg i wneud y rhaglen yn wirioneddol ddeniadol i rywun di-Gymraeg ac roedd hi'n gallu teimlo fod ynddyn nhw ormod o Saesneg i bobl oedd wedi gwneud y dewis i droi at y sianel Gymraeg.

Pan ddechreuais y swydd, fodd bynnag, doedd hwn ddim yn fater oedd ar ben fy rhestr flaenoriaethau, un ffordd neu'r llall. Roeddwn yn credu'n eitha' cryf yn yr angen i gynhyrchydd gael tipyn go lew o ryddid i ddilyn ei weledigaeth ei hun, fel roeddwn i wedi cael, ac roedd hynny'n cynnwys y rhyddid i ddehongli'r pwnc dan sylw mewn modd creadigol. Ond rywsut daeth y pwnc yn fater dadleuol unwaith yn rhagor.

Roedd Radio Cymru wedi bod dan y lach ar ôl iddyn nhw gyflwyno polisi bwriadol o gynnwys rhywfaint o gerddoriaeth Saesneg o fewn eu rhaglenni ac i fynnu bod cyflwynwyr yn defnyddio enwau Saesneg ar lefydd cyfarwydd, ochr yn ochr â'r enwau Cymraeg, ee Caerlŷr/*Leicester*. Er mai Radio Cymru oedd targed gwreiddiol Cylch yr Iaith, y grŵp a ffurfiwyd i yrru'r ymgyrch yma yn ei blaen, cyn bo hir iawn daeth S4C yn darged hefyd. Wrth i S4C amddiffyn hawl cynhyrchwyr i gynnwys Saesneg o fewn rhaglenni mewn sefyllfaoedd lle'r oedd yna gyfiawnhad golygyddol i hynny roedd hynny'n cael ei ddehongli fel *cyfarwyddyd* gan S4C i gynhyrchwyr i wneud mwy o ddefnydd o'r Saesneg. Teg dweud nad oedd pob aelod o Gylch yr Iaith chwaith yn gweld y mater yn ddu a gwyn. Roedd y defnydd sylweddol o Saesneg yn y gyfres boblogaidd *Pam Fi Duw?* yn cael ei weld gan rai, o leiaf, fel rhywbeth y gellid ei gyfiawnhau oherwydd cyd-destun ac amcan golygyddol y rhaglen.

Cynhaliwyd mwy nag un cyfarfod eithaf poeth gyda chynrychiolwyr Cylch yr Iaith. Roedd unigolion yn dechrau bygwth gwrthod talu am eu trwydded deledu oni bai fod polisïau'r BBC ac S4C yn newid ac roedd y ddadl yn cael ei hadlewyrchu yn rhai o'r cyfarfodydd cyhoeddus y byddem yn eu cynnal ar hyd a lled y wlad.

Un noson, fe benderfynais wylio'r gwasanaeth ar ei hyd. Doedd hyn ddim yn beth arferol oherwydd galwadau eraill gyda'r nos ac roeddwn yn tueddu i wylio rhaglenni fesul un, naill ai ymlaen llaw, neu wedi'u recordio. Y noson honno mi ges i dipyn o syndod o ddarganfod fod pob yn ail raglen roeddwn yn ei gwylio yn cynnwys yr hyn roeddwn i fy hun yn ei ystyried oedd yn ormod o Saesneg. O edrych ar bob rhaglen yn unigol, gallwn weld fod yna gyfiawnhad golygyddol posibl i'r elfen o gynnwys Saesneg, ond o roi'r cyfan at ei gilydd, un ar ôl y llall, roedd hi'n hawdd gweld sut y gallai gwylwyr gael y teimlad bod natur S4C yn newid.

Dyma oedd sail y neges y gwnes i ei chyflwyno mewn cyfarfod arbennig o'r holl gynhyrchwyr a gynhaliwyd yn y Llyfrgell Genedlaethol yn Aberystwyth ychydig yn ddiweddarach. Mae pob cynhyrchydd yn anochel yn ystyried bod eu rhaglenni'n unigryw. Mae gwthio'r ffiniau, ym mhob ystyr, yn rhywbeth i ymfalchïo ynddo. Ond pan roedd cynhyrchydd pob rhaglen yn gwneud hynny yr un pryd, y canlyniad oedd newid natur y gwasanaeth. Roeddem felly yn gofyn i gynhyrchwyr feddwl yn ofalus am sut i gyflwyno'r cynnwys yn Gymraeg, gan gyfyngu defnydd o'r Saesneg i sefyllfaoedd oedd yn wirioneddol angenrheidiol. Chwarae teg, fe newidiodd pethau'n sydyn wrth i bawb ystyried cwestiwn iaith eu rhaglenni mewn cyd-destun ehangach. Doedden ni'n dal ddim am wahardd pob defnydd o'r Saesneg a doedd hynny ddim yn plesio pawb ond rydw i'n dal i gredu mai dyna sy'n gywir ac mai'r pris am gadw'r rhyddid yna ydi'r angen i swyddogion y sianel, yn ogystal â chynhyrchwyr, warchod y ffin yn ofalus.

Mater arall oedd pa fath o Gymraeg ddylid ei ddefnyddio o fewn rhaglen ac roeddwn yn llwyr gefnogol i ganiatáu i raglenni ddod o hyd i gywair ieithyddol priodol ar gyfer pa gynulleidfa bynnag roedden nhw'n anelu ati. Roeddwn yn cefnogi pob ymdrech i sicrhau fod Cymry oedd yn teimlo 'nad oedd eu Cymraeg yn ddigon da' byth yn dweud hynny pan oedd gwahoddiad yn dod iddyn nhw gymryd rhan. Roedd y stori fod un o arwyr rygbi Cymru yn y 70au wedi cael rhywun yn beirniadu ei iaith wrth fynd o flaen camera ac wedi penderfynu na fyddai byth eto'n gwneud cyfweliadau Cymraeg, wedi gwneud argraff fawr arna' i.

Fyddwn i ddim am i neb feddwl mai dim ond ffraeo roeddwn i'n ei wneud pan oeddwn i'n Brif Weithredwr S4C, ond mae gen i bennod arall i'w hadrodd sy'n ymwneud â gwrthdaro gyda'r cyhoedd, er yn yr achos hwn mai dod i mewn fel rhyw fath o ddyfarnwr wnes i. Yr achos oedd helynt y bleidlais ar *Cân i Gymru*. Ers rhai blynyddoedd, roedd y gystadleuaeth i ddod o hyd i gân bop newydd fyddai'n ennill gwobr o £10,000 ac yn cynrychioli Cymru yn yr Ŵyl Ban Geltaidd yn Iwerddon, yn defnyddio pleidlais ffôn gan y gynulleidfa adref er mwyn gwneud y dewis. Yn y flwyddyn 2000 aeth rhywbeth technegol o'i le gyda'r system ffôn oedd yn golygu nad oedd yn bosibl i'r holl bleidleisiau gafodd eu bwrw gael eu cyfri. Yn lle datgan i'r byd yr hyn oedd wedi digwydd, be wnaeth y cwmni cynhyrchu ar y noson ond amcangyfrif be roedden nhw'n meddwl fyddai wedi digwydd pe bai'r patrwm pleidleisio wedi parhau. Yn anffodus iddyn nhw, fe sylwodd rhai gwylwyr craff, oedd wedi methu bwrw eu pleidlais, fod yna rywbeth o'i le yn niferoedd y pleidleisiau oedd yn cael eu dangos ar y sgrin, gan fwrw amheuaeth ar ddilysrwydd y canlyniad.

Aeth rhai gwylwyr ati'r diwrnod canlynol i godi cwestiwn ynglŷn â hyn ar raglenni radio ac yn anffodus, gwnaeth y cynhyrchydd a swyddogion S4C y camgymeriad o amddiffyn yr hyn oedd wedi digwydd. Dwi'n meddwl fod yna duedd weithiau i gynhyrchwyr teledu feddwl mai'r flaenoriaeth fawr ydi creu stori ddeniadol. Cafwyd enghraifft o hyn yn ddiweddar ar un o gyfresi natur David Attenborough pan ddarganfuwyd fod rhai o'r lluniau wedi cael eu saethu dan amgylchiadau wedi'u rheoli, yn hytrach nag yn y gwyllt fel roedd y rhaglen yn awgrymu. Hynny yw, i gynhyrchwyr *Cân i Gymru* fel i rai rhaglen Attenborough, dweud stori oedd fwy neu lai'n wir oedd yn bwysig heb boeni os oedd hi'n llythrennol gywir ai peidio. Roedd hyn yn gamgymeriad. Unwaith rydych chi wedi dweud wrth wylwyr gartref mai nhw sy'n cael penderfynu rhywbeth, yna wiw i chi wneud rhywbeth wedyn sy'n groes i hynny. Dyma'r egwyddor wnaeth y protestwyr afael ynddi a bu'n rhaid i minnau gamu i mewn, cynnal ymchwiliad mewnol i'r hyn oedd wedi digwydd, ac yn y diwedd eu cyfarfod, cydnabod y ffeithiau a sicrhau bod S4C yn darlledu ymddiheuriad. Y wers – parchwch y gynulleidfa, dwedwch y gwir ac ymddiheurwch yn sydyn.

Un o'r pethau anodd ynglŷn â swydd Prif Weithredwr sianel deledu ydi cyn lleied o ddylanwad uniongyrchol sydd gynnoch chi ar yr hyn sy'n cyrraedd y sgrin ar ddiwedd y dydd. Mi fedrwch chi ddatgan eich bod chi'n dymuno cael 30 o oriau o raglenni gwych pob wythnos o'r flwyddyn ond fedrwch chi ddim gwarantu mai dyna fyddwch chi'n ei gael. I rywun sydd wedi arfer gweithio ar raglenni a dilyn ei reddf wrth wneud hynny, mae'n rhwystredig i orfod cyfyngu'ch hun i osod cyfeiriad, blaenoriaethu a chamu'n ôl. Fedra' i ddim gweld fod yna unrhyw ddewis ond gwneud hynny – gydag elfen gref o adolygu a beirniadaeth ar ôl i'r rhaglenni gyrraedd.

Er hynny, roedd yna ambell i gyfle i gael dylanwad uniongyrchol ar gynnwys rhaglenni. Roedd gwaith da wedi ei wneud gyda rhaglenni plant dros y blynyddoedd ond roedd denu gwylwyr yn eu harddegau yn her enfawr. Roedd comisiynu *Rownd a Rownd* yn rhan o fy ateb i hyn ac fe aed gam ymhellach trwy glustnodi nos Iau fel noson fyddai'n canolbwyntio ar bobl ifanc yn benodol. Am gyfnod, cafwyd cryn lwyddiant gyda'r polisi yma, yn enwedig pan oedd y cylchgrawn cerddorol *i-dot* a *Pam Fi Duw?* yn rhedeg gefn wrth gefn. Cynnal noson fel yna gyda deunydd cryf ar hyd y flwyddyn oedd yr her.

Roedd Bryn Terfel wedi bod gen i ar *Noson Lawen* a *Taro Tant* yn ei arddegau, felly roeddwn yn benderfynol o gael cyfres ganddo ac yntau nawr yn seren fyd-eang. Cytunodd Bryn, chwarae teg, ac ar hyd ei yrfa mae wedi rhoi amser yn ei galendar prysur i wneud rhaglenni'n rheolaidd i S4C.

Roedd Hanes Cymru'n faes lle comisiynwyd rhaglenni cofiadwy gan Cenwyn Edwards, ac fe sbardunodd troad y mileniwm gyfresi dogfen arbennig yn edrych yn ôl ar y ganrif trwy lygaid unigolion a haneswyr. Cytunodd fy ffrind coleg Vivian Davies i lunio cyfres am ddarganfyddiadau hynafol yn yr Aifft a llwyddwyd i werthu honno i 29 o wledydd.

Fe gawson ni gan Chris Grace weledigaeth uchelgeisiol ar gyfer animeiddio chwedlau a chrefyddau'r byd. Roedd yn gynllun costus ond fe gyrhaeddodd y rhaglenni yma hefyd gynulleidfaoedd ar draws y byd. Enillodd animeiddwyr S4C ddau enwebiad Oscar a chrëwyd dwy ffilm fawr ganddynt, sef *Gŵr y Gwyrthiau* a'r *Mabinogi*.

Bob hyn a hyn, byddai rhywun yn dod â syniad ata' i'n uniongyrchol, ac er mod i fel arfer yn barchus iawn o hawliau'r Cyfarwyddwr Rhaglenni a'r Comisiynwyr, weithiau mi fyddwn yn mentro dweud – 'dwi am i ni ffeindio cyllid ar gyfer hwn, doed a ddêl'. Achlysur felly oedd hi pan ddaeth Ed Thomas a Marc Evans i 'ngweld pan oedd Marc eisoes wedi sefydlu ei hun fel cyfarwyddwr ffilm adnabyddus. Y syniad oedd ffilm yn seiliedig ar gyfres o ddehongliadau unigol a phersonol o farddoniaeth Gymraeg ar draws y canrifoedd. Mae *Dal Yma: Nawr* yn dal yn waith heriol a thrawiadol rydw i'n falch o fod yn gysylltiedig ag ef. Dyma'r cyfnod pan oedd Ioan Gruffydd a Mathew Rhys, dau o'r sêr sydd yn y ffilm yna, yn dechrau gwneud enwau iddyn nhw'u hunain. Maen nhw'n dal i sôn gyda diolch am fod yn westeion i S4C yn Wembley y diwrnod y curodd Scott Gibbs y Saeson.

Roedd achlysuron o'r math yna yn ysgafnhau tipyn ar yr hyn oedd yn gallu teimlo weithiau fel job oedd â mwy na'i siâr o bwysau. Roedd seremonïau gwobrwyo'n gyfle arall. Roedd yna ryw 800 o bobl yn bresennol mewn gwesty mawreddog yn Llundain pan aeth Dewi Pws i'r llwyfan i dderbyn gwobr yr RTS am y *'Best Regional Presenter'* yn sgil ei raglen *Byd Pws:*

'I'd just like to say a word of thanks to Mrs Jenkins, number 44 Tyler Street, Morriston...'

a dyma'r gynulleidfa o gyfryngis Llundain yn eu dici-bows yn dechrau anesmwytho ar unwaith gan feddwl eu bod am gael rhestr feichus o ddiolchiadau i bobl na chlywodd neb erioed amdanynt, *'...who's been giving me one every Wednesday afternoon for the last 10 years. Thank you.'* Ac i ffwrdd â fo, gan adael y gynulleidfa yn gegrwth – *'What did he just say?'* – ac wedyn yn sgrechian chwerthin – fod y boi bach yma o Gymru, nad oedd neb yn ei adnabod, wedi bod mor feiddgar.

'I never thought' medde Jonathan Ross, cyflwynydd y noson *'that I'd be upstaged by a "regional presenter"!'* Bu cymwynasau Mrs Jenkins yn destun cyfeiriadau niferus am weddill y noson.

Un o'r siomedigaethau personol oedd i ni fethu â dod o hyd i gomedi sefyllfa newydd wirioneddol gref. Roedd *C'mon Midffild* yn dod i ddiwedd ei hoes naturiol, ryfeddol o lwyddiannus, ac er i *Naw tan Naw* gyda Maldwyn John roi cynnig teg arni, ddaeth yna ddim byd i gydio yn nychymyg y genedl yn yr un ffordd. Yn gynyddol, yn lle cyfresi comedi pur, yr hyn oedd yn llwyddo i wneud i bobl wenu oedd ysgafnder a ffraethineb o fewn dramâu ac mae hynny'n fy arwain i sôn am un comisiynydd yn benodol.

Roedd Drama wedi bod yn faes lle'r oedd S4C wedi bod yn gryf o'r cychwyn ac roedd Dafydd Huw Williams, gyda'i ddawn arbennig i ddadansoddi a golygu sgript, wedi bod yn gyfrifol am ddod â nifer sylweddol o uchafbwyntiau i'r sgrin gan gynnwys *Tair Chwaer, Pris y Farchnad* a'r *Palmant Aur,* gan goroni'r cyfan gyda'r enwebiad Oscar ar gyfer y ffilm *Hedd Wyn.* Felly roedd y cwestiwn o pwy fyddai'n olynu Dafydd yn un pwysig. Pan benderfynwyd cynnig y swydd i Angharad Jones roedd yna godi aeliau mewn sawl man. 'Penderfyniad dewr' oedd disgrifiad un darlledwr amlwg. Roedd hynny oherwydd mai awdur a sgriptwraig oedd Angharad, heb fod wedi cael unrhyw brofiad o gynhyrchu na chyfarwyddo. Roedd hi hefyd yn dipyn o rebel, gydag enw am fynegi ei barn yn blaen ar bob math o bynciau. Ond roedd wedi dangos ei dawn sgriptio ers blynyddoedd lawer ac yn ei chyfweliad wedi dangos y gallu i ddadansoddi yr hyn y byddai'n dymuno ei wneud gyda pholisi drama S4C pe bai hi'n cael y cyfle.

Ddechreuodd ein perthynas yn y gwaith ddim yn wych gan mai un o'r pethau roedd hi am wneud oedd canslo'r ffilm *Solomon a Gaenor* a oedd wedi bod ar y gweill ers peth amser a'r cytundeb yn barod i'w arwyddo. Roedd Angharad wedi cael ei hargyhoeddi nad oedd sail y stori, sef erlid ar Iddewon yng nghymoedd y De ar ddechrau'r ganrif, yn hanesyddol gywir. Doedd hi hefyd ddim wedi cyd-dynnu gyda chynhyrchydd a chyfarwyddwr y ffilm. Bu'n rhaid i mi gamu i'r bwlch ar ôl cael barn wahanol ynglŷn â chywirdeb y cefndir hanesyddol, a datgan bod y cyd-gynhyrchiad yma wedi mynd yn rhy bell i'w dynnu'n ôl. Peth da, mae'n debyg, gan i'r ffilm fynd yn ei blaen i gael enwebiad Oscar arall i S4C.

Roedd yn nodweddiadol o Angharad, fodd bynnag, ei bod hi am ddilyn ei greddf ei hun mewn perthynas â'r holl arlwy drama o'r cychwyn cyntaf. Fe welodd yr angen i'r arlwy fod yn amrywiol ac yn safonol, gydag elfennau oedd yn anelu at fod yn boblogaidd iawn yn ogystal â chael lle i ddeunydd mwy heriol. Roedd hi wrth ei bodd yn trafod ac yn dadlau ac am fy mod innau'n rhannu'r elfen honno, roedd yna duedd iddi hi, yn fwy nag unrhyw gomisiynydd arall, fy nefnyddio fel talcen i daro syniadau yn ei erbyn – er y byddai pob dadl yn gorffen gyda'i brawddeg arferol: 'Mae'n rhaid i ti gofio mai fi sy'n iawn'.

Cryfder mawr Angharad oedd ei hymwneud gydag awduron a sgriptwyr, yn arbennig merched, ac fe gawsom ganddi gyfres o gomisiynau gwefreiddiol a chofiadwy, gyda'r amrywiaeth ynddyn nhw yn cyflawni'r ehangder roedd hi'n chwilio amdano. Dyna i chi *Amdani*, y cyfresi am dîm rygbi merched, *Tipyn o*

Stad â'i deuluoedd caled, cofiadwy, *Iechyd Da*, a leolwyd yng nghymoedd y De, *Y Wisg Sidan*, addasiad o nofel hanesyddol enwog, a *Talcen Caled*, cyfres gofiadwy Meic Povey am fywyd dan bwysau mewn tref ogleddol. Cyflwynodd waith Delyth Jones i'r sgrin am y tro cyntaf gyda *Fondue Rhyw a Deinosors* gydag ymddangosiad trawiadol Richard Harrington ar y sgrin; ac aeth â ni i fyd *sci-fi* gyda chyfres o'r enw *Arachnid*. Efallai mai ei gofal o'r awdures Siwan Jones oedd fwyaf arbennig wrth roi iddi'r amser a'r gefnogaeth i symud o'i llwyddiant mawr gyda *Tair Chwaer* i'r gyfres sydd i mi yn dal i fod efallai'r peth gorau sydd wedi cael ei weld ar S4C, sef *Con Passionate*, cyfres gwbl wreiddiol, llawn dychymyg a hiwmor am gôr meibion sy'n dewis merch i fod yn arweinydd – yn Gymreig ac ar yr un pryd yn ddealladwy i gynulleidfa ym mhobman. Roedd gallu eistedd yn ôl a gwylio'r cyfresi hyn yn cyrraedd y sgrin, un ar ôl y llall, a medru eu mwynhau gan wybod fod miloedd o bobl eraill yn gwneud hynny hefyd, yn agos at fod y peth gorau am y profiad o fod yn y swydd.

Deddfu (2)

Erbyn 2003 roedd yna Lywodraeth newydd mewn grym ac unwaith yn rhagor roedd yna fwriad i ddeddfu. Y tro hwn, y maes cyfathrebu yn ei gyfanrwydd oedd dan sylw, felly Deddf Gyfathrebu fyddai hon nid Deddf Ddarlledu. Yn y blynyddoedd yn arwain at y Mesur yma, roedd y darlledwyr traddodiadol wedi cael blynyddoedd da. Roedd yna gynnydd da wedi bod yn ffi'r drwydded deledu ac ar ben hynny roedd nifer y cartrefi ym Mhrydain wedi tyfu gan arwain at gynnydd sylweddol yn incwm y BBC. Roedd hyn wedi caniatáu iddyn nhw wario'n sylweddol ar gyflwyno gwasanaethau ar-lein yn ogystal â sianeli digidol newydd. Erbyn hyn, fodd bynnag, roedd y cwmnïau cynhyrchu annibynnol Prydeinig yn rhwystredig ynglŷn â'r telerau roeddwn nhw'n eu derbyn gan y darlledwyr wrth gael eu comisiynu i wneud rhaglenni. Yn eu barn nhw, doedden nhw ddim yn gytbwys.

Gyda Deddf 2003 daeth Ofcom i fodolaeth i reoleiddio'r holl sector gyfathrebu, gan gynnwys darlledu. Crëwyd Ymddiriedolaeth y BBC fel corff ar wahân i'r BBC ei hun, a gosod cyfrifoldeb ar y corff hwnnw i sicrhau na fyddai'r BBC yn sathru cystadleuaeth. Rhoddwyd yr holl gyfrifoldeb am reoleiddio cynnwys ar y sgrin yn nwylo Ofcom. Roedd hyn yn cynnwys, yn ffurfiol, trosglwyddo cyfrifoldebau rheoleiddio cynnwys oddi wrth Awdurdod S4C i Ofcom. Ar y pryd, doedd hyn ddim yn cael ei weld fel rhywbeth i'w wrthwynebu, gan fod S4C eisoes yn cydymffurfio gyda chodau'r ITC, rhagflaenydd Ofcom. Maes o law, byddai absenoldeb cyfrifoldebau rheoleiddio clir yn ei gwneud hi'n haws i adolygiad Euryn Ogwen yn 2018 argymell y dylai Awdurdod S4C beidio â bod yn gorff rheoleiddio.

Un o'r pethau pwysicaf yn Neddf 2003 oedd mynnu nad oedd darlledwyr oedd yn comisiynu rhaglenni oddi wrth gwmnïau annibynnol yn cael cadw holl hawliau'r rhaglenni hynny. O hynny ymlaen, dim ond trwydded, fel arfer am bum mlynedd, fyddai'r darlledwyr yn ei gael gan y cynhyrchwyr annibynnol hyd yn oed os byddai'r darlledwr yn ariannu 100% o gostau'r cynhyrchiad. Bwriad y cymal hwn oedd ei gwneud hi'n bosibl i gwmnïau annibynnol Prydain dyfu fel cwmnïau masnachol go iawn gan werthu'r hawliau hyn mewn marchnadoedd tramor. Yn hyn o beth, fe lwyddodd yn dda iawn, gan i'r sector annibynnol Brydeinig dyfu'n sylweddol yn y blynyddoedd wedi hynny gan greu nifer o gwmnïau llewyrchus iawn, yn greadigol ac yn ariannol.

Yr effaith fwyaf fyddai hyn yn ei gael ar S4C fyddai diddymu'r gallu i farchnata rhaglenni S4C yn rhyngwladol fel un pecyn o raglenni. Bellach byddai'r cyfrifoldeb am wneud hynny yn disgyn ar ysgwyddau'r cwmnïau fyddai'n eu creu nhw. Ond roedd 'na un maes lle'r oeddem yn gweld y gallai hyn fod yn broblem, sef maes rhaglenni plant. Roedd rhaglenni *Planed Plant* ar S4C Digidol yn dibynnu'n drwm ar y gallu i ailddangos rhaglenni a wnaed dros y blynyddoedd – o

Sam Tân a *Sali Mali* i *Tecwyn y Tractor* – heb dâl ychwanegol. Roedd hi'n amlwg pe bai angen ailbrynu'r hawliau i raglenni plant bob pum mlynedd, neu pe na bai hawl i'w dangos fwy na hyn a hyn o weithiau heb dalu ymhellach, y byddai hyn yn tanseilio'r gallu i ddarparu gwasanaeth plant ar yr un llinellau. Cyflwynwyd y ddadl yma i TAC, y corff oedd yn cynrychioli'r cynhyrchwyr annibynnol yng Nghymru. Fe welodd TAC y pwynt ar unwaith a chytuno i lobïo ochr yn ochr ag S4C i sicrhau eithriad i'r orfodaeth yma yn achos rhaglenni plant yn yr iaith Gymraeg. Enillwyd y dydd ac, maes o law, roedd hyn i fod yn elfen gwbl hanfodol yn y cynllunio ar gyfer creu gwasanaeth *Cyw*.

Pan osodwyd Deddf Gyfathrebu 2003 ar y llyfrau statud, felly, teimlwn mod i wedi gweld hen ddigon o Dŷ'r Cyffredin a Whitehall. Ychydig a wyddwn i y byddai'n rhaid dod i ailadnabod y lle bron i ddegawd yn ddiweddarach.

Masnachu

Mae gan Emyr Byron Hughes le unigryw yn hanes S4C. Cyfreithiwr gyda Chyngor Sir Gwynedd oedd Emyr cyn iddo ymateb i hysbyseb yn 1981 a ddaeth ag o i Gaerdydd i fod yn Gyfreithiwr S4C. Erbyn 1994 fo oedd Ysgrifennydd a Chyfarwyddwr Polisi'r corff.

Roedd gan Emyr feddwl rhyfeddol. Roedd yn un o'r rheini oedd yn gallu gweld rownd corneli. Roedd o wrth ei fodd gyda sefyllfaoedd cymhleth. Mwya' cymhleth oedd y sefyllfa, mwya'n y byd oedd diléit Emyr. Yn wir, ei gyfraniad rheolaidd i unrhyw drafodaeth oedd; 'Mae gen i ofn ei bod hi 'chydig bach yn fwy cymhleth na hynny', cyn mynd ymlaen i ddrysu meddyliau pawb oedd yn rhan o'r sgwrs gan nodi ystyriaethau nad oedd neb arall wedi meddwl amdanyn nhw. Roedd hyn yn gallu bod yn anfanteisiol pan mai'r hyn oedd ei angen oedd dod i benderfyniad cyflym. Ar y llaw arall, gallai fod yn fanteisiol iawn mewn sefyllfa lle'r oedd popeth yn newydd a neb wedi troedio'r tir o'r blaen.

Felly roedd hi pan ymddangosodd y canllawiau a grëwyd gan y Comisiwn Teledu Annibynnol ar gyfer teledu digidol yn 1996. Un o gyfrifoldebau Emyr fel Ysgrifennydd oedd trafod telerau gydag NTL, y cwmni oedd yn gyfrifol am redeg y mastiau darlledu oedd yn cario signal S4C trwy Gymru. Emyr hefyd oedd wedi cael y cyfrifoldeb o greu'r system o werthu hysbysebion ar S4C yn dilyn Deddf 1990. Roedd y ddau gyfrifoldeb wedi mynd â fo ymhell i fewn i goridorau rheoleiddio a masnach y byd teledu Prydeinig.

Roedd yr ITC wedi creu trefn reit gymhleth ar gyfer cyflwyno teledu digidol. Roedd 'na ddau blethiad yn cael eu cadw ar gyfer y gwasanaethau cyhoeddus – BBC, ITV a C4. Wedyn roedd yna dri phlethiad i gwmnïau masnachol gystadlu amdanyn nhw, a doedd yr un cwmni masnachol yn cael rhedeg mwy na thri. Yn olaf, roedd yna un plethiad arall, o'r enw plethiad A, oedd yn blethiad masnachol ac ar gael i'w gystadlu amdano, ond gyda rhai dyletswyddau darlledu cyhoeddus. Un o'r dyletswyddau yma oedd darlledu S4C yng Nghymru ac un arall oedd darlledu rhywfaint o raglenni Gaeleg yn yr Alban (roedd hyn cyn sefydlu BBC Alba). Roedd yna gryn ddyfalu pwy fyddai'n cystadlu am y trwyddedau ar gyfer y tri phlethiad masnachol a chyn bo hir fe ddaeth hi'n amlwg mai brwydr fyddai hi am y cyfan rhwng NTL, y cwmni mastiau, a chonsortiwm o'r ddau gwmni ITV mwyaf sef Carlton a Granada. Dyma fyddai cyfle mawr y cwmnïau hyn i ymladd yn ôl yn erbyn Sky trwy gynnig gwasanaethau newydd y byddai pobl yn tanysgrifio amdanyn nhw.

Prif ddiddordeb S4C ar y cychwyn oedd ceisio dyfalu pwy fyddai'n cael y drwydded i redeg plethiad A, ond rywbryd yn ei drafodaethau gydag NTL, tynnwyd sylw Emyr at y ffaith nad oedd yna ddim sôn yn y byd mawr y tu allan i Gymru am enw neb oedd â bwriad i gynnig am y drwydded i redeg y plethiad cymhleth hwn. Roedd NTL eu hunain yn canolbwyntio ar eu cais am blethiadau B, C, a D. Oedd S4C wedi meddwl cynnig rhedeg plethiad A eu hunain?

Dyma'r cwestiwn yr oedd Emyr yn awyddus i'w drafod â mi un bore, gyda holl fanylder ei arddull arferol. Roedd y rhyddid masnachol newydd roedd S4C wedi'i ennill yn Neddf Darlledu 2003 yn gwneud hynny'n bosibl. Roedd NTL yn addo pob math o gymorth technegol pe bai S4C yn dymuno gwneud cais. Y prif ansicrwydd oedd beth fyddai natur y cynllun busnes a'r gofyn ariannol.

Fy mhrif gyfraniad i'r drafodaeth bryd hynny oedd y canfyddiad mai'r hyn oedd 'ar werth' oedd darn penodol o rywbeth cyfyngedig. Hynny yw, yn yr un modd ag y mae pobl yn dadlau fod tir yn arbennig o werthfawr oherwydd nad ydi Duw yn mynd i greu dim mwy ohono fo, roedd y darn yma o'r awyr yn debyg o fod yn werthfawr oherwydd mai dim ond hyn a hyn ohono fo oedd yn mynd i gael ei greu. Roedd hi hefyd yn ymddangos fod y prif bwerau yn y byd darlledu Prydeinig, sef y BBC ac ITV, yn mynd i wario'n drwm er mwyn datblygu'r tir digidol yn gyffredinol, oedd yn golygu y gallai chwaraewr llai o faint efallai gymryd mantais o'r hyn roedden nhw'n bwriadu'i wneud.

Ddiwrnod neu ddau yn ddiweddarach, roeddwn yn un o giniawau difyr yr RTS yn Llundain. Roeddwn erbyn hyn wedi dod i adnabod rhai o brif wynebau'r diwydiant ac roeddwn yn eistedd nesaf at ddyn o Yorkshire Television. Roedd o hefyd wedi sylwi ar nodweddion unigryw plethiad A ac fe'i gwnaeth hi'n glir pe bai S4C yn penderfynu gwneud cais a bod angen partner ariannol wedyn, y gallai Yorkshire fod â diddordeb.

Gan dynnu ar ei wahanol gysylltiadau yn y diwydiant, aeth Emyr ati i lunio cynllun manwl a chredadwy ar gyfer cais ac fe'i hanfonwyd i mewn erbyn y dyddiad cau. Yn ddiweddarach, cefais ar ddeall gan Brif Weithredwr yr ITC eu bod nhw'n ddiolchgar iawn i S4C am wneud hynny gan mai eu pryder mawr ar y pryd oedd na fyddai yna gais o unrhyw fath yn dod i fewn am y plethiad hwn, ac y byddai hynny wedi codi cwestiynau cyhoeddus anodd am y cynllun roedden nhw wedi ei greu.

Cyn bo hir iawn, daeth y newyddion fod yr ITC yn penderfynu'n ffurfiol i ddyfarnu'r drwydded i SDN[7] ond eu bod am roi amod arnom. Yr amod hwnnw oedd bod yn rhaid i S4C gael partner masnachol yn y fenter a pheidio â dal mwy na hanner y cyfranddaliadau ei hun. Roedd yna dipyn o lobïo ar yr ITC wedi bod yn mynd ymlaen i ddadlau nad oedd gan S4C y profiad na'r cyllid digonol i fod yn cymryd cyfrifoldeb am yr holl fenter ac roedd yna wirionedd yn hynny.

Roedd gennym dri mis i ddod o hyd i bartner masnachol newydd ac agorodd hwn y drws i gyfnod rhyfeddol. Gyda dyfarniad yr ITC yn ein pocedi aethom ati i gynnal ocsiwn. Unwaith roedd y darlun ar gyfer plethiadau B, C ac D yn glir, sef mai ITV Digital fyddai'n gyfrifol amdanynt, daeth sylw mawr i gyfeiriad plethiad A gyda'r sylweddoliad bod yma ddarn o ofod â gwerth masnachol iddo. Taenwyd y rhwyd yn eang a buom yn trafod gyda nifer sylweddol o gyrff yn Llundain a phob un yn methu deall yn iawn sut yr oedden nhw yn y sefyllfa yma o fod, ar ôl edrych ar y peth yn ofalus, yn awyddus iawn i ddod i mewn i'r fenter ond er mwyn gwneud hynny yn gorfod gwneud cais i sianel deledu oedd yn arbenigo yn yr iaith Gymraeg.

Un o'r cyfarfodydd mwyaf swreal oedd yr un a gawson ni yn swyddfeydd y *Daily Mail* gyda Syr David English, y golygydd. Un arall oedd gyda Kelvin MacKenzie, golygydd y *Sun*. Roedd y wasg Brydeinig yn gyffredinol yn synhwyro y gallai teledu digidol fod yn ffordd iddyn nhw gystadlu am ddarn o fasnach y byd teledu. Roedd Yorkshire ar ddiwedd y dydd wedi penderfynu peidio â bwrw 'mlaen ac roedd NTL wedi colli i ITV yn y frwydr i ennill y plethiadau eraill. Dechreuodd hi ddod yn amlwg mai'r partneriaid gorau i ni fyddai NTL a chwmni United (UBM wedyn), oedd yn gyfrifol am redeg teledu masnachol yn Ne Lloegr. Roeddem yn teimlo ei bod yn well i ni gael dau bartner yn hytrach nag un, i gadw'r ddysgl yn wastad.

---

[7] S4C Digital Networks

Bu'r daith i droi SDN yn gwmni proffidiol yn un hir, gyda sawl tro ar y ffordd. Cytunwyd i is-osod mwyafrif y gofod i'w ddefnyddio gan wasanaethau tanysgrifio ITV Digital. Yn anffodus, methodd y cwmni hwnnw â thorri drwodd gan gael ei wasgu gan gystadleuaeth effeithiol gan Sky ar loeren. Aeth y cwmni i'r wal yn 2002 ac am gyfnod roedd hi'n edrych yn bur ddu ar SDN.

Roedd y cynllun busnes yn golygu bod S4C trwy ei hadain fasnachol yn rhoi benthyciad o tua miliwn o bunnoedd y flwyddyn i'r fenter ac felly pe bai hi wedi methu pan aeth ITV Digital i'r wal, byddai S4C Masnachol wedi colli tua chwe miliwn o bunnoedd. Ond roedd y canfyddiad gwreiddiol fod y gofod prin yma yn werthfawr yn dal dŵr o hyd, a'r person a welodd yr ateb gliriaf a chyflymaf oedd Greg Dyke, Cyfarwyddwr Cyffredinol y BBC.

Ei ateb o oedd y dylai teledu digidol daearol (*terrestrial*) fod yn ei gyfanrwydd yn deledu rhad ac am ddim gan adael i'r gwasanaethau lloeren a chêbl redeg gwasanaethau tanysgrifio. Canlyniad hyn oedd sefydlu *Freeview* fel corff newydd. Roedd *Freeview* felly yn cymryd y trwyddedau am y plethiadau oedd wedi cael eu hildio gan ITV Digital, ond roedd trwydded SDN ar gyfer rhedeg plethiad A yn dal mewn grym.

Erbyn hyn roedd yna bob math o sianeli newydd wedi dod i fodolaeth ac yn chwilio am le i gael eu darlledu. Roedd pobl wedi dechrau prynu bocsys digidol a doedd setiau teledu digidol ddim yn bell i ffwrdd. Roedd rhaid i bob sianel newydd ffeindio ei *niche* ei hun, ac roedd pobl yn greadigol iawn yn creu syniadau newydd. Bu S4C Masnachol ei hun wrthi'n datblygu syniad am Sianel Feithrin, sef sianel i blant bach ar draws Prydain, cyn rhoi'r gorau i'r fenter pan gyhoeddodd BBC eu bwriad i sefydlu *CBeebies*.

Y sianeli wnaeth gnocio ar ddrws SDN gyntaf oedd sianeli oedd yn gwerthu nwyddau i'r cyhoedd. Y cyntaf o'r rhain oedd *Price Drop*. Unwaith eto, roeddem yn y sefyllfa lle'r oedd cwmnïau o Lundain yn awyddus i drafod telerau i gael darlledu ar ein plethiad, ac o fewn rhyw ddwy flynedd arall roedd SDN yn dechrau gwneud elw.

Erbyn 2004 roedd y gwaith pleserus o dalu'r benthyciad o £6m yn ôl i S4C ac i'r cyfranddalwyr eraill, eisoes wedi cychwyn, pan ddaeth hi'n glir fod ein partneriaid UBM yn dymuno gwerthu allan. Roedd yna gwmni mawr o Awstralia wedi gwneud cynnig deniadol iawn ac roedd UBM ac S4C ar fin gwerthu i'r cwmni yma pan dderbyniodd Wyn Innes, oedd yn rhedeg SDN, gynnig arall ar y funud olaf na ellid ei wrthod. Yn y diwedd, prynodd ITV gwmni SDN am £136 miliwn oedd yn golygu fod S4C, ar ôl cael arian ei fenthyciad a'i fuddsoddiad yn ôl, yn dod allan o'r fenter gydag elw clir o £34 miliwn.

Os ydw i'n berffaith onest, er bod hwn yn swm sylweddol dros ben, doedd o ddim ynddo'i hun yn gwneud y gwahaniaeth i S4C roeddwn i ar y cychwyn un wedi breuddwydio y gallai o wneud. Y freuddwyd honno oedd creu digon o incwm o ffrydiau masnachol fel y byddai modd cynnal S4C pe bai'r cyllid cyhoeddus rhyw ddydd yn cael ei dorri'n sylweddol neu'n diflannu. Roedd bod yn rhan o daith SDN yn brofiad cynhyrfus a diddorol, aeth â phawb ohonom oedd ynghlwm â'r fenter i feysydd cwbl newydd, ond ar ddiwedd y dydd aeth o ddim â ni'n ddigon pell i drawsnewid ein dibyniaeth ar gyllid cyhoeddus.

Diweddglo

Yn ystod fy misoedd olaf wrth y llyw yn S4C, fe fu farw Gwynfor Evans. Bygythiad Gwynfor i ymprydio yn 1980 oedd y weithred hanfodol oedd ei hangen i newid polisi'r Llywodraeth ar y pryd. Gwnaeth i lywodraeth Margaret Thatcher gyflawni un o'r ychydig *u-turns* yn ei hanes ac fe lwyddodd i wneud hynny oherwydd bod oes Gwynfor o wasanaeth yn y Senedd a'r tu allan, wedi gwneud i ddigon o bobl sylweddoli ei fod o ddifrif ynglŷn â'i fwriad.

Yn ystod fy nghyfnod fel Prif Weithredwr, fe fu sawl un oedd am feirniadu rhyw agwedd o'r arlwy yn hoff o ddefnyddio'r ergyd 'Ai dyma'r math o sianel roedd Gwynfor Evans yn barod i farw drosti?' Wnaeth Gwynfor ei hun erioed unrhyw sylw o'r math. Er y byddai o wedi dymuno gweld mwy o bwyslais ar gyflwyno hanes Cymru yn rheolaidd ar y sianel, roedd o'n parchu annibyniaeth y rhai oedd yn gyfrifol am redeg y gwasanaeth ac yn cadw pellter priodol.

Pan agorwyd stiwdio Barcud, Gwynfor oedd yr un roedden ni wedi gofyn iddo ei hagor ar ein rhan. Roedd hynny wedi cael ei ddefnyddio yn fy erbyn yn y ddogfen a arweiniodd at yr helynt gyda Rhodri Morgan. Felly pan fu farw Gwynfor, a oedd erbyn hynny yn 90 oed, roedd yna yn naturiol dristwch a theimlad o ddiwedd cyfnod. Rywsut roedd presenoldeb Gwynfor, tra roedd yn fyw, wedi cynnig elfen o warchodaeth dros sianel na allai fyth gymryd ei pharhad yn ganiataol.

Dros y penwythnos ar ôl ei farwolaeth, dechreuwyd galw ar S4C i ddarlledu'r angladd. Fe wnaeth yr actores Sharon Morgan gais i mi'n uniongyrchol i'r perwyl hwnnw yn noson wobrwyo Bafta Cymru oedd yn digwydd bod ar y nos Sul. Tan hynny, doedden ni ddim wedi ystyried y posibilrwydd o ddifri. Yr ymateb cyntaf oedd na ellid gwneud hynny gan y byddai'n cael ei ddehongli fel prawf o'r hyn roedd pob Prif Weithredwr a Chadeirydd i S4C dros y blynyddoedd wedi ceisio'n galed ei osgoi, sef y canfyddiad fod S4C yn rhy agos at y mudiad cenedlaethol. Ar y dydd Llun, daeth cais uniongyrchol gan y teulu i ni ystyried darlledu. Byddai'n rhaid ymateb i'r cais hwnnw un ffordd neu'r llall. Roeddwn yn ymwybodol y byddai rhai o aelodau'r Awdurdod yn credu y byddai darlledu'r angladd yn beth annoeth i ni ei wneud. Fodd bynnag, penderfyniad golygyddol oedd hwn a doedd gan yr Awdurdod 'mo'r hawl i wneud penderfyniadau golygyddol. Roedd y cyfrifoldeb felly'n disgyn ar fy ysgwyddau i a Iona Jones a oedd erbyn hyn yn Gyfarwyddwr Rhaglenni.

Y bore hwnnw, mi es i weld Iona a dweud mod i'n dod i'r casgliad y dylen ni fod yn darlledu'r angladd, ar y sail ei fod yn ddigwyddiad o bwys hanesyddol ac y dylem drafod y mater o ddifri. Fel finnau, doedd Iona ar y cychwyn ddim wedi ystyried y cwestiwn fel un difrifol, ac roedd ar ei ffordd i ddal trên i gyfarfod yn Llundain ond fe addawodd ystyried y mater ymhellach. Yn ystod y bore, daeth yn ôl ataf ar y ffôn yn dweud ei bod hithau'n cytuno fod darlledu'r angladd yn rhywbeth y dylai S4C ei wneud. Roedd rhan o'n trafodaeth yn ymwneud â cheisio diffinio beth oedd y gwahaniaeth rhwng gwleidydd a gwladweinydd o statws hanesyddol. O ran yr iaith Gymraeg, doedd yna fawr o amheuaeth nad oedd gan Gwynfor Evans statws hanesyddol.

Roedd yr ymateb i'r darllediad pan ddigwyddodd yn un cynnes a gwerthfawrogol. Chafwyd yr un gair o wrthwynebiad cyhoeddus ac yn wir, cafwyd neges gyhoeddus i'n llongyfarch gan un o Aelodau Llafur y Cynulliad. Wrth i'r dorf gymeradwyo'r arch wrth iddi gael ei chludo o'r capel ar hyd y stryd yn Aberystwyth, teimlwn yn falch ein bod wedi gwneud y penderfyniad cywir.

Yn dilyn dod i gytundeb gyda'r Awdurdod, roeddwn wedi rhoi gwybod i'r cynhyrchwyr annibynnol, i staff S4C ac i'r byd, yn y drefn yna, fy mwriad i ymddeol ddiwedd 2005, sef ym mhen blwyddyn. Er fy mod yn ddigon parod i ildio'r awenau, roedd yn deimlad rhyfedd i weld pa mor sydyn roedd golygon y byd yn troi tuag at ddewis fy olynydd. Fel yn achos fy mhenodiad innau, dechreuwyd yn fuan iawn drafod y *runners and riders* ac erbyn mis Mehefin roedd y broses wedi'i chwblhau a Iona wedi'i phenodi.

Unwaith mae'r byd yn gwybod fod y bos yn colli ei rym, mae popeth mae'n ei wneud a'i ddweud yn cael ei weld mewn goleuni gwahanol. Mae yna duedd i ddal yn ôl ar benderfyniadau rhag ofn bod y person newydd eisiau gwneud rhywbeth gwahanol. Mewn sefyllfa felly, mae'n amhosib rhoi arweiniad cryf a chlir ynglŷn â'r dyfodol, hyd yn oed pan fo'r camau sydd angen eu cymryd yn rhai amlwg. Un o'r pethau mwyaf cynhyrfus oedd yn ymddangos yn ein trafodaethau yn y cyfnod hwn oedd y posibilrwydd technegol o fedru cynnig i bobl y cyfle i weld rhaglenni ar amser o'u dewis nhw, sef yr hyn sydd erbyn hyn yn sylfaen yr iPlayer, Clic a phob math o wasanaethau eraill. Ond roedd hi'n amlwg na fyddai hynny'n cael ei wireddu o fewn misoedd, ac roedd hi hefyd yn amlwg fod y byd yn disgwyl clywed gan y Prif Weithredwr newydd. Doedd yna felly ddim budd i mi ymestyn fy nghyfnod tan ddiwedd y flwyddyn a daethpwyd i gytundeb i mi ffarwelio ar ddiwedd mis Medi.

Cafwyd noson ffarwél hynod o ddifyr a chynnes yng Ngwesty'r Hilton yng Nghaerdydd, wedi'i threfnu gan yr RTS, gyda chynrychiolaeth o ran gwleidyddion, gweision sifil a darlledwyr. Cyffyrddiad hyfryd oedd i Ifan Tregaron gael ei alw i wneud sbot ddoniol iawn yn edrych ar yrfa Huw Jones trwy lygaid 'Idwal', ac i Elin Fflur gyflwyno medli o 'nghaneuon. Nododd Peter Hain yn ei sylwadau caredig nad oedd o wedi bod yn ymwybodol o 'ngorffennol fel canwr ond ei fod yn deall mai tipyn o 'one hit wonder' oeddwn i. Nid am y tro cyntaf, roeddwn i'n teimlo fod gwleidydd wedi cael ei gamarwain amdana' i.

16

Y byd yn grwn

ROEDD Y DYDD Llun cyntaf ar ôl gadael S4C yn un rhyfedd iawn. Wedi bron i ddeuddeg mlynedd o adael y tŷ am 8, doedd gen i unlle roedd yn rhaid mynd iddo a dim byd yn galw. Roedd yna daith ymddeol i Mauritius wedi'i threfnu, ond roedd hynny dair wythnos i ffwrdd. Roedd fy ffôn gwaith yn dal gen i ac yn anochel dyma'i droi ymlaen a gwasgu'r botwm ar gyfer e-byst. Ac yn wir, roedd fy inbocs yn dal i lenwi. Ffigyrau gwylio'r penwythnos newydd ddod i mewn, rhyw broblem lle'r oedd rhywun wedi teimlo'r angen i gopïo pob aelod o'r tîm rheoli; rhywun allanol yn gyrru gwahoddiad... a dyma sylweddoli nad oedd gan hyn oll ddim byd i'w wneud hefo fi bellach. Mi es yn ôl i Lanisien ar ôl cinio a gadael fy ffôn i'w gasglu gan yr adran dechnegol yn y dderbynfa. Ac yna gadael, cyn i neb fy ngweld.

Yn fwriadol penderfynais beidio derbyn gwahoddiadau ar gyfer gwneud unrhyw beth yn y cyfnod hwn. Roeddwn yn 57 oed ac heb syniad beth allai fod o fy mlaen. Pan ymunais ag S4C yn 45 oed, tybiais y baswn i'n debyg o fod eisiau cychwyn busnes arall ar ôl gorffen fy nghytundeb, er nad o anghenraid yn y byd teledu. Fodd bynnag, roedd y ffaith mod i wedi cario ymlaen nes mod i'n 57 yn rhoi gwedd wahanol ar bethau.

Roedd gen i un syniad roeddwn i eisiau edrych arno fo'n fanylach. Flynyddoedd ynghynt, pan roedd Merêd yn America, roedd o wedi gweld enghreifftiau o bentrefi pwrpasol ar gyfer pobl wedi ymddeol ac wedi meddwl y byddai'n syniad ceisio datblygu rhywbeth o'r fath yn benodol ar gyfer Cymry Cymraeg. Roedd y cynlluniau roedd o wedi'u rhannu hefo mi yn y cyfnod hwnnw yn rhai deniadol iawn ac yn targedu pobl oedd yn ddigon ifanc i fyw'n annibynnol, ond yn dymuno medru cael rhywfaint o help pan fyddai raid. Yn America roedd y pentrefi hyn mewn parciau braf gyda digon o le ar gyfer pob math o adnoddau. Roedd yna fersiwn o'r syniad wedi dechrau cael ei ddatblygu ym Mhrydain ond fel arfer mewn dinasoedd yn hytrach nag yn y wlad.

Un o'r pethau cyntaf wnes i ar ôl ymddeol felly oedd mynd hefo Sian i ymweld â chartref o'r math yma oedd yn cael ei godi yn Llandaf gan esgus chwilio am rywle ar gyfer aelod o'r teulu, i gael syniad o'r costau, yr adnoddau ac ati. Dros y misoedd nesaf fe fûm yn cadw llygad am leoliad addas yn rhywle yn y gogledd. Roedd angen lle a oedd, yn ddelfrydol, o fewn cyrraedd i siopau ond yn ddigon mawr i ganiatáu cynnal y gwasanaethau ychwanegol, megis warden, ystafelloedd cyffredin ac ati, fyddai'n angenrheidiol. Roedd yr angen i'r lle fod o faint sylweddol yn codi dwy broblem. Ar y naill law byddai angen tomen o gyfalaf. Yn ail byddai'r angen i werthu nifer sylweddol o unedau yn gyflym yn golygu y byddai'n anodd gwarchod y syniad sylfaenol o fod yn ganolfan Gymraeg. Yn y diwedd, ddaeth dim byd o'r syniad a chyn bo hir fe glywais fod cwmni mawr wedi dod o hyd i safle da iawn ar gyrion Caernarfon ac am godi cartref henoed arno. Mae'n sicr mai dyma oedd yr angen mwyaf oedd ar Gaernarfon yn hytrach na fy syniad i. Dyw model y pentref henoed masnachol ddim heb ei broblemau fel y mae nifer o'u trigolion wedi gweld.

Ond dyna'r math o syniad oedd yn nofio yng nghefn fy meddwl yn y dyddiau cynnar hynny ar ôl gadael S4C. Yr hyn oedd yn bendant ar y gweill, fodd bynnag, oedd blwyddyn o deithio. Roedd yna gyfle rŵan i wireddu'r hen freuddwyd yna o fynd rownd y byd yn rhydd o bob cyfrifoldeb i ymweld â llefydd newydd. Doedd hi ddim yn ymarferol i feddwl gwneud hynny fel un daith ddi-dor, fodd bynnag. Yn un peth roedd gan Sian a minnau dri rhiant rhyngom oedd yn eu 80au ond, wrth lwc, yn dal i fyw'n annibynnol. Gweithio fel athrawes amgylcheddol

271

lawrydd gyda'r RSPB oedd Sian ac felly'n rhydd i gymryd amser o'r gwaith fel roedd yn dymuno ac roedd gennym restr o bethau roeddem am eu gwneud tra roedd y cyfle gennym.

Dros y pymtheg mis canlynol felly fe fuom ar gyfres o deithiau pell ac agos, hir a byr, i bedwar ban byd, gan ddychwelyd i Gaerdydd neu i Landwrog i ddweud helô, i olchi dillad, ac i gwblhau trefniadau'r daith nesaf.

Y daith fwyaf cofiadwy oedd y pum wythnos a hanner a gawsom yn Seland Newydd ym mis Ionawr a Chwefror 2006. Cychwyn gyda thaith gylch o gwmpas South Island mewn *camper van*. Mae yna lyfr am deithio yn Seland Newydd gan ddyn ifanc sy'n bodio o gwmpas y wlad. Mae'n sôn amdano'i hun yn treulio oriau ar ochr y lôn yn gwylio'r *camper vans* yma i gyd yn mynd heibio a'u gweld nhw i gyd yr un fath: '*The husband drives; the wife wears glasses*'.

Felly'n union roedden ni. Minnau'n llywio'r anghenfil anghyfarwydd a Sian yn darllen y map. Ar ôl y sioc o glywed holl lestri a chelfi'r gegin yn disgyn wrth i ni fynd o gwmpas y rowndabowt cyntaf, gan i ni fethu â chlymu pethau'n sownd yn ôl y cyfarwyddyd, cawsom gryn hwyl. Dyma'r unig dro yn fy mywyd i mi gael fy stopio gan blismon am yrru'n rhy araf. Poeni 'roedd o mod i'n dal nôl yr *artic* anferth oedd ar fy nghynffon. Bu bron i mi fynd i ddadlau hefo'r cyfaill ond mi welais y rhybudd yn ei lygaid a phenderfynu mai 'calla' dawo' oedd piau hi.

Roedd y teimlad o ryddid wrth fynd o gwmpas yr ynys wag honno gyda'i mynyddoedd alpaidd a'i thraethau gwyllt yr union beth oedd ei angen ar ôl bod yn yr harnais cyhyd. Roedd yn brofiad prin cael yr amser i stopio pan y mynnem a gwylio'r pengwins bach yn dod i mewn o'r moroedd pell gan oedi a sychu'u hadenydd cyn hercian yn drwsgl i'r lle roedd eu hepil yn disgwyl amdanynt ar y graig. Ynys y Gogledd wedyn gyda'i ffynhonnau poeth, ei chaeau a'i bryniau gwyrdd, ei threfi glan môr hafaidd a'i phobl glên, gyfeillgar. Mi fydden ni'n mynd yn ôl yno eto, ac efallai y gwnawn ni.

Un o'r tripiau eraill yr es i arno, ar fy mhen fy hun y tro hwn, oedd pythefnos yn yr Almaen, yn nhref hanesyddol Bamberg, ar gwrs gloywi fy Almaeneg. Roeddwn wedi bod yn mynychu dosbarthiadau nos ym Mhrifysgol Caerdydd gan fod gen i gywilydd fod fy Almaeneg mor wael o ystyried y cychwyn roeddwn wedi'i gael gan fy nhad. Wrth gyrraedd Bamberg ar y trên mi sylweddolais nad oeddwn yn gallu dilyn yr hyn roedd y llais ar y *tannoy* yn ei ddweud ac fe osodais fel amcan i mi fy hun y byddwn yn gallu gwneud hynny ar y ffordd nôl.

Roeddwn yn lletya gyda chwpl tua'r un oed â mi ychydig allan o ganol y dref ac mi ges fenthyg beic i fynd â mi nôl a blaen i'r gwersi oedd yn digwydd yn y canol. Fe fu Carlheinz a Monika yn glên iawn wrtha' i, yn fy nhynnu i mewn i bob math o weithgareddau teuluol a chymdeithasol er mai gyda chryn drafferth roeddwn i'n llwyddo i ymuno yn y sgwrs. Roedd y gwersi'n dda, y dref ei hun yn fendigedig ac roedd cael fy nhrin fel stiwdant unwaith eto yn donic ynddo'i hun. Ond ar y trên ar y ffordd nôl roeddwn yn dal i gael trafferth dehongli be'n union oedd neges y *tannoy*. Y flwyddyn ganlynol mi benderfynais adael fy Almaeneg yn ei gyflwr presennol a rhoi cynnig ar Sbaeneg, ac yn y maes hwnnw rydw i'n dal i ymlafnio y dyddiau hyn.

Wna' i ddim manylu am y teithiau eraill. Mae gwyliau un person yn ddigon tebyg i wyliau un arall. Os ydych chi'n lwcus ac yn medru osgoi trafferthion, maen nhw'n brofiad ac yn bleser pur. Roedd cael un ar ôl y llall am flwyddyn gyfan gydag ond rhyw dair wythnos rhwng pob un yn wirioneddol hyfryd. Waeth i mi heb â chuddio'r ffaith, mi rydw i'n mwynhau nid yn unig y gwyliau, ond y teithio hefyd ac yn teimlo'n drist y gall yr angen i gwtogi ar ein llosgi carbon olygu torri'n ôl, ond efallai y gallwn fod yn fwy creadigol yn ein dulliau teithio hefyd.

Yr un daith arall sy'n werth manylu ychydig arni, oherwydd iddi arwain at rywbeth a aeth ymlaen i fod yn ddigwyddiad blynyddol gennym, oedd y daith feic i Awstria. Ers rhai blynyddoedd, roedd Sian a minnau wedi bod yn torri ar y gaeaf neu'r gwanwyn trwy fynd am benwythnos hir ar y cyfandir, fel arfer gyda'n ffrindiau Wil a Carys Aaron. Ar un o'r tripiau hyn, roeddem yn aros ym mynyddoedd y Dolomiti yn yr Eidal ac wedi llogi beics am y dydd. Roeddem am ddilyn llwybr oedd yn mynd draw i'r Süd-tirol, yr ardal honno o'r Eidal lle mae mwy o Almaeneg nag Eidaleg yn cael ei siarad. Wrth i ni gyrraedd tref fechan Dobbiaco ar ddiwedd y daith, dyma sylwi ein bod yn croesi llwybr beics arall oedd yn mynd o'r gorllewin i'r dwyrain. Roedd wedi'i darmacio'n braf, roedd yn edrych yn hollol fflat ac roedd yna arwyddion wrth y groesfan yn cyhoeddi mai hon oedd y *Drauradweg*. Roedd yr afon Drau yn codi rhyw filltir neu ddwy i fyny'r lôn ac roedd y llwybr yma'n ei dilyn yr holl ffordd drwy Awstria ac i mewn i Slofenia. Mae'r Dolomiti yn ysblennydd, p'un bynnag, ond roedd y syniad o ddilyn llwybr beics, a hwnnw'n edrych yn un hawdd, heibio iddyn nhw a dilyn afon wrth iddi dyfu a chroesi ffiniau rhyngwladol, yn tanio'r dychymyg. Felly daeth trefnu taith yr afon Drau i fod yn un o brosiectau'r flwyddyn seibiant.

Tra roeddwn yn byw yng Nghaerdydd roeddwn i wedi cael llawer o bleser o fynd ar fy mhen fy hun ar ddydd Sul i ddilyn y llwybrau mae Sustrans wedi'u marcio ar hyd a lled De Cymru a Gorllewin Lloegr. Roedd yn well gen i lonydd tawel a llwybrau ochr camlas na gyrru'n galed ar hyd y lôn fel y bydd pobl y *lycra* y dyddiau hyn. Beic hybrid gydag olwynion gweddol lydan i osgoi *punctures* sydd wedi bod gen i ers blynyddoedd a hanfod y trip ydi medru ei luchio i gefn car a chynllunio naill ai daith gylch neu ddefnyddio trên i gyflawni'r mynd neu'r dod yn ôl. Dros wyliau'r Pasg y flwyddyn hon roeddwn wedi cyflawni uchelgais arall trwy ddilyn y daith ar hyd Lôn Las Cymru o Gaernarfon i Gaerdydd gyda Siwan fy merch.

Ar gyfer taith y Drau roedd angen yn gyntaf berswadio nifer o bobl oedd ddim wedi arfer beicio bod ein taith yn un oedd yn bosib hyd yn oed i bobl ddibrofiad ei chyflawni. Roedd y daith yma'n ddelfrydol gan ei bod bron yn gyfan gwbl wastad. Y rhan fwyaf o'r ffordd roedd yna reilffordd yn rhedeg drwy'r dyffryn felly roeddwn yn gallu addo pe bai'r daith yn mynd yn ormod i unrhyw un, y gellid taro'r beic a'r teithiwr ar y trên. Gyda'r fath addewidion yn ernes o bleser didrafferth, cytunodd criw bach o wyth i fynd ar y daith ym mis Mehefin.

Ein beibl ar gyfer y daith oedd llyfr Almaeneg oedd yn disgrifio'r daith yn ei manylder gan nodi'n union lle roedd yna riwiau, llefydd i stopio i gael paned a chinio ac yn cynnig gwybodaeth am lety a siopau beic. Roedd angen penderfynu i ddechrau faint o daith fydden ni'n anelu ati bob dydd a gan ein bod mewn ardal wledig, roedd hyn yn cael ei reoli gan leoliad y pentrefi a'r trefi lle'r oedd llety i'w gael. Defnyddio ffacs wedyn (cofio rheiny?) i gysylltu â'r gwestai oherwydd, bryd hynny, doedd hi ddim yn beth cyffredin i westy bach fod â gwefan a chyfeiriad e-bost. Trafod y telerau a gwneud y trefniant gyda phob un yn ei dro.

Ar y diwrnod cyntaf o feicio, yng nghanol y mynyddoedd, agorodd y cymylau duon uwch ein pennau a phawb yn socian ac ar yr ail fore torrodd cadwyn un o'r beics. Aeth dau ohonom yn ôl i'r dref agosaf lle, drwy lwc anferth, roedd yna siop feics, gan adael i'r lleill gychwyn yn ara' deg ar hyd yr afon. Ar ôl cael y darn angenrheidiol, roedden ni'n disgwyl y bydden ni'n eu dal nhw i fyny yn fuan iawn ond er ein bod yn pedlo'n galed doedd yna ddim golwg ohonyn nhw yn unman. Sut roedden nhw wedi gallu mynd mor bell gyda'u beic heb gadwyn, a chroesi ffin ryngwladol Awstria hefyd? Erbyn i ni eu cyrraedd, gan hedfan heibio'r arwydd pitw oedd yn dynodi'r ffin, roedden nhw bron â chyrraedd y lle roedden ni fod i stopio i gael cinio ac fe welsom be oedd eu cyfrinach. Roedd Osborn Jones (perchennog Gwernafalau – gweler hanes stiwdio Sain), sydd yn ddyfeisiwr o fri, wedi llunio dyfais i ganiatáu i berchennog y beic diffygiol gadw gyda'r gweddill. Ffon oedd y ddyfais yma a'r tric oedd ei defnyddio fel *towbar* ac roedd wedi gweithio'n rhyfeddol. Er hynny, roedden nhw'n falch o gael gosod y darn colledig i wneud cadwyn y beic yn holliach unwaith eto.

Wedi hyn, y gwaith pleserus oedd ffeindio caffi clyd ar gyfer ein coffi boreol, tafarn ar gyfer cinio ac un arall ar gyfer y stop cwrw ganol pnawn. Roedd pob noson yn golygu llety mewn pentref neu dref wahanol a dymunol – pob un â'i gymeriad ei hun, fel arfer ar delerau *half board* fel bod rhywun yn cymryd pa fwyd bynnag oedd yn cael ei ddarparu gan y gwesty. Tacsis lleol oedd yn cludo'n bagiau – fel arfer wedi'u trefnu gyda help y gwesty blaenorol, felly pan fyddem yn cyrraedd diwedd y daith tua 5 o'r gloch bob dydd, fe fyddai'r bagiau'n disgwyl amdanom a phawb yn barod am gawod sydyn cyn swper – ar ôl cael llymaid i dorri syched gyntaf wrth gwrs.

Llwyddodd pawb i gyflawni'r daith heb unrhyw drafferth o ran y reidio, a dyfarnwyd bod y fenter yn llwyddiant mawr. I gymaint graddau, fel bod y criw sydd bellach wedi tyfu i fod yn 12 ar ei fwyaf, wedi gwneud taith debyg bob blwyddyn ers hynny. Byddai 2020 wedi bod y bymthegfed yn y gyfres ac rydym wedi ymweld â Ffrainc, Yr Almaen, Yr Eidal, Sbaen, Groeg, Gwlad Pwyl, Slofenia, Croatia, Montenegro a'r Iseldiroedd.

Rydym wedi dysgu bod y corff dynol, hyd yn oed pan fydd yn cyrraedd y 70au, yn gallu cyflawni pethau annisgwyl iawn, gan gynnwys dringo elltydd na fydden ni byth wedi eu dychmygu'n bosibl bymtheg mlynedd yn ôl. Er erbyn hyn mae yna duedd i ni gyd i arafu rhywfaint, gydag ambell i feic trydan yn dod yn rhan o'r darlun, ac er bod yna ddisgwyl rŵan i ni drefnu diwrnod neu ddau yng nghanol y daith lle mae 'na ddewis peidio beicio, ac er bod cael yr haul, yn hytrach na'r glaw, ar ein cefnau wedi dod yn flaenoriaeth yn y blynyddoedd diweddar, mae'r daith feic gymdeithasol yn dal i fod yn brofiad arbennig o hwyliog a chofiadwy ac yn un y byddwn yn ei hargymell i bawb, yn hen ac ifanc.

Ac wedi teithio?

Pan mae gynnoch chi enw mor gyffredin â Huw Jones, hen arfer y Cymry ydi ychwanegu gair i'ch gwahaniaethu oddi wrth yr holl Huw Joneses eraill. Roeddwn i wedi bod yn 'Huw Jones Dŵr', yn 'Huw Jones Sain' ac yn 'Huw Jones S4C' ac wrth i'r flwyddyn o deithio ddod i ben, roedd hi'n dechrau ymddangos mai be fyddwn i o hyn allan fyddai 'Huw Jones Dipyn o Bob Dim'.

Yn yr haf, roedd Carl Clowes wedi gofyn i mi fyddwn i'n fodlon ailymuno â Bwrdd Nant Gwrtheyrn. Roeddwn wedi bod yn aelod am gyfnod byr cyn cychwyn ar fy swydd yn S4C ond ar y pryd wedi rhoi'r gorau iddi er mwyn canolbwyntio ar waith y sianel. Yn fuan wedyn, daeth yna alwad ffôn gan yr RSPB. Roedd rhywun wedi awgrymu fy enw iddyn nhw, fel un â phrofiad o'r cyfryngau, i fod ar eu Pwyllgor Ymgynghorol Cymreig ac er mai Sian oedd yr aelod o'r teulu oedd â diddordeb gwirioneddol mewn adar, roeddwn yn falch o'r cyfle o fynd i faes cwbl newydd.

O fewn y misoedd nesaf, roedd yna bortffolio o gyfrifoldebau amrywiol iawn wedi cael ei greu, rhai'n swyddi roedd pobl wedi gofyn i mi ymgymryd â nhw ac eraill yn rhai yr oeddwn wedi ymgeisio amdanyn nhw. Roedd pob un yn rhan amser a nifer yn wirfoddol. Roedd y gwaith yn wirioneddol amrywiol a diddorol, heb fawr ddim o'r pwysau dyddiol oedd ynghlwm â swydd fel un Prif Weithredwr S4C, lle roedd rhywun yn teimlo'n gyfrifol am bopeth. Cyn bo hir, roedd gen i gerdyn busnes ac yn galw fy hun yn 'Ymgynghorydd'.

Mi wnes i ymuno â Bwrdd yr Iaith Gymraeg a mynd yn Isgadeirydd Bwrdd Cyflogaeth a Sgiliau Cymru – corff newydd oedd yn cynghori Llywodraeth Cymru mewn materion yn ymwneud â hyfforddi a sgiliau. Syr Adrian Webb oedd Cadeirydd y corff yma, ffigwr amlwg ym mywyd cyhoeddus Cymru. Roedd sylwi ar sgiliau cadeirio Adrian yn addysg ynddi'i hun ac mi ddysgais lawer am y grefft o arwain grŵp amrywiol, gyda blaenoriaethau gwahanol, trwy'r broses o drafod a dod i gytundeb.

Daeth gwahoddiad gan Brifysgol Bangor i roi cyngor ar sut i sicrhau dyfodol y Celfyddydau Perfformio wrth iddynt wynebu'r angen i ddymchwel Theatr Gwynedd ac adeiladu canolfan newydd. Maes o law, gofynnodd RSPB Cymru i mi gynnig fy enw i fod ar Gyngor Prydeinig yr elusen honno, sef i fynd yn un o'r Ymddiriedolwyr. Fe fu'r pum mlynedd y bûm yn gwasanaethu yn y swydd honno yn ffordd werthfawr iawn o weld elusen fawr lwyddiannus ar waith wrth iddi wynebu heriau newydd.

Am un noson gofiadwy ym mis Medi 2006 mi wnes i hyd yn oed ailgydio yn y gitâr mewn ymateb i wahoddiad gan Bryn Terfel i ganu yng Ngŵyl y Faenol. Roedd cael band mawr gan gynnwys offerynnau pres, llinynnau a phob math o bethau eraill yn gefndir, yn brofiad gwahanol iawn i'r hyn roeddwn i wedi arfer hefo fo flynyddoedd ynghynt.

Mae 'Ymgynghorydd' yn aml yn derbyn gwahoddiad i ysgrifennu adroddiadau, ac mi ges gyfle i wneud dau o'r rheini mewn meysydd oedd yn agos at fy nghalon. Daeth y cyntaf yn 2008 wrth gadeirio pwyllgor bychan i gynghori Llywodraeth Cymru ar anghenion darlledu'r wlad. Y flwyddyn ganlynol, mi gynigiais fy hun i sgwennu un yn enw'r Bwrdd Sgiliau ynglŷn â'r hyn roedd angen i Lywodraeth Cymru ei wneud er mwyn adnabod y gofynion am sgiliau Cymraeg yn y gweithlu.

Mae'r cwestiwn o sut mae sicrhau cyfleoedd i bobl ifanc gael mynediad i hyfforddiant ac i gael y cam cyntaf ar ysgol gyrfa wastad wedi bod yn un pwysig gen i, ac mae'r angen am gydweithio effeithiol rhwng asiantaethau'r Llywodraeth, y byd addysg a chyflogwyr yn hollbwysig yn hynny o beth. Roedd y diddordeb yna'n un o'r atyniadau dros fynd yn Gadeirydd ar gorff hyfforddi'r diwydiant teledu, Cyfle, yn y cyfnod hwn.

Un o'r galwadau ffôn roeddwn i fwyaf balch o'u derbyn oedd un gan Robin Llywelyn, Rheolwr Gyfarwyddwr Cwmni Portmeirion. Roeddwn wrth gwrs yn gyfarwydd iawn â'r pentref Eidalaidd unigryw ger Penrhyndeudraeth. Hwn oedd y lle y byddem yn mynd iddo i ddathlu penblwyddi mawr teuluol neu am ddiwrnod a phryd arbennig. Roedd gen i lun o'r pentref ar wal fy stydi hyd yn oed. Yn ôl Robin, roedd y cwmni'n chwilio am Gadeirydd i'w Bwrdd nad oedd yn aelod o'r teulu fel yr aelodau eraill. Doedd hwn ddim yn wahoddiad i'w wrthod er i mi foeli 'nghlustiau rhywfaint pan estynnodd Euan, tad Robin, groeso i mi i 'nghyfarfod cyntaf gan gyfeirio ataf fel *'our victim'*. Roeddwn yn falch o'r fraint arbennig o gynnal gweledigaeth unigryw Clough Williams-Ellis trwy helpu i redeg busnes llwyddiannus ar y safle, ac mae'r gwaith hwnnw, yn ogystal â Nant Gwrtheyrn, wedi dal i fod yn rhan bwysig o mywyd hyd heddiw.

Felly roeddwn yn brysur unwaith yn rhagor! Roedd hi wedi bod yn fwriad erioed gan Sian a minnau symud yn ôl i'n cartref yn Llandwrog ar ôl i gyfnod S4C ddod i ben ac roedd Siwan, ein merch, wedi bod yn cadw'r lle'n gynnes i ni yn ystod ein blynyddoedd yng Nghaerdydd. Doedden ni ddim ar frys gwyllt i symud ac roedd gan Sian gynlluniau ar gyfer y tŷ a dyma glustnodi'r rhan fwyaf o 2008 ar gyfer y gwaith hwnnw gan ofyn yn garedig i Siwan symud allan.

Gwerthwyd ein tŷ yn yr Eglwys Newydd yn nannedd yr argyfwng ariannol ddiwedd 2008 ac yn gynnar ym mis Ionawr 2009 teimlwn mod i ar fy ffordd adre'n derfynol wrth yrru dros Fannau Brycheiniog gyda llond car o bethau roeddem wedi anghofio eu rhoi i'r lori symud dodrefn. Er bod nifer o'r dyletswyddau oedd gen i yn golygu mynd i gyfarfodydd yng Nghaerdydd a Llundain, doedd y syniad o deithio o'r gogledd unwaith eto ddim yn fy mhoeni – roedd yna ddewis yn mynd i fod o drên neu gar neu hyd yn oed awyren achlysurol, ac roedd yn edrych yn debyg y gallwn yn rhesymol ddisgwyl rhyw bedair neu bum mlynedd arall o'r math o waith amrywiol roeddwn i wedi ei gasglu ynghyd cyn meddwl am ymddeol tua 2013, pan fyddwn yn 65. Ond nid felly roedd hi i fod.

17

S4C (II)

YN FREIBURG YN y Fforest Ddu yn yr Almaen yr oeddwn i
ym mis Mehefin 2010 pan glywais fod Iona Jones, fy olynydd
fel Prif Weithredwr S4C, wedi ymddiswyddo. Roedd ein criw
bach o feicwyr ar fin cychwyn eu pumed taith a finnau wedi
gorfod cyrraedd yn hwyr. Roedd yna wydraid mawr o gwrw
Almaenig da yn fy nisgwyl ac roeddem wrthi'n trafod y daith
oedd o'n blaenau ni pan ddaeth Sian i lawr o'r llofft i ddweud
ei bod wedi derbyn neges destun gyda'r newyddion dramatig
yma. Roedd 'na bedwar ohonom yn y grŵp oedd wedi bod
â chysylltiad â'r byd teledu, felly'n naturiol roedd yna gryn
syndod a dyfalu beth oedd y tu ôl i'r stori. Y daith feic oedd y
flaenoriaeth, wrth reswm, ac nid tan i ni gyrraedd nôl i Gymru
ym mhen wythnos y dechreuais ddal i fyny gyda'r hanes, i'r
graddau ei bod hi'n bosibl gwneud hynny.

Roeddwn yn ymwybodol ers peth amser nad oedd pethau'n
dda rhwng y Prif Weithredwr ac aelodau'r Awdurdod. Er mod
i wedi cadw'n glir o unrhyw ymwneud ag S4C ers i mi adael,
gwelais Iona adeg lansio sianel newydd BBC Alba, gan i mi
gael gwahoddiad i Gaeredin ar gyfer y dathlu. Yn ystod y
noson, fe wnaeth Iona hi'n glir beth oedd ei theimladau ynglŷn
â'r Awdurdod ynghyd â'i gobaith o weld ei ddylanwad dros
weithgareddau S4C yn cael ei leihau.

Flwyddyn a hanner yn ddiweddarach, fe gafwyd newid
Llywodraeth wrth i Etholiad Cyffredinol 2010 ddod â 13
mlynedd o Lywodraeth Lafur i ben a rhoi grym i glymblaid
David Cameron a Nick Clegg. Roedd y Llywodraeth newydd

wedi dod i mewn yn llawn hyder gyda chynlluniau i greu newid mawr ar draws pob math o sefydliadau. Roedd torri'n llym ar wariant cyhoeddus yn uchel ar ei rhestr blaenoriaethau. Roedd Jeremy Hunt wedi'i benodi'n Ysgrifennydd Gwladol yn y DCMS, gyda chyfrifoldeb am ddarlledu, ac felly am S4C. Mae'n debyg bod yna gamau cynnar iawn wedi cael eu cymryd i gwtogi ar wariant yr Adran a bod S4C wedi derbyn gwahoddiad, na ellid ei wrthod, i gytuno i doriad o £2m y flwyddyn yn ei hincwm. Mater bach oedd hynny o'i gymharu â'r hyn oedd i ddod. Byddai'r Canghellor, George Osborne, yn cyflwyno ei gyllideb ym mis Hydref ac roedd angen i bob adran, gan gynnwys y DCMS, gyfrannu i'r toriadau roedd y Canghellor yn chwilio amdanynt.

Yn erbyn y cefndir yma, felly, y daeth y newyddion am ymddiswyddiad neu ddiswyddiad y Prif Weithredwr. Fe ddaeth yn gynyddol amlwg hefyd, yn sgil adroddiadau a chyfweliadau ar y cyfryngau, fod yna rwyg mewnol o fewn yr Awdurdod rhwng y Cadeirydd a rhai o'r aelodau eraill.

Yn gynnar ym mis Hydref, daeth y newyddion syfrdanol fod Jeremy Hunt wedi dod i gytundeb gyda'r BBC y byddai mwyafrif llethol cyllid S4C yn dod o'r drwydded deledu yn hytrach nag o goffrau'r Llywodraeth ac y byddai yna doriad o 24% yn yr hyn y byddai S4C yn ei dderbyn. Roedd yna hefyd ddatganiad i'r perwyl nad oedd strwythur S4C yn gweithio ac y byddai'n ystyried dulliau newydd o redeg y sianel, gan gynnwys rhoi elfen gref o reolaeth drosti i'r BBC. Digwyddodd y cytundeb hwn mewn cyfarfodydd dwys dros gyfnod o ychydig o ddyddiau, fel rhan o drafodaeth ehangach rhwng Jeremy Hunt a'r BBC ynglŷn â dyfodol y Gorfforaeth, ac heb unrhyw gyfraniad nac ymgynghoriad gydag S4C.

Dros y misoedd nesaf, fe ddaeth yn dymor protestio dros y sianel unwaith yn rhagor. Roedd y syniad y gallai S4C beidio â bod yn gorff annibynnol yn pryderu pobl llawn cymaint â'r bygythiad i'r gwasanaeth yn sgil torri'r cyllid. Roedd yn ymddangos fod y cytundeb newydd wedi creu sefyllfa fyddai'n amhosibl i'w ddatrys, sef sut y gallai S4C fod yn gorff annibynnol os mai'r BBC oedd i barhau i fod yn gyfrifol am benderfynu sut oedd arian y drwydded deledu yn cael ei wario? Aeth Arwel Ellis Owen, oedd wedi cael ei benodi'n Brif Weithredwr Dros Dro gan yr Awdurdod, ati i geisio cynllunio sut y gellid dygymod â'r toriadau ariannol ac ym mis Rhagfyr, cyhoeddodd John Walter Jones, Cadeirydd yr Awdurdod, ei fod am ymddeol.

Yn ystod y cyfnod hwn, roeddwn yn cael fy nhynnu fwyfwy i'r drafodaeth wrth i unigolion, Aelodau Seneddol a rhaglenni newyddion ofyn fy marn, ac wrth i seminarau a chynadleddau gael eu cynnal i ymrafael â'r cwestiynau ynglŷn â dyfodol y gwasanaeth. Er cymaint i mi fwynhau'r cyfnod o fod yn rhydd o broblemau'r byd darlledu, roeddwn yn anochel yn cael fy sugno'n ôl i mewn i bethau yn wyneb yr argyfwng amlwg oedd wedi codi. Felly pan hysbysebodd y DCMS am Gadeirydd newydd i'r Awdurdod, penderfynais wneud cais.

Er i John Walter Jones ymddiswyddo ym mis Rhagfyr, fe fyddai'n chwe mis cyn y byddai'r broses benodi'n dod i ben. Cefais flas o'r ffordd y gallai'r cyfrifoldeb newydd greu hafoc efo 'mywyd personol pan dderbyniais lythyr yn fy ngwahodd i gyfweliad yng Nghaerdydd – ar ganol wythnos o wyliau sgio. Doedd dim troi'n ôl bellach felly bu'n rhaid bwcio'r awyrennau a llogi ceir bob pen i'r daith, oherwydd doeddwn i ddim am golli'r gwyliau cyfan o'i herwydd. Gweision sifil, gydag ymgynghorydd arbenigol, oedd yn cynnal y cyfweliad ac roedd y Wasg yn adrodd fod yna dri arall yn cael eu cyfweld hefyd. Rhan fwyaf anturus y diwrnod oedd cyrraedd nôl i'r Alpau i ddarganfod ei bod yn bwrw eira'n drwm a gorfod llywio'r car dieithr yn ofnadwy o ofalus wrth ddilyn y ffordd gul a throellog 20 cilomedr i fyny'r mynydd i'r pentref lle'r oedd ein criw ni'n aros.

Aeth pethau'n ddistaw iawn wedyn ond roedd sylw'r Wasg wedi ei hoelio ar bopeth oedd yn digwydd yn S4C, yn ogystal â cheisio dod o hyd i'r gwirionedd am ddigwyddiadau'r gorffennol. Yng nghanol hyn, bûm yn sâl dros y Pasg a gorfod mynd i Ysbyty Gwynedd lle cyhoeddwyd fod gen i *pneumonia*. Dyma fy arhosiad cyntaf mewn ysbyty erioed ac roeddwn wedi bod yno am chwe diwrnod, ac yn dal yn wan, pan ddaeth galwad ar fy ffôn symudol gan swyddog yn y DCMS yn dweud wrthyf fod y panel wedi argymell fy mod yn cael fy mhenodi, ond bod yr Ysgrifennydd Gwladol yn awyddus i gyfarfod â'r ymgeiswyr ei hun, oherwydd sensitifrwydd y swydd. O fewn pythefnos i adael yr ysbyty, felly, roeddwn ar fy ffordd i Lundain i gyfarfod Mr Hunt. Ymysg pethau eraill, roedd ganddo ddiddordeb yn fy nehongliad i o'r hyn oedd wedi digwydd yn S4C. Ar ôl gorffen, cychwynnais i lawr y coridor am y drws allan pan ddaeth ar f'ôl i ofyn a fyddai gen i wrthwynebiad i fynd gerbron sesiwn ar y cyd o'r pwyllgorau seneddol oedd â diddordeb yn S4C, sef y Pwyllgor Diwylliant a'r Pwyllgor Materion Cymreig. Cwestiwn rhethregol oedd hwn wrth gwrs. Roedd o eisoes wedi addo y byddai'r rhai yr oedd yn fwriad eu penodi i'r prif swyddi darlledu yn cael eu croesholi ymlaen llaw gan Bwyllgor Dethol felly doedd dim dewis ond derbyn fod yn rhaid neidio'r glwyd yma hefyd.

Tua chanol mis Mai felly roeddwn unwaith eto yn fy siwt o flaen cryn 16 o Aelodau Seneddol yn wynebu pob math o gwestiynau. Roedd rhain yn amrywio o pam, fel Cyfarwyddwr Sain, mod i wedi caniatáu rhyddhau record oedd yn ymosod ar y Llywodraeth (cyfeiriad at 'Maggie Thatcher' gan Dafydd Iwan) i gwestiynau mwy amserol megis beth oedd fy nghynlluniau ar gyfer achub S4C o'i hargyfwng presennol. I fod yn deg, roedd y mwyafrif o'r Aelodau yno i geisio gwneud yn siŵr fod pawb yn ymwybodol o'u cefnogaeth i S4C a'u hawydd i weld y sianel yn dod drwy'r cyfnod ansefydlog hwn.

O'r diwedd daeth y cadarnhad swyddogol ar bapur, ac o fewn dyddiau roeddwn yn ôl yng Nghaerdydd yn cynnal fy nghyfarfod cyntaf fel Cadeirydd.

Ychydig ddyddiau cyn hynny, roeddwn wedi derbyn gwahoddiad gan dri aelod seneddol Ceidwadol Cymreig i'w cyfarfod. Does gan gorff cyhoeddus fel S4C, pan mae'n wynebu deddfwriaeth sy'n effeithio ar y gwasanaeth, ddim dewis ond gweithio'n agos iawn gydag Aelodau etholedig gan mai ganddyn nhw y mae'r gallu i ddylanwadu'n uniongyrchol ar Lywodraeth y dydd. Pan mae gan y Llywodraeth fwyafrif sylweddol, y gobaith gorau o ddylanwadu ydi trwy Aelodau Seneddol y blaid neu'r pleidiau sydd mewn grym. Roeddwn felly'n falch o glywed bod grŵp o Aelodau Ceidwadol yn awyddus i gael cyfarfod.

Yn y caffi mawr yn Portcullis House lle mae'r Aelodau'n cyfarfod pobl allanol yr oedd y cyfarfod yn digwydd, ac fe aeth y sgwrs i sawl cyfeiriad gwahanol. Ond yr hyn rydw i'n ei gofio gliriaf ydi'r cyngor roedd Glyn Davies yn awyddus i'w roi i mi a'i ddull o wneud hynny sef tynnu llinell syth ac araf gyda'i fys ar draws y bwrdd. Hynny yw, anghofio popeth oedd wedi digwydd a symud ymlaen gyda llechen lân.

A dyna wnes i geisio'i wneud dros y misoedd anodd nesaf. Ar wahanol adegau, roedd yna unigolion neu grwpiau yn ceisio dwyn pwysau arnaf i ddatgan cefnogaeth neu wrthwynebiad i ddatganiadau neu benderfyniadau'r Awdurdod, y Cadeirydd, neu'r Prif Weithredwr blaenorol, ond fe wyddwn nad oedd unrhyw fudd o wneud hynny a bod yn rhaid canolbwyntio ar yr hyn oedd yn angenrheidiol er mwyn symud ymlaen.

Roedd yna drafodaethau ar eu canol gyda'r sector annibynnol, oedd yn anfodlon iawn gyda rhai o'r cynlluniau roedd S4C yn eu cyflwyno er mwyn creu arbedion. Roedd yna adroddiad ar sut oedd S4C yn gweithio wedi'i ysgrifennu mewn ffordd liwgar iawn ac wedi cyrraedd llygaid y Wasg mewn ffordd ddirgel. Roedd unigolion yn defnyddio cyfleoedd fel hyn i daro nôl ar S4C ar gownt anfodlonrwydd ynglŷn â rhyw driniaeth yn y gorffennol. Roedd hi'n teimlo am gyfnod fel pe bai yna stori newydd yr oedd yn rhaid ymateb iddi bob dydd.

Y ddwy her fawr arall oedd penodi Prif Weithredwr parhaol a dod i gytundeb gyda'r Llywodraeth a gyda'r BBC ynglŷn â beth fyddai'r drefn o ariannu a llywodraethu S4C.

Roedd Cymdeithas yr Iaith yn rhedeg ymgyrch egnïol i wrthwynebu'r syniad fod y BBC yn mynd i fod yn rheoli S4C ac yn dadlau na ddylai S4C fod yn cymryd rhan mewn unrhyw drafodaethau gyda'r BBC. Roedd yna brotestio wedi bod yn stiwdios y BBC ac un diwrnod dyma gael ar ddeall fod y Gymdeithas wedi meddiannu to adeilad S4C yn Llanisien ac yn bwriadu aros yno drwy'r dydd. Roeddwn wedi cytuno i gyfarfod â chynrychiolwyr y Gymdeithas yng Nghaerdydd ond wedi cael triniaeth ysbyty ychydig ddyddiau ynghynt i dynnu tyfiant bychan oddi ar fy ngwyneb. Roedd y driniaeth wedi creu cleisiau mawr du ar fy nhalcen ac o gwmpas fy llygaid a 'nhrwyn. Roedd yna olwg arna' i fel pe bawn wedi bod yn ymgeisio am bencampwriaeth bocsio'r byd yn hytrach nag am gadeiryddiaeth S4C. Ond roeddwn yn awyddus i gynnal y cyfarfod yn yr amser allweddol hwn felly dyma hedfan i lawr o Sir Fôn gyda sgarff ar fy ngwyneb a het am fy mhen. Dwi'n meddwl i bobl y Gymdeithas gael sioc o 'ngweld ond wnaeth hynny mo'u rhwystro rhag gwneud eu pwyntiau yn eu dull egnïol arferol.

Yr her yn y cyfarfod hwnnw, fel y byddai'n wir am y misoedd nesaf, oedd darbwyllo cefnogwyr S4C fod yna ffordd ymarferol drwy'r broblem fawr yma roedd Jeremy Hunt wedi'i gosod i ni o sut roedd y BBC yn gallu bod yn atebol am arian y drwydded heb i S4C golli ei hannibyniaeth.

Nid S4C yn unig oedd yn gweld hyn yn dipyn o her. Roedd Cadeirydd y BBC, Sir Michael Lyons, wedi anfon llythyr cyhoeddus at John Walter Jones oedd yn dweud: *'While the BBC harbours absolutely no desire to take over S4C, since... the Welsh Channel would be paid for by licence payers, we must therefore have control over the output.'* Mewn cynhadledd deledu yn Llundain ym mis Ionawr roedd cyn-Gadeirydd y BBC, Syr Christopher Bland, wedi nodi'r her gan ddweud *'Reconcile those two things if you can. If I was chair of S4C, I would be quite interested in how this will play out.'*

Y mis Hydref blaenorol (2010) roedd y trafodaethau rhwng

y Llywodraeth a'r BBC wedi cyrraedd y pwynt lle'r oedd Cadeirydd a Chyfarwyddwr Cyffredinol y BBC wedi bygwth ymddiswyddo oherwydd bod y Llywodraeth am orfodi'r BBC i dalu am drwyddedau gwylwyr dros 75 oed. Ar yr unfed awr ar ddeg, trawyd bargen fyddai'n cadw lefel y drwydded deledu yn ei hunfan tan 2017 gan dynnu'r bygythiad yma oddi ar y bwrdd. Ond rhan o'r fargen oedd cytuno bod y BBC yn talu am S4C a'r *World Service*. Yn ôl un adroddiad, rhywbeth y bu uwch-swyddogion y BBC yn gweithio arno am 4.30 y bore dros y penwythnos oedd y cwestiwn o sut y byddai trefniadau rheoli S4C yn gweithio.

Roedd llythyr gan Jeremy Hunt at John Walter Jones, ar ôl i'r fargen yma gael ei tharo, yn disgrifio'r berthynas newydd rhwng y BBC ac S4C fel partneriaeth lle byddai Ymddiriedolaeth y BBC ac Awdurdod S4C gyda'i gilydd yn penodi Bwrdd Rheoli i redeg S4C gyda chynrychiolaeth gyfartal arno o'r ddau gorff. Roedd hi'n hollol amlwg nad corff annibynnol fyddai S4C dan drefn felly ac roedd llythyr Michael Lyons yn cadarnhau hynny. Yr unig lygedyn o oleuni oedd nad oedd y newid i fod i ddigwydd ar unwaith a bod yna felly amser i drafod.

O ran cwestiwn yr atebolrwydd ariannol, oedd mor bwysig i'r BBC, roeddwn yn credu fod yna fformiwla allai gynnig ffordd ymlaen, ac roeddwn wedi amlinellu'r hyn oedd gen i dan sylw mewn erthygl yn *Golwg* cyn y Nadolig. Y syniad gen i oedd trefniant lle byddai gan S4C atebolrwydd deuol – ar y naill law i'r Senedd ac i'r Ysgrifennydd Gwladol am gyflawni'r amcanion statudol roedd y Ddeddf yn eu gosod arni ac ar y llall atebolrwydd i Ymddiriedolaeth y BBC am gyflawni yr un amcanion yn union. Ond byddai S4C yn parhau'n gorff annibynnol.

Dwi'n meddwl y byddai'n deg i ddweud nad fel yna roedd y BBC yn ei gweld hi'n wreiddiol. Roedd aelodau a swyddogion yr Ymddiriedolaeth yn ymddangos yn sensitif i'r ffordd roedd cwestiwn annibyniaeth S4C yn cael ei weld yng Nghymru ac yn bryderus am y perygl i'r BBC o gael eu gweld yn gwneud ymgais i lyncu S4C. Roedd rhai swyddogion ar y llaw arall gryn dipyn yn fwy ymosodol yn eu hagwedd gan roi'r pwys mwyaf ar yr angen i osgoi unrhyw gydnabyddiaeth fod arian y drwydded yn cael ei ddefnyddio at unrhyw bwrpas nad oedd y BBC yn ei reoli.

Dydi trafod gyda'r BBC ddim yn hawdd, yn enwedig pan mae'r pwnc dan sylw yn ymwneud â rhywbeth sy'n agos iawn at galon y Gorfforaeth, ac felly roedd hi gyda'r drafodaeth yma. Mae'r BBC yn gorff anferth ac mae iddo haenau o reolaeth sy'n anodd iawn i unrhyw un o'r tu allan ddeall yn union sut maen nhw'n gweithio. Yn y cyfnod hwn hefyd, roedd Ymddiriedolaeth y BBC wedi ei sefydlu er mwyn bod yn gorff ar wahân i'r BBC ei hun, sef yr *Executive*. Er hynny, roedd yna berthynas agos rhwng y ddau ac yn ystod y misoedd nesaf, roedd ein cyfarfodydd gyda swyddogion y BBC yn aml iawn yn digwydd ochr yn ochr â rhai gyda'r Ymddiriedolaeth.

Ar ein hochr ni, roedd yna rai materion oedd yn ymddangos yn allweddol. Y cyntaf oedd sicrhau nad oedd swyddogion y BBC yn eistedd ar Fwrdd Rheoli S4C, a'r ail oedd sicrhau nad y BBC fyddai'n penderfynu ar lefel ariannu S4C maes o law. Cawsom gyfarfod dadlennol gyda Chadeirydd newydd y BBC, Chris Patten, yn ystod ei ymweliad â Chaerdydd, pan eglurodd mai'r pwynt hanfodol iddo fo oedd cael trefniant fyddai'n rhoi cysur iddo nad oedd S4C, pe bai'n derbyn arian y drwydded, yn mynd a gwario'r cyfan yn y casinos ym Monte Carlo. Daeth 'cymal Monte Carlo' i fod yn llaw-fer ddefnyddiol dros y blynyddoedd nesaf ac yn ffordd gyfleus o egluro'n fewnol ac yn allanol, beth oeddem yn ceisio'i gyflawni yn ein trafodaethau.

Maes o law, byddai'n rhaid cael cytundeb cyfreithiol manwl rhwng y ddau gorff cyn y byddai S4C yn medru derbyn arian y drwydded yn 2013. Ond cyn hynny roedd angen cytuno ar egwyddorion y berthynas gan gynnwys y pwyntiau sylfaenol yma. Roedd yna bwysau mawr o du'r Llywodraeth i ni wneud hyn cyn diwedd mis Hydref 2011.

Ar yr un pryd ag yr oedd y trafodaethau hyn yn dilyn eu

taith droellog, roedd deddfwriaeth seneddol yn cael ei pharatoi. Hon fyddai'n dileu'r ddyletswydd ar y Llywodraeth i roi arian yn uniongyrchol i S4C. Hynny yw, fe fydden nhw'n dileu darpariaethau Deddf Gyfathrebu 2003 ac yn rhoi rhywbeth arall yn ei le. Ond beth yn union fyddai hwnnw? Yn amlwg, fyddai o ddim cystal â chael fformiwla statudol, ond roedd hi'n amlwg hefyd nad oedd troi'n ôl i fod ar y rhan yna o gynllun y Llywodraeth. Yr hyn a ddaeth allan o'r niwl oedd yr awgrym y dylai'r Ddeddf Cyrff Cyhoeddus fyddai'n cael ei chyflwyno i'r senedd yn fuan roi dyletswydd statudol ar ysgwyddau'r Ysgrifennydd Gwladol i sicrhau cyllid digonol ar gyfer S4C, naill ai trwy wneud taliadau ei hun neu trwy ddod i drefniant gyda rhywun arall ar gyfer gwneud hynny. Roedd hyn yn ei gwneud hi'n glir mai penderfyniad yr Ysgrifennydd Gwladol fyddai lefel y cyllido, ac nid un y BBC. Byddai hyn yn gwarchod un o elfennau hanfodol annibyniaeth S4C rhag cael ei throi'n adran o'r BBC. Ei wendid oedd nad oedd yn cynnwys unrhyw awgrym o sut y byddai'r Ysgrifennydd Gwladol yn dod i'w benderfyniad.

Ar adegau roeddem yn agos at ddigalonni gan feddwl y byddai'n rhaid i ni dynnu'n ôl o'r trafodaethau er mwyn i'r pwyntiau gwahaniaeth rhyngom ni a'r BBC ddod yn gyhoeddus. Ond un noson, ar fy ffordd adref o Gaerdydd ar y trên, wrth fynd drwy Craven Arms, fe ddaeth neges gan Phil Williams, Ysgrifennydd yr Awdurdod, oedd wedi chwarae rhan allweddol yn y trafodaethau o'r cychwyn, yn dweud fod y BBC o'r diwedd yn fodlon cytuno nad oedd yn rhaid cael aelodau o'u staff ar Fwrdd Rheoli S4C. Yn hytrach roeddent yn cynnig fod yna Fwrdd Partneriaeth ar y Cyd yn cael ei ffurfio fyddai â'r cyfrifoldeb o chwilio am arbedion ariannol trwy gydweithio. Roedd hyn yn newid sylfaenol ac er y byddai yna dipyn go lew o fynd a dod wrth drafod geiriad y cytundeb, roedd yn ddigon i roi egni newydd i'r drafodaeth a gobaith o'i gwblhau mewn pryd.

Roedd gallu cyhoeddi fod S4C a'r BBC wedi dod i gytundeb

mewn egwyddor yn un o'r pethau roedd Jeremy Hunt yn awyddus i'w wneud wrth adrodd i'r Senedd ddechrau mis Tachwedd ac roedd hi'n amlwg bod ei swyddogion wedi bod yn pryderu na fyddai hyn yn bosibl. Wrth gwrs, mae'n rhaid i bobl gredu eich bod yn fodlon peidio parhau â'r drafodaeth os nad yw'r telerau'n dderbyniol, ac yn hynny o beth, roeddem wedi llwyddo. Roedd yna gyfarfod arbennig o'r Awdurdod wedi'i drefnu ar gyfer y nos Lun ac roedd galwad ffôn gyda Jeremy Hunt wedi'i threfnu gen i ar gyfer diwedd y bore. Roedd y gwaith manwl oedd wedi'i wneud ar y cytundeb yn golygu mod i'n gallu dweud wrth Mr Hunt mod i'n credu fod yna siawns dda y byddai'r Awdurdod yn cytuno i'r datganiad.

Yn y diwedd, roedd hi'n weddol amlwg fod y cytundeb hwn yn un llawer gwell nag y byddai unrhyw un wedi'i gredu flwyddyn ynghynt ar ôl i Jeremy Hunt wneud ei ddatganiad gwreiddiol. Nid yn unig roedd yn dileu'r angen am reolaeth weithredol gan y BBC trwy aelodaeth o Dîm Rheoli S4C, roedd hefyd erbyn hyn yn cynnwys cytundeb ynglŷn â chynnal lefel ariannu S4C o'r drwydded deledu am y pedair blynedd o 2013 tan 2017.

Pan lofnodwyd y ddogfen y diwrnod ar ôl cyfarfod yr Awdurdod, roedd yna deimlad o ryddhad ynghyd ag ychydig o syndod. Roedd hi'n anodd i neb ddadlau nad oedd partneriaeth rhwng dau ddarlledwr cyhoeddus, er budd gwylwyr, yn beth da ac roedd cael y sicrwydd ariannol, gydag addewid o adolygiad cyn diwedd y cyfnod i benderfynu ar yr ariannu ar gyfer y cyfnod fyddai'n dilyn, yn awgrymu fod y gwaith caled dros y misoedd diwethaf wedi dwyn ffrwyth. Byddai'r trefniadau newydd yn dod i rym ym mis Ebrill 2013 ac erbyn hynny byddai angen cytundeb gweithredu ffurfiol a manwl, ond siawns na fyddai amser bellach i wneud hynny'n iawn.

Y cam mawr arall oedd angen ei gymryd yn ystod yr un cyfnod oedd penodi Prif Weithredwr newydd i'r sianel. Roedd yna dipyn o ddrama ynghlwm â hyn hefyd. Yn dilyn cyfweliadau, roedd yr Awdurdod wedi cynnig y swydd i Ian Jones a oedd yn gweithio yn y byd teledu masnachol yn yr Unol Daleithiau ond roedd Ian angen ychydig o amser i ddod i drefniant gyda'i gyflogwr. Oherwydd y penawdau newyddion rheolaidd oedd wedi cael eu creu o gwmpas S4C yn ystod y flwyddyn flaenorol, roedd yna ddiddordeb mawr yn y penodiad.

Cynhaliwyd y cyfweliadau ar ddydd Gwener ac erbyn y bore Llun roedd ambell i Aelod Cynulliad ac Aelod Seneddol wedi penderfynu fod hawl gan y byd wybod ar unwaith beth oedd penderfyniad yr Awdurdod. Erbyn canol yr wythnos, roedd y gath allan o'r cwd wrth i'r *Western Mail* redeg stori mai Ian Jones oedd y Prif Weithredwr newydd i fod. Mae Martin Shipton, gohebydd craff y *WM*, wastad wedi gwrthod datgelu a oedd ganddo ffynhonnell ddiogel am y stori, yntau ai dyfalu'n gywir wnaeth o trwy broses o holi pawb arall oedd dan sylw. Mae Ian ei hun yn credu bod yna rywun oedd â gwybodaeth fewnol yn S4C wedi dweud mewn parti dros y penwythnos mai 'rhyw foi sy'n gweithio yn America oedd arfer gweithio i S4C' oedd wedi cael ei benodi, a bod y sylw wedi cyrraedd clustiau Martin Shipton. Y cyfan wn i ydi fod stori'r *Western Mail* yn fuan iawn wedi dod i glyw rheolwyr y cwmni roedd Ian yn gweithio iddo ac wedi cymhlethu'r broses o'i ryddhau o'i swydd yn ddifrifol. Fe fu'n rhaid i Ian dderbyn colled ariannol sylweddol er mwyn datrys y sefyllfa a bu'n rhaid iddo aros tan ddiwedd Ionawr cyn cydio yn yr awenau.

Roedd penodiad Ian yn bwysig i S4C. Roedd yn dod 'o'r tu allan', heb unrhyw gysylltiad gyda thensiynau'r cyfnod blaenorol. Roedd yn rhydd felly i ddod i'w benderfyniadau ei hun ynglŷn â'r ffordd ymlaen. Roedd ganddo drac record disglair o weithio yn y byd teledu masnachol a'r fantais fawr o fod wedi bod yn gweithio i S4C ar ddau gyfnod blaenorol yn ei yrfa. Roedd y ffaith fod person oedd wedi gallu dringo i swydd uchel yn y byd teledu masnachol rhyngwladol yn dal i weld swydd Prif Weithredwr S4C fel un uchel ei pharch yn arwydd o ffydd yn nyfodol y sianel, er gwaetha'r terfysg diweddar. Gwnaeth hi'n amlwg ei fod yn awyddus i siarad gyda phawb ac aeth ati i greu cysylltiadau gyda'r holl ddiwydiant cyflenwi a'r byd gwleidyddol. Dair blynedd yn ddiweddarach, dywedodd un o swyddogion S4C fod 'Ian Jones wedi cael y cyfnod mis mêl hiraf yn hanes y Sianel'. Roedd gwir ei angen.

Wrth i Ian fynd i'r afael â'r cwestiwn o sut oedd cynnal gwasanaeth teilwng gyda chyllid oedd yn mynd i fod, mewn gwirionedd, 36% yn llai (o gymryd chwyddiant i ystyriaeth), roedd y trafodaethau gyda'r Llywodraeth a'r BBC yn parhau.

Rwy'n credu mai'r gwaith pwysicaf wnes i fel Cadeirydd S4C oedd yn y cyfnod chwe mis cyntaf yna yn y swydd. Mae gan gadeirydd newydd, am ryw hyd, dipyn go lew o rym. Mae'r posibilrwydd y gall fygwth ymddiswyddo yn rhoi tipyn o ddylanwad iddo. Does dim angen gwneud y bygythiad yna'n agored ond os yw'r dadleuon rydych yn eu cyflwyno, a'ch rhesymeg dros y dadleuon hynny, yn cael eu mynegi'n glir ac yn gyson, yna fe fydd pawb sy'n ymwneud â'r drafodaeth yn gwybod mai dyna fyddai'r stori gyhoeddus fyddai'n cael ei datgelu gan y fath ymddiswyddiad, pe byddai'n digwydd. Mae hynny'n rhoi pwysau ar bawb sy'n ymwneud â'r ddadl i ymddwyn yn rhesymol, os yw'r farn gyhoeddus yn cyfrif am rywbeth. Roedd y Llywodraeth dan bwysau sylweddol ac effeithiol gan ystod o Aelodau Seneddol Cymreig, aelodau o Dŷ'r Arglwyddi a'r Cynulliad Cenedlaethol, ac yn awyddus i warchod ei hun yn erbyn y cyhuddiad o fod yn elyniaethus tuag at y Gymraeg. Roedd yr arfau yma i gyd yn ddefnyddiol wrth sicrhau fod bwriad gwreiddiol y cytundeb rhwng Jeremy Hunt a'r BBC yn Hydref 2010 i roi, i bob pwrpas ymarferol, y cyfrifoldeb am S4C yn nwylo'r BBC, wedi cael ei drawsnewid erbyn Hydref 2011 i fod yn ymrwymiad gan ddau gorff annibynnol i fod yn bartneriaid.

Dros y chwe blynedd nesaf, aeth y gwaith o ddiffinio a mireinio'r bartneriaeth yn ei blaen. Un o bwyntiau llosg y ddadl yn 2011 oedd ymladd yn erbyn y bwriad gwreiddiol y byddai hanner aelodau'r Awdurdod yn cael eu penodi gan y BBC. Byddai hyn wedi bod yn arwydd pendant iawn o golli annibyniaeth. Cytunwyd yn hytrach y byddai aelod Ymddiriedolaeth y BBC dros Gymru yn dod yn aelod o Awdurdod S4C ac yn un o'r panel fyddai'n cyfweld aelodau newydd o'r Awdurdod maes o law. Roedd y ffaith mai Elan Closs Stephens, cyn-Gadeirydd S4C a chyn gyd-fyfyriwr i mi yn Rhydychen, oedd y person hwnnw, yn bwysig iawn yn y broses o wneud i'r trefniant newydd weithio. Oherwydd ei phrofiad hir yn y maes roedd Elan yn ymwybodol iawn o sensitifrwydd y materion dan sylw – i'r farn gyhoeddus yng Nghymru, i S4C, ac wrth gwrs i'r BBC ac roedd ganddi'r gallu i sicrhau fod y gwahanol bartïon yn deall yr hyn oedd yn bwysig i'r llall.

Erbyn 2013, pan fyddai'r drefn ariannu newydd yn dod i rym, roedd angen cytuno ar eiriad y cytundeb gweithredu ffurfiol rhwng Awdurdod S4C ac Ymddiriedolaeth y BBC. Gyda dyfalbarhad, manylder a thipyn go lew o amynedd, llwyddwyd i wneud hynny. Bum mlynedd yn ddiweddarach roedd y cyfreithwyr wrthi unwaith yn rhagor yn llunio cytundeb partneriaeth newydd rhwng S4C a'r BBC yn dilyn dileu'r Ymddiriedolaeth gan Ddeddf Gyfathrebu newydd yn 2017.

Roedd pob un o'r camau hyn yn codi materion newydd, y rhan fwyaf ohonynt yn ymwneud â'r anawsterau sy'n codi pan mae dau gorff annibynnol am gydweithio ond lle mae un o'r cyrff yn llawer mwy o faint, a gyda chyfrifoldebau llawer ehangach, na'r llall.

Mae'r rhai sy'n poeni am annibyniaeth S4C yng nghyd-destun ei pherthynas gyda'r BBC yn iawn i fod yn wyliadwrus. Fel yn stori'r eliffant sy'n cydorwedd gyda'r llygoden, y broblem yw nid bod yr eliffant yn dymuno unrhyw ddrwg i'r llygoden ond y posibilrwydd y gall yr eliffant wasgu'r llygoden i farwolaeth heb hyd yn oed sylwi ei fod yn gwneud hynny. Mae'n rhaid i'r llygoden fod yn un swnllyd iawn ac yn ysgafn ar ei thraed os yw am oroesi fel llygoden annibynnol – ond mewn byd llawn o gathod rheibus, gall yr eliffant fod yn ffrind.

Wrth edrych yn ôl dros yr wyth mlynedd o fod yn Gadeirydd

S4C, mae'n ymddangos i mi fod ceisio gwarchod cyllid y sianel rhag bygythiadau newydd wedi bod ar ben fy rhestr flaenoriaethau bob blwyddyn. Wrth gael gwared â'r hen fformiwla ariannu oedd yn rhoi sefydlogrwydd ariannol i S4C o un ddeddf ddarlledu i'r nesaf, roedd Jeremy Hunt wedi creu ansicrwydd oedd yn ei gwneud hi'n bur anodd cynllunio'r gwasanaeth o un flwyddyn i'r llall. Er i ni ddod i gytundeb am arian o'r drwydded o 2013 tan 2017, doedd y £7m oedd yn dal i ddod o'r DCMS bob blwyddyn ddim wedi cael ei warantu ymhellach na 2015.

Roedd yna Ysgrifennydd Gwladol newydd mewn swydd erbyn hyn, sef Maria Miller, ac er iddi ymweld â ni yng Nghaerdydd a chynnal sgwrs ddigon rhesymol, wrth i ddyddiad y penderfyniadau am wariant cyhoeddus nesáu, daeth yn amlwg ei bod hi a'r adran yn cynllunio i ddiddymu'r £7m yn llwyr.

Rydw i o'r farn mai dyma oedd cynllun gwreiddiol swyddogion y DCMS yn ôl yn 2010, sef y bydden nhw'n cadw cyfraniad y Llywodraeth ganolog i fynd am bedair blynedd, ond wedyn mai mater i'r BBC fyddai ariannu S4C a phenderfynu ar faint y swm. Fe rwystrwyd y bwriad hwnnw drwy sicrhau fod y cyfrifoldeb am ariannu S4C yn aros yn nwylo'r Ysgrifennydd Gwladol ond doedd yna ddim byd yn y Ddeddf i orfodi'r Ysgrifennydd Gwladol i ddarparu unrhyw swm penodol o arian. Roedd yn ymddangos bod yr un newydd am gymryd mantais o hynny ac arbed £7m y flwyddyn i'r Adran.

Byddai toriad o'r fath, ar ben y toriad anferth a weithredwyd ers 2010, wedi bod yn ergyd drom iawn i'r gwasanaeth. Roedd pethau eisoes yn dynn ryfeddol. Yr hyn wnaeth achub y dydd ar yr unfed awr ar ddeg oedd ymyriad uniongyrchol gan grŵp o Aelodau Seneddol Ceidwadol mainc gefn Cymreig – gan gynnwys y tri y gwnes i eu cyfarfod wrth gychwyn ar fy swydd – gyda'r Prif Weinidog, David Cameron. Fe lwyddon nhw i'w ddarbwyllo y byddai'r fath doriad yn cael ei weld fel ymosodiad gelyniaethus ar y Gymraeg ac fe gytunodd David Cameron i warchod y £7m, am y tro o leiaf.

Ddwy flynedd yn ddiweddarach roedd y trefniant hwnnw unwaith eto'n agored i gael ei newid o dan adolygiad gwariant newydd. Y tro hwn roedd yr amgylchiadau cyffredinol wedi newid ac roedd yr Adran Ddiwylliant wedi llwyddo i sicrhau na fyddai unrhyw doriadau pellach i'r cyrff oedd yn cael eu hariannu gan yr adran – ar wahân i S4C. Yn achos y Sianel, byddai 20% o gyllid y DCMS yn cael ei dorri am y ddwy flynedd o 2017 i 2019. Yn fwy na dim roedd yn arwydd o ddiffyg cefnogaeth gan yr Adran a'r Llywodraeth ar adeg pan roedd gweddill y sector gelfyddydau yn cael eu gwarchod.

Unwaith eto, daeth Aelodau Seneddol Cymru ac Aelodau o Dŷ'r Arglwyddi i'r adwy. Y tro hwn, roedd angen cydweithio egnïol rhwng Aelodau o bob plaid. Llwyddwyd i drefnu dadl ar fater ariannu S4C yn Nhŷ'r Cyffredin a digwyddodd hon am 2 o'r gloch y bore. Roedd y Gweinidog, Ed Vaizey, oedd yn bennaf gyfrifol am y cynllun i docio cyllid S4C, wedi disgwyl mai mater o ffurfioldeb fyddai cynnal y ddadl yma ac mai dim ond dau neu dri o Aelodau fyddai'n bresennol. Ond yn yr amser annaearol hwn, roedd yna gryn ugain o Aelodau o Gymru o bob plaid wedi penderfynu mynychu ac yn disgwyl eu cyfle i ymosod ar y bwriad i dorri ymhellach ar S4C. Cafodd y Gweinidog gryn syndod ac mae'n rhaid canmol y drefn seneddol oedd yn golygu, er na chynhaliwyd pleidlais ar y mater, fod cryfder y gwrthwynebiad ar lawr y Tŷ ynddo'i hun yn ddigon i berswadio'r Llywodraeth i newid eu meddyliau unwaith eto. Y tro hwn, rhewyd y toriad a chytunwyd i'r awgrym roedd S4C ei hun wedi bod yn ei wneud ers peth amser sef y dylid cynnal adolygiad annibynnol o S4C gyda golwg ar daflu goleuni ar anghenion y gwasanaeth ar gyfer y dyfodol.

Hir fu'r disgwyl am yr adolygiad oherwydd yr anhawster roedd y Llywodraeth yn ei gael i ddod o hyd i rywun cymwys i'w gynnal – siaradwr Cymraeg, gyda meddwl annibynnol, ond yn deall y diwydiant a'r cyd-destun. Yn y diwedd cytunodd

Euryn Ogwen Williams i wneud y gwaith ac fe'i cwblhawyd erbyn Mawrth 2018. Wrth ymateb, cytunodd y Llywodraeth i warchod yr arian DCMS am flwyddyn bellach ond ei brif argymhelliad oedd y dylai'r cyfan o gyllid S4C o 2022 ymlaen ddod o'r drwydded deledu.

Roedd yn berffaith gywir i ddadlau fod y trafod blynyddol yma am lefel y cyllido yn cymryd amser a sylw gormodol. Mae'r cynllun i ariannu am gyfnod sefydlog o bum mlynedd ar sail ffigwr sydd wedi'i gytuno ymlaen llaw yn cynnig ateb i'r broblem honno. Y cwestiwn mawr wrth gwrs yw faint o arian fydd yn cael ei ddarparu dan y trefniant hwnnw a sut y bydd y penderfyniad yn cael ei wneud. Os oes bwriad i osgoi'r canfyddiad o ddêl yn cael ei tharo y tu ôl i ddrysau caeedig fel yn 2010 ac eto yn 2015, bydd angen i'r drafodaeth honno fod yn un agored iawn gyda chyfle nid yn unig i S4C ei hun gymryd rhan, ond hefyd i farn y cyhoedd gael ei chlywed. Mae gen i deimlad fod gweld y gwerth sydd i ddarlledu cyhoeddus safonol ac egnïol, fel cafodd ei ddangos gan y BBC ac S4C yn ystod cyfnod y feirws, yn golygu efallai y bydd yna fwy o werthfawrogiad o'r cyrff sy'n ei ddarparu ac y bydd hyn yn gwneud y ddadl anochel am sut mae talu amdano rywfaint yn haws.

Egin

Y ddrama arall y bûm yn ymwneud â hi yn ystod fy nghyfnod fel Cadeirydd S4C oedd mater symud y pencadlys allan o Gaerdydd.

Pan sefydlwyd S4C, cymerodd pawb yn ganiataol mai yng Nghaerdydd y dylai'r pencadlys fod. Yn y brifddinas oedd y BBC ac HTV, er bod gan y ddau gorff ganolfannau llai mewn rhannau eraill o'r wlad. Wn i ddim a fu yna unrhyw drafodaeth y pryd hynny ynglŷn â'r posibilrwydd o gychwyn y sianel mewn canolfan arall neu beidio. Ers hynny, fodd bynnag, roedd Iwerddon a'r Alban wedi sefydlu gwasanaethau yn eu hieithoedd Celtaidd eu hunain ac yn y ddau achos, roedd y pencadlys wedi ei sefydlu yng nghadarnleoedd traddodiadol yr iaith, y naill yn Connemara a'r llall yn Stornoway. Yn achos Cymru, er bod yna glystyrau cynhyrchu sylweddol yn y gogledd ac yn y gorllewin, roedd dros hanner y rhaglenni yn dal i gael eu cynhyrchu gan gwmnïau o Gaerdydd. Roedd yna ddadlau wedi bod dros ddatganoli swyddi cyhoeddus o Gaerdydd ers nifer o flynyddoedd. Roedd Llywodraeth Cymru wedi derbyn fod hyn yn ddymunol ac wedi creu nifer o ganolfannau gweinyddol sylweddol yn y Cymoedd, yn Aberystwyth ac yng Nghyffordd Llandudno.

Yn ystod fy nghyfnod fel Prif Weithredwr, doeddwn i ddim wedi rhoi ystyriaeth fanwl i'r cwestiwn oherwydd ei bod hi'n ymddangos yn anochel ar y pryd y byddai costau unrhyw symudiad o'r fath yn fwy na'r gwerth. Yr hyn wnaeth newid y darlun oedd y cyhoeddiad am fwriad y BBC i symud o'u cartref yn Llandaf i ganolfan newydd sbon rywle arall yn y ddinas. Yn fy nghyfarfod cyntaf gyda BBC Cymru yn 2011, awgrymwyd i mi y gallai'r ganolfan newydd yma hefyd fod yn gartref i S4C. Oherwydd ei fod yn cael ei gynllunio o'r newydd gallai fod yn bosibl sicrhau arbedion sylweddol i'r ddau gorff wrth wneud hynny.

Pan ddaeth Ian Jones yn Brif Weithredwr, fe ddaeth yn fuan iawn yn amser iddo wneud araith gyhoeddus ac ynddi, yn ystod Eisteddfod Genedlaethol Bro Morgannwg 2012, fe gyflwynodd i'r gynulleidfa yr awgrym y gellid ystyried symud S4C ei hun allan o Gaerdydd. Dyma'r tro cyntaf i unrhyw Brif Weithredwr S4C awgrymu fod y fath beth yn bosibl ond fe gydiodd y syniad yn nychymyg y Wasg a chyn bo hir roedd yna gryn holi a oedd S4C o ddifri ynglŷn â'r syniad yma ai peidio.

Cytunodd yr Awdurdod i'r swyddogion edrych yn ddyfnach i'r cwestiwn o ba mor ymarferol fyddai hyn ac aethant ati i estyn gwahoddiadau i gyrff gwahanol i gyflwyno syniadau ynglŷn â sut y gellid gwneud hynny a pha fanteision allai hyn eu cynnig i S4C. Ar yr un pryd, roedd cynlluniau'r BBC ar gyfer y ganolfan newydd yn dechrau caledu a'r pwysau ar S4C i symud yno, o fewn y cyd-destun o weithio mewn partneriaeth a gwneud arbedion, yn dwysáu. Fe wnaeth dros ddwsin o gyrff ar hyd a lled Cymru ymateb i'r cyfle i ddangos diddordeb a bu swyddogion yn siarad gyda phob un cyn dod i'r casgliad fod yna bedwar cynnig oedd yn werth edrych arnynt o ddifri.

Roedd y drafodaeth gyda'r BBC ynglŷn â'r ganolfan newydd, oedd erbyn hyn i fod i agor yn 2018, yn edrych ar ddau bosibilrwydd. Y cyntaf oedd y syniad o leoli S4C yn gyfan gwbl yn y ganolfan newydd, a'r ail oedd y syniad o drosglwyddo'r gweithgareddau darlledu i'w rhannu gyda'r BBC, ond gan greu canolfan ar wahân ar gyfer swyddogaethau eraill S4C, mewn rhyw ran arall o'r wlad. Yn y ddau achos, roedd y ffigyrau'n awgrymu y gallai fod yna arbedion ariannol i'w cael. Felly'r egwyddor sylfaenol y gofynnwyd i'r ceisiadau allanol gadw mewn cof oedd yr angen i'r broses o symud S4C fod, dros gyfnod, fan lleiaf yn gost-niwtral, hynny yw, na fyddai'r arian fyddai ar gael i redeg y gwasanaeth yn cael ei leihau wrth wneud hynny.

Pan ddaeth cynigion y pedair ardal yn ôl i'w hystyried gan yr Awdurdod, penderfynwyd fod yna ddau yn sefyll allan a chytunwyd fod Ian a'i dîm yn bwrw 'mlaen i drafod cynigion Cyngor Sir Gwynedd, ar gyfer Caernarfon, a Phrifysgol Cymru y Drindod Dewi Sant, ar gyfer Caerfyrddin, mewn manylder.

Dri mis yn ddiweddarach, daeth y dadansoddiad manwl gan y swyddogion yn ei ôl gyda dau argymhelliad – yn gyntaf, fod yr adnoddau technegol yn cael eu cydleoli gyda'r BBC ac yn ail, fod y pencadlys yn symud i Gaerfyrddin.

Bu'r trafod yng nghyfarfod yr Awdurdod yn faith ond yn y diwedd cytunwyd i'r ddau argymhelliad, y cyntaf yn unfrydol a'r ail trwy fwyafrif, a'r ddau ohonyn nhw'n amodol ar nifer o elfennau.

Achosodd y penderfyniadau dipyn o gythrwfl. Daeth adwaith chwyrn o gyfeiriad Caernarfon oedd yn teimlo, gyda chyfiawnhad, fod y Cyngor Sir wedi gwneud ei eithaf i wneud cynnig a oedd, yn nhermau gallu ariannol unrhyw gyngor sir, yn un hael a mentrus. Roedd yna hefyd deimlad wedi cael ei greu dros amser pe byddai S4C yn adleoli mai Caernarfon oedd y lle amlwg i fynd iddo oherwydd presenoldeb y diwydiant yno'n barod. Roedd siom Caernarfon, a'r rhai oedd yn siarad dros y dref, yn fwy miniog hefyd oherwydd, fel y dywedodd un cefnogwr wrthyf – 'Os nad ydi S4C yn mynd i ddod i Gaernarfon, pa sefydliad cenedlaethol arall sy'n mynd i ddod?' A oedd hi hefyd yn wir i ddweud fod yna rai'n credu bod Gwynedd yn ganolfan bwysicach i'r iaith nag unrhyw ran arall o Gymru – rhywbeth na fedrwn i, er gwaethaf fy hanes, gytuno ag ef?

Ar yr un pryd, roedd y datganiad wedi dod fel dipyn o sioc i aelodau staff S4C. Mi ges i'r teimlad fod llawer ohonynt, tan hynny, heb gymryd o ddifri y posibilrwydd y gellid penderfynu symud y pencadlys. Felly pan ddaeth y newydd, daeth yn glir i ba raddau y byddai'r penderfyniad yn effeithio arnyn nhw'n uniongyrchol. I bobl oedd wedi gweithio'n gydwybodol a gydag arddeliad ar ran S4C ers blynyddoedd, doedd hi ddim yn amlwg o gwbl bod yna unrhyw beth o'i le ar y sefyllfa fel ag yr oedd.

Ar ben hyn, taflwyd amheuaeth am ddilysrwydd trefniadau ariannol Coleg y Drindod ar gyfer y datblygiad, er nad oedd gan hynny unrhyw beth i'w wneud ag S4C, gan fod y Brifysgol yn tanysgrifennu'r datblygiad yn y pen draw. Roedd yna hefyd garfan oedd yn chwerw tuag at y Drindod oherwydd y modd y gwnaeth y sefydliad hwnnw gymryd adnoddau Prifysgol Cymru drosodd pan aeth y Colegau Prifysgol yn endidau annibynnol rai blynyddoedd ynghynt. Roedd yna ddrwgdeimlad oherwydd hynny gydag amheuaeth fod gwaddol cyllid Prifysgol Cymru yn cael ei ddefnyddio ar gyfer y datblygiad newydd.

Yn y diwedd, cyflawnodd y Drindod yr amodau a osodwyd ac er y bu rhywfaint o oedi wrth iddyn nhw ddadlau gyda Llywodraeth Cymru ynglŷn a chymorth ariannol, cwblhawyd y gwaith ac agor yr adeilad ym mis Medi 2018.

Y tristwch mwyaf yn y sefyllfa i mi'n bersonol oedd gweld cynifer o aelodau staff oedd wedi ymsefydlu yng Nghaerdydd yn dewis peidio ag ymuno yn y symudiad i Gaerfyrddin. Mae'n debyg bod hyn yn anochel oherwydd, y dyddiau hyn, fod y rhan fwyaf o deuluoedd yn dibynnu ar ddau gyflog a bod swyddi da ar gyfer dau berson wastad yn mynd i fod yn haws i'w cael yn y ddinas yn hytrach nag mewn tref yn y gorllewin. Roedd rhieni ifanc yn naturiol yn gyndyn o symud eu plant o ysgolion lle'r oedden nhw wedi ymgartrefu'n dda. Yr ochr arall i'r geiniog, wrth gwrs, oedd gweld y swyddi hyn yn cael eu llenwi gan unigolion newydd, oedd yn gwerthfawrogi'r cyfle i gael gweithio yn eu cynefin, ac hefyd i weld y croeso gwirioneddol roedd Cymry'r de-orllewin yn ei roi i Ganolfan S4C yr Egin drwy'r holl broses o gynllunio, adeiladu, agor a chynnal. Mae'r Drindod wedi gwneud gwaith da iawn o wneud yn sicr fod y lle'n agored i'r cyhoedd ac yn cael ei ddefnyddio'n rheolaidd ar gyfer pob math o weithgareddau, gan gynnwys recordio nifer o raglenni S4C ei hun, ac mae'n adeilad braf iawn i weithio ynddo.

Pan ddaeth yr Awdurdod i'w benderfyniad yn 2014, un o'r damcaniaethau oedd y byddai symud y gweithgareddau technegol i ganolfan newydd y BBC yn digwydd fwy neu lai yr un pryd â symud y pencadlys i Gaerfyrddin. Byddai'n deg nodi fod yna bryder naturiol ymysg nifer o swyddogion S4C ynglŷn â'u gallu i sicrhau bod gofynion S4C yn mynd i gael blaenoriaeth deg o fewn gofynion technegol amrywiol Canolfan BBC Cymru. Roedd arwyddo Cytundeb Partneriaeth pellgyrhaeddol gyda Chadeirydd y BBC, Sir David Clementi, yn 2018 yn rhan sylfaenol o'r broses o geisio lleddfu'r ofnau yma trwy danlinellu annibyniaeth S4C ac ymrwymiad y BBC, fel rhan o'u Cytundeb hwythau gyda'r Llywodraeth, i fod yn bartner da.

Mae yna elfen o risg yn hyn o beth gan fod yna duedd gan gorfforaethau i newid personél, i bobl newydd ddod i mewn, ac i'r rheiny anghofio pam y mae trefniadau arbennig wedi cael eu creu. Mae pob corff, a phob swyddog o fewn y corff hwnnw, yn naturiol ac yn reddfol yn deisyfu cael yr elfen fwyaf posibl o ryddid gweithredol ac annibyniaeth oddi wrth unrhyw gorff arall. Mae'r rhan fwyaf o gyrff, ac unigolion, fodd bynnag yn gorfod cydweithio ag eraill er mwyn cyflawni eu hamcanion.

Y gwir ydi fe fydd hi'n fater o flynyddoedd cyn y bydd yn bosibl cloriannu gwerth penderfyniadau pellgyrhaeddol o'r fath. Ymhell cyn hynny, fe fydd S4C wedi gorfod ymladd yn galed unwaith eto am setliad ariannol i gynnal gwasanaeth cryf. Wrth i fy ail dymor fel Cadeirydd ddod i ben ym mis Medi 2019, ac wrth i mi droi trwyn y car unwaith yn rhagor tua'r gogledd, ar hyd ffordd yr arfordir y tro hwn, y gorau y gallwn obeithio oedd fy mod yn gadael y corff mewn cyflwr gweddol iach i wynebu'r her yna pan fyddai'n cyrraedd.

18

Mantolen

FE FU FY nhad-yng-nghyfraith, 'Kazek' Miarczynski, farw yn 2016, yn 97 mlwydd oed. Yn ei ddyddiau olaf, ei air mawr bob tro oedd 'diolch'. 'Dwi wedi bod yn lwcus,' medde fo. Dyma ddyn oedd wedi colli saith mlynedd gorau ei ieuenctid yn garcharor rhyfel yn yr Almaen yn byw ar gyflenwad dyddiol o gawl rwdan tenau; oedd wedi gweld ei wlad yn diflannu y tu ôl i Len Haearn, oedd heb fedru ymweld â'i deulu am 25 mlynedd ac wedi treulio'r rhan fwyaf o'i oes mewn gwlad ddieithr fel labrwr ar gyflog bach. Ond yn ei feddwl ei hun, doedd hyn oll yn ddim o'i gymharu â'r hapusrwydd roedd o wedi ei brofi yn ei fywyd personol, teuluol a chymdeithasol. Roedd o wedi bod yn lwcus.

Rydw i wedi cyfaddef mai dim ond hanner fy stori i sydd ar y tudalennau yma. Oeddwn i'n iawn i gredu'n 18 oed mai gyrfa a gwaith fyddai'n diffinio be oeddech chi? Os ydi tystiolaeth fy nhad-yng-nghyfraith yn cyfrif am rywbeth, doeddwn i ddim. Ond yn 18 oed fyddai o byth wedi croesi fy meddwl i ateb y cwestiwn 'Be wyt ti isio bod?' mewn unrhyw dermau eraill.

Mewn gwirionedd, mae stori bywyd rhywun yn cael ei sgwennu nid ar ddiwedd gyrfa ond wrth wneud y penderfyniadau bach a mawr yna o ddydd i ddydd ac o flwyddyn i flwyddyn, yn ogystal ag wrth dderbyn yr ergydion a'r bendithion y mae ffawd yn eu taflu i'ch rhan. Y cyfan sy'n digwydd rŵan ydi mod i wedi ceisio dod o hyd i'r geiriau i gyflwyno prif benodau'r stori yma i bobl eraill.

Yn 18 oed, mae sawl dyfodol posibl o'ch blaen ac egin pob

un ohonyn nhw'n bresennol gyda'i gilydd, fel blagur heb eu hagor. Fel arfer dydi'r unigolyn ddim yn gwerthfawrogi ac felly'n mwynhau'r cyfoeth anhygoel mae hynny'n ei gynrychioli yn y funud pan mae'n bod. I addasu'r dywediad enwog, mae ieuenctid yn cael ei wastraffu ar yr ifanc.

Wrth fynd ymlaen, mae'n rhaid gwneud dewisiadau, ac fel arfer mae gwneud un dewis yn golygu bod y profiadau allai orwedd ar hyd llwybr arall yn cael eu colli. Efallai bod gyrfa gymharol droellog fel fy un i yn awgrymu nad oes rhaid i hynny ddigwydd. Yn sicr, roedd fy mam a nhad yn meddwl mod i'n rhoi llwybr gyrfa o'r neilltu wrth benderfynu symud i Landwrog yn 23 oed. Roeddwn innau'n credu hynny ar y pryd hefyd ac yn llawn syniadau am fywyd hunan-gynhaliol, syml. Am gyfnod, bûm yn derbyn *Farmer's Weekly* yn wythnosol ar ôl symud i Landwrog cyn i mi sylweddoli pa mor bell oeddwn i mewn gwirionedd o fedru gwneud unrhyw beth i'r cyfeiriad hwnnw.

Yr hyn sydd wedi bod yn llinyn cyson drwy'r holl daith, ers tua 18 oed o leiaf, ydi'r iaith Gymraeg. Er cymaint rydw i wedi caru a gwerthfawrogi'r ieithoedd eraill rydw i wedi ymwneud â nhw, gan gynnwys yr iaith Saesneg a'i holl gyfoeth, yr iaith Gymraeg sydd yn fwy nag unrhyw ffactor unigol arall wedi diffinio pwy ydw i, o ble rwy'n dod a pham mod i'n gwneud pethe.

Yn y chwedegau cynnar roedd y canfyddiad fod y Gymraeg yn dirywio ac ar ei ffordd i ebargofiant yn weddol amlwg i unrhyw un oedd am weld. Y cwestiwn bryd hynny, fel ar gymaint o gyfnodau hanesyddol eraill, oedd – pa mor bwysig oedd hynny, ac a oedd y peth yn anochel? Mi gawson ni, y *baby-boomers*, gyfle gwell na'r un genhedlaeth arall ers bron i ganrif i benderfynu bod dyfodol yr iaith yn haeddu'n sylw a'n hegni, gan i ni fedru osgoi gorfod mynd i ryfel neu ddioddef dirwasgiad. Oherwydd parodrwydd pobl eraill i aberthu, cafodd rhai ohonom hefyd yn y diwedd gyfle i fyw bywyd *normal* a hyd yn oed cyfforddus, wrth inni wneud hynny.

Fel Kazek, mi fedra' innau ddweud, gyda sicrwydd, beth bynnag arall dwi wedi bod, mod i hefyd wedi bod yn lwcus.

Dwi isio bod yn… ar gael fel llyfr llafar (audiobook).
Wedi ei leisio gan Huw Jones
ac yn rhoi blas o'i ganeuon eiconig.

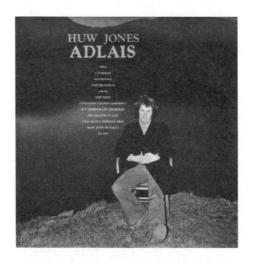

Adlais (SAIN 1074)

Albym unigol Huw Jones, a gyhoeddwyd yn 1976,
ar gael rŵan fel CD neu i'w lawrlwytho.
www.sainwales.com